ÊTRE BIEN DANS SA PEAU

Dr David Burns

ÊTRE BIEN
DANS
SA PEAU

Traitement éprouvé cliniquement pour vaincre la dépression, l'anxiété et les troubles de l'humeur

Préface de
Michael Spevack, Ph. D.

Les éditions
Héritage inc.

Données de catalogage avant publication (Canada)

Burns, David D. D^r

    Être bien dans sa peau

    ISBN : 2-7625-7674-1

    1. Dépression 2. Thérapie cognitive I. Titre

RC 537.B8714 1994   158'.1 C90-940886-7

Révision linguistique : Monique Thouin

Mise en page : André Vallée – Atelier typo Jane

Production : Michel Joubert

Feeling Good

Copyright © 1980 David D. Burns, M. D.

Publié par William Morrow and Company, Inc.

Version française

Édition originale : © Les éditions Héritage inc. 1985-2005

Réimpression : Août 2005

ISBN : 978-2-7625-7674-0 version compacte

       978-2-7625-2461-1 version rigide

Imprimé au Canada

LES ÉDITIONS HÉRITAGE INC.

300, rue Arran, Saint-Lambert (Québec) J4R 1K5

Table des matières

PREMIÈRE PARTIE
Théorie et recherche

DEUXIÈME PARTIE
La mise en pratique

INDEX DES TABLEAUX

Tests d'autoévaluation

Formulaires et tableaux d'autothérapie

Préface

Depuis la publication de ce livre, la thérapie cognitive est devenue l'approche thérapeutique de choix dans le traitement de la dépression, de l'anxiété et des troubles de l'humeur.

Lorsque le Dr Aaron Beck, psychiatre américain, a mis au point cette nouvelle approche à l'égard des troubles de l'humeur, les critiques ont argué que de tels troubles étaient causés soit par un déséquilibre chimique du cerveau, soit par la présence de conflits psychologiques remontant à l'enfance.

Les recherches scientifiques ont prouvé que ces hypothèses n'étaient pas valables. De nombreuses études ont en effet démontré l'efficacité de la thérapie cognitive auprès de personnes souffrant de dépression majeure, à qui elle a redonné énergie, bien-être et confiance en elles.

La thérapie cognitive s'est avérée, dans certains cas, aussi efficace que l'utilisation d'antidépresseurs. De plus, elle est plus efficace à long terme puisqu'elle permet d'apprendre à contrôler son humeur, tandis que l'individu traité à l'aide de médicaments devra un jour en interrompre l'usage.

On a auparavant accepté l'hypothèse voulant qu'un déséquilibre chimique du cerveau soit à l'origine de pensées négatives et de l'état dépressif. On sait maintenant qu'il s'agit d'un cercle vicieux où chaque facteur influence et aggrave l'autre. Les pensées négatives ont pour effet d'abaisser l'humeur, ce qui entraîne fort probablement un certain déséquilibre dans la chimie du cerveau. En s'attaquant au traitement de l'un ou l'autre de ces facteurs, on peut aider les gens à se sentir mieux.

L'ouvrage du Dr David Burns est unique; il met à la disposition du public une méthode thérapeutique éprouvée en clinique. De plus, il peut s'avérer bénéfique à une foule de gens ne présentant pas de symptômes de dépression ou d'autre troubles de l'humeur. Il leur permet de comprendre les éléments ayant une incidence sur leur humeur et, par conséquent, de se sentir mieux dans leur peau.

Le succès remporté par le Dr Burns avec cet ouvrage aux États-Unis témoigne de son habileté à communiquer, dans un langage clair et à la portée de tous, les techniques et principes relativement simples permettant aux gens de commencer à maîtriser leur humeur.

Utilisant personnellement cette approche en clinique, c'est avec enthousiasme que j'observe mes patients alors qu'ils commencent à comprendre que leurs pensées négatives, autocritiques et automatiques sont arbitraires et dépourvues de logique. À mesure que ces dernières sont remplacées par des pensées logiques et rationnelles, on constate une amélioration de l'humeur, de la confiance en soi ainsi que de la motivation.

J'espère vivement qu'un jour les principes énoncés dans cet ouvrage ne seront pas décrits comme étant uniques ou innovateurs, mais plutôt comme relevant du «gros bon sens», car c'est exactement de cela qu'il s'agit. Peut-être qu'un jour les parents guideront leurs enfants dans l'analyse de leurs pensées irrationnelles ou que l'on enseignera dans nos écoles secondaires de telles techniques de maîtrise de l'humeur. À ce moment-là, le niveau de santé mentale de la population de notre pays en sera grandement amélioré.

Michel Spevack, Ph. D.
Directeur
Service des thérapies du comportement
Hôpital général de Montréal

Introduction

Je suis heureux que David Burns ait révélé au public une méthode de modification de l'humeur qui a récemment éveillé l'intérêt et l'enthousiasme des spécialistes de la santé mentale. Le Dr Burns a condensé des années de recherches entreprises au sein de l'Université de Pennsylvanie sur les causes et les traitements de la dépression. Il présente avec clarté l'élément essentiel du traitement spécialisé qui est né de cette recherche, à savoir l'effort personnel du patient. Ce livre aidera grandement ceux qui désirent recevoir son enseignement de tout premier ordre pour ensuite être capables de comprendre et de maîtriser leur humeur.

Quelques mots concernant l'évolution de la thérapie cognitive intéresseront peut-être les lecteurs d'*Être bien dans sa peau*, la nouvelle thérapie de l'humeur. Peu après avoir entamé ma carrière en qualité d'étudiant et de praticien enthousiaste de la psychiatrie psychanalytique traditionnelle, j'entrepris de sonder les fondements « expérimentaux » de la doctrine freudienne et de la thérapie de la dépression. Tandis que de tels fondements s'avérèrent insaisissables, les données que j'obtins m'amenèrent à mettre au point une nouvelle thérapie pouvant être mise à l'essai pour traiter les causes des troubles affectifs. Les recherches semblaient révéler que le patient déprimé se considérait comme un « perdant », comme un incapable voué à la frustration, à la privation, à l'humiliation et à l'échec. D'autres expériences mirent en évidence une différence prononcée, parfois véritablement saisissante, entre l'autoévaluation, l'espoir, les aspirations de la personne déprimée d'une part et ses véritables réalisations d'autre part. J'en conclus que la dépression comporte un trouble de la pensée. La personne déprimée pense à elle-même, à son environnement, à son avenir en des termes particulièrement négatifs. Son état d'esprit pessimiste finit par affecter son humeur, sa motivation, ses relations avec les autres et fait apparaître enfin toute la gamme des symptômes psychologiques et physiques de la dépression.

Nous détenons aujourd'hui un vaste arsenal de données de recherche et d'expérience clinique indiquant que les patients peuvent apprendre à maîtriser les états d'âme douloureux et le comportement défaitiste, grâce à l'application de quelques principes et techniques relativement simples. Les résultats prometteurs de ces recherches ont éveillé l'intérêt de nombreux psychiatres, psychologues et autres spécialistes de la santé mentale pour la thérapie cognitive. De nombreux auteurs ont jugé que nos recherches constituent une percée importante dans l'étude scientifique de la psychothérapie et de l'amélioration personnelle. La théorie des troubles affectifs, sur laquelle repose cette recherche, est devenue l'objet d'études intensives dans les centres universitaires du monde entier.

Le Dr Burns énonce clairement les progrès que nous avons accompli en matière de compréhension de la dépression. Il présente, dans un langage simple, les méthodes nouvelles et efficaces qui permettent de modifier l'humeur dépressive et de réduire l'anxiété si débilitante. Je crois que les lecteurs pourront appliquer à leurs problèmes personnels les principes et techniques que nous avons élaborés en travaillant avec nos patients. Les personnes atteintes de troubles émotifs très graves ont besoin de l'aide d'un spécialiste de la santé mentale, mais celles dont les problèmes sont plus facilement surmontables bénéficieront certainement de ces nouvelles méthodes qui s'appuient sur le bon sens. Par conséquent, *Être bien dans sa peau* se révélera un guide facile à suivre pas à pas et particulièrement précieux pour ceux qui désirent d'abord s'aider eux-mêmes.

Enfin, cet ouvrage reflète le flair unique de son auteur, dont l'enthousiasme et l'énergie créatrice sont particulièrement appréciés de ses patients et de ses collègues.

Aaron T. Beck
Professeur de psychiatrie
Faculté de médecine, Université de Pennsylvanie

Avant-propos

Dans ce livre, je vous ferai part de quelques-unes des dernières méthodes scientifiquement éprouvées de traitement de l'humeur dépressive. Ces techniques destinées à vous aider à vous sentir bien dans votre peau sont fondées sur une nouvelle forme de traitement connue sous le nom de thérapie cognitive. Pourquoi ce nom? Parce que le traitement vous apprend à modifier non seulement la manière dont vous interprétez votre situation lorsque vous êtes angoissé mais aussi à bien vous sentir et à agir efficacement.

Les techniques destinées à remonter le moral peuvent être étonnamment efficaces. La thérapie cognitive est l'une des premières formes de psychothérapie que les recherches cliniques ont démontrées comme étant aussi efficaces, voire plus efficaces que la chimiothérapie à base d'antidépressifs pour annihiler la dépression, grave ou bénigne. Bien que les antidépressifs soient fréquemment utiles, nous possédons maintenant une méthode qui a aidé de nombreux patients à surmonter leurs problèmes d'humeur sans avoir recours aux médicaments. D'ailleurs, même si vous suivez un traitement à base de produits pharmaceutiques, les techniques d'effort personnel que vous trouverez dans cet ouvrage peuvent contribuer à accélérer votre guérison.

Des études publiées ont également révélé que la thérapie cognitive est peut-être supérieure à plusieurs autres formes de psychothérapie, y compris les thérapies du comportement, la thérapie de groupe, la thérapie orientée vers la connaissance intuitive, du moins dans le traitement de la dépression. Ces découvertes ont intrigué de nombreux psychiatres et psychologues, provoquant une flambée de recherches théoriques et cliniques. La D^re Myrna Weissman, de la Faculté de médecine de l'Université Yale, à New Haven, dans un article paru dans l'une des principales revues psychiatriques (*The Archives of General Psychiatry*), a déclaré qu'en général les études effectuées ont permis de démontrer la supériorité de la thérapie cognitive sur d'autres thérapies. Comme c'est le cas de toutes les découvertes de la médecine et de tous les résultats de recherches concernant la santé mentale, le jugement définitif doit subir l'épreuve du temps et nécessite d'autres recherches, mais les premières conclusions sont des plus prometteuses.

La nouvelle thérapie met l'accent sur des interventions fondées sur le bon sens. Son mode d'action rapide a provoqué le scepticisme de plusieurs thérapeutes, psychanalystes, partisans des méthodes traditionnelles. Cependant, les approches thérapeutiques classiques sont inefficaces dans le cas de certains troubles de l'humeur et peuvent même en aggraver les conditions. En revanche, après seulement trois mois de traitement, la majorité des patients atteints de dépression grave qui ont été soignés au moyen des techniques décrites dans ce livre ont déclaré que l'ampleur des symptômes qui les avaient poussés à rechercher un traitement avait substantiellement diminué.

J'ai écrit ce livre pour que vous soyez informé des méthodes qui ont aidé tant de gens à surmonter la dépression et à rehausser leur dignité et leur joie de vivre. Au fur et à mesure que vous apprendrez à maîtriser votre humeur, vous découvrirez que l'épanouissement personnel peut être une expérience vivifiante. Ce faisant, vous apprendrez à mettre en jeu un ensemble de valeurs individuelles significatives et adopterez une philosophie de la vie cohérente qui vous apportera ce que vous désirez : efficacité accrue, joie de vivre.

J'empruntai une voie indirecte pour effectuer mes recherches en thérapie cognitive. À l'été 1973, après avoir entassé ma famille dans ma Volkswagen, j'ai pris la longue route qui devait me conduire de la baie de San Francisco à Philadelphie. J'avais accepté un poste d'enseignant à titre de premier résidant en psychiatrie chargé de recherche sur l'humeur à l'Université de Pennsylvanie. J'avais d'abord travaillé dans le Service de recherche sur la dépression de l'Hôpital des anciens combattants de Philadelphie afin de réunir des données sur les théories chimiques concernant la dépression, qui venaient d'être élaborées. Je pus ainsi tirer de l'information de première main de mes expériences sur la manière dont le cerveau régit l'indice d'une certaine substance chimique qui, pensait-on, joue un rôle capital dans le régime de l'humeur. Pour ce travail, on m'a décerné en 1975 le prix A. E. Bennett de la Société de psychiatrie biologique, pour « recherches psychiatriques fondamentales ».

C'était la réalisation d'un rêve car j'avais toujours considéré la remise de ce prix comme l'apogée d'une carrière. Pourtant, un élément crucial manquait. Les découvertes étaient trop éloignées des problèmes cliniques auxquels je me heurtais chaque jour lorsque j'essayais de soigner les être humains qui souffraient et parfois mouraient de dépression et d'autres troubles affectifs. Trop de mes patients ne répondaient pas aux formes de traitement alors disponibles.

Je me souviens particulièrement d'un ancien combattant, Fred, qui depuis 10 ans était en proie à une dépression profonde. À longueur de journée, il demeurait assis et tremblant dans le pavillon du Service de recherche. Lorsqu'on essayait de lui parler, il levait les yeux en marmonnant : « J'veux mourir, docteur, j'veux mourir ». Il demeura si longtemps dans le pavillon que je commençai à me demander s'il ne mourrait pas simplement de vieillesse un jour. Une crise cardiaque le terrassa et manqua de le tuer. Il fut bien déçu lorsqu'il s'aperçut qu'il avait survécu. Après plusieurs semaines aux soins cardiaques, on le transféra de nouveau dans le Service de recherche sur la dépression.

On traitait Fred en lui administrant tous les antidépressifs que l'on connaissait, sans compter un certain nombre de produits encore à l'état expérimental, mais sa dépression ne cédait pas d'un pouce. En dernier recours, son psychiatre décida d'administrer la thérapie électroconvulsivante (ECT), traitement que l'on n'appliquait que lorsque tous les autres s'étaient révélés inefficaces. Je n'avais encore jamais participé à l'administration de la thérapie de choc mais consentis à assister le psychiatre. Je me souviens qu'après le dix-huitième et dernier choc, Fred, qui était en train de retrouver ses facultés à la suite de l'anesthésie, regarda autour de lui, avant de me demander où il se trouvait. Je lui répondis qu'il était à l'Hôpital des anciens combattants et que nous étions en train de le reconduire dans sa chambre. Espérant détecter un signe quelconque d'amélioration, je lui demandai comment il se sentait. Il leva les yeux en marmonnant d'un ton lugubre : « J'veux mourir ».

Je me rendis compte que nous avions besoin de munitions plus puissantes pour combattre cette maladie mais j'ignorais lesquelles. C'est à cette époque que le Dr John Paul Brady, président du Département de psychiatrie de l'Université de Pennsylvanie, me suggéra de travailler avec le Dr Aaron T. Beck, l'une des autorités mondiales en matière de troubles de l'humeur. Le Dr Beck effectuait des recherches sur un type de traitement par le dialogue, révolutionnaire et controversé, qu'il appelait la théraphie cognitive.

Comme je l'ai mentionné plus haut, le mot *cognitive* se rapporte simplement à ce que nous pensons et ressentons à un moment donné. La thèse du Dr Beck est simple : 1° Lorsque vous êtes déprimé ou anxieux, vous *pensez* d'une manière illogique, négative et, sans vous en rendre compte, vous avez un comportement défaitiste ; 2° Un petit effort vous permettrait de redresser vos modes de pensée distorsionnés ; 3° L'élimination des symptômes pénibles vous permettra de redevenir productif et de reprendre confiance ; 4° Ces objectifs peuvent généralement être atteints dans un laps de temps relativement bref, à l'aide de méthodes simples.

En effet, cela me *semblait* simple et évident. Mes patients déprimés avaient certainement des pensées pessimistes. Mais je croyais difficilement que des habitudes mentales et émotives aussi profondément enracinées puissent être aussi rapidement éliminées par un programme du type de celui que décrivait le Dr Beck. Toute l'affaire me paraissait bien trop simple !

Puis je me souvins que beaucoup de grands projets scientifiques n'étaient guère plus compliqués et avaient au départ été accueillis par un profond scepticisme. La possibilité que les concepts et méthodes cognitifs finissent par révolutionner le traitement des troubles émotifs m'intriguait suffisamment pour que je me décide à expérimenter la thérapie sur certains de mes patients les plus difficiles. J'étais plutôt sceptique mais, si la théorie cognitive n'était qu'un tissu d'inepties, j'étais bien décidé à le découvrir par moi-même.

J'ai été surpris des résultats. Beaucoup de mes patients furent soulagés pour la première fois depuis des années. Certains déclarèrent qu'ils se sentaient heureux pour la première fois de leur vie. À la suite de mes expériences cliniques, je commençai à travailler en plus étroite collaboration avec le Dr Beck et ses collègues de la Clinique de l'humeur de l'Université de Pennsylvanie. Le groupe entreprit plusieurs études visant à évaluer les effets du nouveau traitement que nous étions en train de mettre au point. Les résultats de ces études eurent des répercussions chez les spécialistes de la santé mentale aux États-Unis et à l'étranger. Je les décrirai en détail dans le chapitre premier.

Vous n'avez pas besoin de subir une dépression profonde pour profiter de ces nouvelles méthodes. Une petite « mise au point » ne peut pas nous faire de mal occasionnellement. Ce livre vous indiquera exactement que faire lorsque vous vous sentez démoralisé. J'ai l'intention de vous apprendre à cerner les raisons de votre humeur et de vous aider à mettre en œuvre des stratégies efficaces afin de renverser aussi rapidement que possible la situation. Si vous acceptez de consacrer un peu de temps à vous-même, vous apprendrez à maîtriser plus efficacement votre humeur, exactement comme un athlète qui participe à un programme d'entraînement quotidien peut accroître son endurance et sa force. Cet entraînement devra vous paraître clair et sensé. Mes suggestions sont d'ordre pratique afin de vous permettre d'élaborer un programme d'épanouissement personnel qui vous apportera simultanément un soulagement émotif et une compréhension des causes fondamentales de votre angoisse. Je vous garantis que ces méthodes sont efficaces et que leurs résultats peuvent être particulièrement profonds.

Première partie

Théorie et recherche

Chapitre 1

Une percée dans le traitement
des troubles de l'humeur

On considère que la dépression constitue le problème de santé numéro un dans le monde. Elle est si généralisée qu'on la considère comme le «rhume» des troubles psychiatriques. Pourtant, rien n'est plus différent d'un rhume qu'une dépression. La dépression peut tuer. Le taux de suicide, d'après certaines études, a enregistré une hausse effrayante au cours de ces dernières années, notamment parmi les enfants et les adolescents, en dépit des milliards d'antidépressifs et de tranquillisants absorbés depuis quelques dizaines d'années.

Ce tableau n'est guère réjouissant. Mais avant qu'il vous plonge dans un désespoir encore plus profond, laissez-moi vous apprendre quelques bonnes nouvelles. La dépression est une maladie et non un élément indispensable de toute vie normale. Plus important encore, vous *pouvez* la surmonter en apprenant quelques méthodes fort simples destinées à remonter votre moral. Un groupe de psychiatres et de psychologues de la Faculté de médecine de l'Université de Pennsylvanie a fait état d'une découverte importante dans le domaine du traitement et de la prévention des troubles de l'humeur. Mécontents des méthodes traditionnelles de traitement de la dépression, qu'ils jugeaient lentes et inefficaces, ces médecins ont élaboré et systématiquement mis à l'essai un traitement entièrement nouveau et remarquablement efficace de la dépression et autres troubles émotifs. Une série d'études récentes confirme que ces techniques réduisent les symptômes de la dépression beaucoup plus rapidement que la psychothérapie et la chimiothérapie traditionnelles. Ce traitement révolutionnaire porte le nom de «thérapie cognitive».

J'ai participé à l'élaboration de la thérapie cognitive et ce livre est le premier à expliquer ces méthodes au grand public. L'application systématique et l'évaluation scientifique du traitement de la dépression clinique remontent jusqu'aux travaux innovateurs du Dr Aaron Beck, qui commença à peaufiner sa technique unique de modification de l'humeur vers le milieu des années 50[1]. Son travail de pionnier a commencé à connaître la notoriété au cours de la dernière décennie en raison des recherches que de nombreux spécialistes de la santé mentale ont entreprises pour mettre au point et évaluer les méthodes de thérapie cognitive au centre médical de l'Université de Pennsylvanie et dans bien d'autres établissements universitaires.

La thérapie cognitive est une méthode rapide de modification de l'humeur. Vous pouvez apprendre à l'administrer vous-même. Elle peut vous aider à éliminer les symptômes déprimants et à rajuster l'idée que vous avez de votre valeur personnelle, afin de minimiser les futurs accès de dépression et de régler les problèmes qui se présenteront à l'avenir.

---

1. L'idée que ces modes de pensée peuvent influencer profondément notre humeur a été énoncée par un certain nombre de philosophes au cours des 2 500 dernières années. Plus récemment, la conception cognitive des troubles émotifs a été explorée dans les écrits de nombreux psychiatres et psychologues tels qu'Alfred Adler, Albert Ellis, Karen Homey et Arnold Lazarus, pour n'en citer que quelques-uns. L'histoire de ce mouvement se trouve dans l'ouvrage d'Albert Ellis, *Reason and Emotion in Psychotherapy*, Lyle Stuart, New York, 1962.

Les techniques simples et efficaces de maîtrise de l'humeur qui constituent la thérapie cognitive vous apporteront ce qui suit :

1. *Soulagement rapide des symptômes* : Dans le cas d'une dépression bénigne, on observe fréquemment un soulagement des symptômes en seulement 12 semaines.

2. *Compréhension de ce qui vous arrive* : Une explication claire de la raison pour laquelle vous êtes démoralisé et de ce que vous pouvez faire pour y remédier. Vous apprendrez ce qui provoque ces sentiments puissants, vous saurez comment distinguer les sentiments « normaux » des sentiments « anormaux » et comment diagnostiquer et évaluer la gravité de vos accès de dépression.

3. *Maîtrise de soi* : Vous apprendrez comment appliquer des stratégies sûres et efficaces pour régler vos problèmes et vous sentir bien dans votre peau lorsque tout vous paraît aller de travers. Je vous aiderai à élaborer un plan personnel, pratique, réaliste, comportant plusieurs étapes. Au fur et à mesure de son application, vous constaterez que vos changements d'humeur peuvent être de plus en plus facilement maîtrisés, grâce à votre volonté.

4. *Prévention, et épanouissement personnel* : Une prophylaxie (prévention) authentique et durable des futurs changements d'humeur peut être efficacement fondée sur la remise en question de certaines valeurs et attitudes de base qui sont au cœur de vos tendances dépressives. Je vous montrerai comment contester certaines présomptions et réévaluer vos notions fondamentales quant à la valeur de l'être humain.

Les techniques de résolution des problèmes que vous apprendrez vous permettront de surmonter toutes les crises de la vie moderne, des causes mineures d'irritation jusqu'à celles d'un véritable effondrement psychologique. Il s'agit de problèmes réels, tels qu'un divorce, un décès, un échec, ainsi que de ces problèmes vagues, chroniques, qui ne semblent pas avoir de cause extérieure évidente, tels que le manque de confiance en soi, la frustration, le sentiment de culpabilité ou l'apathie.

Maintenant, vous direz-vous, s'agit-il d'une nouvelle psychologie populaire «à appliquer soi-même»? En réalité la thérapie cognitive est l'une des premières formes de psychothérapie dont l'efficacité a été démontrée grâce à des recherches scientifiques rigoureuses, sous l'œil critique de la communauté médicale universitaire. Cette thérapie est unique car elle a été évaluée et corroborée aux plus hauts échelons universitaires. Il ne s'agit certainement pas d'une nouvelle mode du genre «Redevenez vous-même en 10 leçons» mais d'un progrès scientifique considérable qui est devenu un important élément des recherches psychiatriques modernes. Le fondement universitaire de la thérapie cognitive a accru son rayonnement et cette technique demeurera au premier plan pendant de nombreuses années. Mais ne soyez pas rebuté par les lettres de noblesse que la thérapie a acquises. Contrairement à de nombreuses formes de psychothérapie traditionnelle, elle n'est ni occulte ni anti-intuitive. Elle est pratique, fondée sur le bon sens, et vous pouvez l'appliquer vous-même.

Le premier principe de la thérapie cognitive est que *toutes* vos humeurs sont créées par la «cognition» ou la pensée. La cognition se rapporte à la manière dont vous envisagez la situation, soit vos perceptions, vos attitudes mentales, vos croyances. Elle comprend la manière dont vous envisagez la situation, soit ce que vous vous dites à propos de quelque chose ou de quelqu'un. Vous *ressentez* certaines choses à ce moment précis, en raison des *pensées qui vous traversent l'esprit au même moment.*

Laissez-moi illustrer ce principe. Comment vous sentiez-vous en lisant ces pages? Vous pensiez peut-être : «La thérapie cognitive? C'est trop beau pour être vrai. Ça ne marchera jamais dans mon cas.» Si vos pensées sont de cet ordre-là, vous vous sentez sceptique, voire découragé. Pourquoi donc vous sentez-vous ainsi? À cause de vos pensées. Vous créez ces sentiments par le dialogue que vous avez avec vous-même à propos de ce que vous venez de lire.

En revanche, il se peut que vous ayez senti votre moral remonter soudainement parce que vous avez pensé : «Tiens, tiens, voilà peut-être enfin le moyen de me tirer d'affaire?» Votre réaction émotive est engendrée non par les phrases que vous lisez mais par la manière dont vous pensez. Au moment où vous pensez quelque chose de précis et y croyez fermement, vous ressentez une réaction émotive immédiate. Vos pensées créent véritablement vos sentiments.

Le deuxième principe est que lorsque vous êtes déprimé vos pensées sont dominées par un côté négatif pénétrant. Ce n'est pas seulement vous-même que vous affublez d'un voile sombre et sinistre mais le monde entier. Pire, vous finissez par croire que la situation est *aussi désespérée* que vous l'imaginez.

Si vous êtes gravement déprimé, vous finirez même par croire que tout ne sera, n'est et n'a été que négation autour de vous. Si vous réfléchissez à votre passé, seules les expériences désagréables remontent à la surface de votre mémoire. Si vous essayez d'imaginer le futur, vous ne voyez que le vide, l'angoisse, ou des obstacles insurmontables. Cette vision morose crée un sentiment de désespoir, totalement illogique d'ailleurs mais qui semble si réel que vous parvenez à vous convaincre que votre incapacité est incurable.

Le troisième principe est d'une importance capitale sur les plans tant philosophique que thérapeutique. Nos recherches ont démontré que les pensées négatives qui causent vos tourments émotifs contiennent presque *toujours* de graves distorsions. Bien que ces pensées paraissent logiques, vous apprendrez qu'elles sont irrationnelles, ou simplement erronées. Les distorsions cognitives sont une cause primordiale de vos souffrances.

La signification de tout ce qui précède est saisissante : Votre dépression n'est pas fondée sur une conception exacte de la réalité. Elle est le produit d'un glissement mental. La dépression est loin d'être une expérience humaine précieuse, authentique, importante. C'est une contrefaçon entièrement synthétique de la réalité.

Admettons que vous croyiez en la validité de mes paroles. Quel bien cela vous fera-t-il ? Nous en arrivons maintenant au résultat le plus crucial de nos recherches cliniques. Vous pouvez apprendre à surmonter vos changements d'humeur plus efficacement si vous maîtrisez les méthodes qui vous permettent de cerner et d'éliminer les distorsions mentales qui provoquent vos angoisses. Au fur et à mesure que vous apprendrez à penser plus objectivement, vous commencerez à bien vous sentir.

Dans quelle mesure la thérapie cognitive est-elle efficace par rapport à d'autres méthodes établies et acceptées de traitement de la dépression ? La nouvelle thérapie peut-elle permettre aux patients gravement atteints d'améliorer leur état sans médicaments ? À quel délai doit-on s'attendre avant que la thérapie fasse effet ? Les résultats sont-ils durables ?

Il y a plusieurs années, un groupe de chercheurs du Centre de thérapie cognitive de l'Université de Pennsylvanie, dont faisaient partie les Drs John Rush, Aaron Beck, Maria Kovacs et Steve Hollon, a entrepris une étude pilote de comparaison de la thérapie cognitive avec le traitement à base de l'un des antidépressifs les plus efficaces et les plus généralement prescrits que l'on trouvait sur le marché, le Tofranil (hydrochlorure d'imipramine). Plus de 40 patients souffrant de dépression grave furent répartis au hasard entre 2 groupes. L'un devait participer à des séances individuelles de thérapie cognitive, sans qu'aucun médicament soit prescrit. L'autre devait être traité par l'administration de Tofranil, sans autre thérapie. Cette méthode de recherche a été choisie parce qu'elle offrait les meilleures possibilités de comparaison des traitements. À cette époque, nulle forme de psychothérapie n'avait encore été démontrée comme étant plus efficace contre la dépression que l'administration d'antidépressifs. C'est pour cette raison que ces médicaments ont éveillé un tel intérêt parmi les médias et ont fini par être considérés par la communauté médicale, au cours des 20 dernières années, comme le meilleur traitement des formes les plus graves de dépression.

Les deux groupes de patients furent soignés pendant 12 semaines. Tous furent systématiquement évalués à l'aide de tests psychologiques approfondis avant la mise en route des traitements et, pendant un an, à plusieurs mois d'intervalle, après l'achèvement des traitements. Les médecins qui les soumirent aux tests n'étaient pas les mêmes que ceux qui les avaient traités, ce qui garantissait une évaluation objective des mérites de chaque traitement.

Les patients souffraient d'accès de dépression de gravité variable. La majorité n'avaient pu améliorer leur état malgré les nombreux traitements auxquels ils avaient préalablement été soumis dans d'autres cliniques. Les trois quarts d'entre eux présentaient des tendances suicidaires au moment de leur arrivée. Le patient moyen était atteint d'une dépression chronique ou intermittente depuis huit ans. Beaucoup étaient intimement convaincus que leurs problèmes étaient insolubles et que leur vie était sans espoir. Vos problèmes personnels vous paraîtront peut-être moins écrasants que les leurs, mais un groupe de cas aussi désespérés avait été choisi pour que la thérapie puisse être évaluée dans les circonstances les plus difficiles, tout traitement se présentant comme une véritable gageure.

Les résultats de l'étude furent inattendus et très encourageants. La thérapie cognitive se révéla infiniment supérieure à la chimiothérapie à base d'antidépressifs, dans tous les domaines. Comme vous le constatez (tableau 1-1), 15 des 19 patients traités par thérapie cognitive présentèrent un affaiblissement considérable des symptômes après 12 semaines de traitement actif[2]. L'état de deux autres patients s'est amélioré mais ils ressentaient toujours des accès de dépression allant des troubles limites aux troubles bénins. Seul un patient avait abandonné le traitement en cours et un autre ne constatait aucune amélioration de son état. En revanche, seulement 5 des 25 patients traités par antidépressif avaient complètement guéri à la fin des 12 semaines. Huit avaient abandonné le traitement en cours à la suite d'effets secondaires néfastes du produit et 12 autres ne présentaient qu'une guérison partielle ou un état stationnaire.

TABLEAU 1-1

**État des 44 patients gravement dépressifs
12 semaines après le début du traitement.**

	Patients traités par thérapie cognitive seulement	*Patients traités par antidépressif seulement*
Nombre de patients traités	19	25
Nombre de guérisons complètes[3]	15	5
Nombre de patients dont l'état s'est amélioré sans guérison complète (troubles limites à troubles bénins)	2	7
Nombre de patients dont l'état ne s'est pas sensiblement amélioré	1	5
Nombre de patients qui ont abandonné le traitement en cours	1	8

---

2. Le tableau 1-1 a été adapté de l'article « Comparative efficacy of Cognitive Therapy and Pharmacotherapy in the Treatment of Depressed Patients », par RUSH, A.J., BECK, A.T., KOVACS, M. et HOLLON, S., *Cognitive Therapy and Research*, vol. 1, n° 1, mars 1977, p. 17-38.

3. Le nombre supérieur de guérisons obtenues par thérapie cognitive s'est révélé statistiquement significatif.

La découverte que de nombreux patients soumis à la thérapie cognitive guérissaient plus rapidement que ceux qui étaient soignés à l'aide de médicaments revêtit une importance particulière. Au cours de la première semaine, on constata une diminution prononcée des tendances suicidaires du groupe soumis à la thérapie cognitive. L'efficacité de cette thérapie devrait être encourageante pour les personnes qui préfèrent éviter de s'en remettre aux produits pharmaceutiques pour retrouver un bon moral et souhaitent comprendre ce qui les fait souffrir, tout en faisant des efforts personnels pour surmonter leur problème.

Qu'en est-il des patients qui n'avaient pas guéri à la fin des 12 semaines de traitement? À l'instar de tout traitement, celui qui nous occupe n'est pas une panacée. L'expérience clinique a prouvé que tous les individus ne réagissent pas avec le même degré de rapidité mais que la plupart finissent par constater une amélioration de leur état s'ils persévèrent à suivre le traitement. Parfois, l'effort est pénible! Cependant, une étude récemment entreprise par le Dr Ivy Blackburn et ses collègues du Conseil de recherche médicale de l'Université d'Édimbourg, en Écosse, a mis en lumière un élément fort encourageant pour les patients atteints d'une dépression profonde et réfractaire à tout traitement[4]. Ce groupe de chercheurs a démontré que la combinaison d'antidépressifs et de la thérapie cognitive pouvait se révéler plus efficace que chaque forme de traitement administré séparément. À mon avis, la guérison est principalement subordonnée à la volonté persistante de fournir un effort personnel. Si vous voulez guérir, vous guérirez.

---

4. BLACKBURN, I. M., BISHOP, S., GLEN A. I. M., WHALLEY, L. J. et CHRISTIE, J. E. « The Efficacy of Cognitive Therapy in Depression. A Treatment Trial Using Cognitive Therapy and Pharmacotherapy each Alone and in Combination », *British Journal of Psychiatry*, vol. 139, janvier 1981, p. 181-189.

À quel degré d'amélioration pouvez-vous vous attendre? Le patient moyen, traité par thérapie cognitive, a constaté un soulagement substantiel des symptômes vers la fin du traitement. Beaucoup d'entre eux ont déclaré qu'ils se sentaient plus heureux qu'ils ne l'avaient jamais été. Ils ont insisté sur le fait que l'apprentissage de la modification de l'humeur leur avait redonné confiance en eux-mêmes, stimulant leur amour-propre.

Aussi malheureux, déprimé et pessimiste que vous puissiez être en ce moment, je suis persuadé que vous êtes capable de ressentir des effets bienfaisants si vous voulez vraiment fournir l'effort nécessaire.

Combien de temps les effets se poursuivent-ils? Les résultats des études régulièrement entreprises pendant un an après l'achèvement du traitement sont particulièrement intéressants. Bien que de nombreux patients des deux groupes eussent ressenti des changements occasionnels d'humeur pendant cette année, tous semblent avoir conservé dans l'ensemble l'acquis des 12 semaines de traitement actif.

Quel groupe semble s'être le mieux comporté pendant la période de suivi? Les tests psychologiques ainsi que les propres rapports des patients confirmèrent que le groupe traité par thérapie cognitive continuait à se sentir sensiblement mieux que l'autre et l'écart entre les deux groupes s'est révélé statistiquement significatif. Le taux de rechute pendant l'année a été plus faible de moitié parmi le groupe traité par thérapie cognitive. Des écarts de taille semblaient favoriser le patient traité à l'aide des nouvelles méthodes.

Cela signifie-t-il que je puis vous garantir que vous ne vous sentirez plus jamais déprimé après avoir utilisé les méthodes cognitives pour vous débarrasser de votre dépression actuelle? Évidemment non. Cela serait exactement comme si je vous disais qu'une fois une bonne condition physique atteinte grâce à un jogging quotidien vous ne vous sentirez plus jamais essoufflé. Être humain, cela signifie aussi être anxieux, parfois. C'est pourquoi je puis vous garantir au moins une chose : Vous n'atteindrez jamais un état de béatitude perpétuelle. Vous devrez simplement remettre en application les techniques si vous désirez continuer à maîtriser vos changements d'humeur. Si vous vous *sentez* mieux, cela ne signifie pas que vous *allez* mieux. Le premier état peut se produire spontanément tandis que la guérison résulte de la mise et de la remise en application systématiques des méthodes qui vous permettent d'éclaircir votre humeur, lorsque le besoin s'en fait sentir.

Comment la communauté scientifique a-t-elle accueilli ces travaux ? Les répercussions auprès des psychiatres, des psychologues et autres spécialistes de la santé mentale, pour considérables qu'elles aient été, sont négligeables en comparaison de celles qui vont suivre. À la suite de nos recherches, dont on a fait état dans des publications professionnelles, conférences et ateliers dans tout le pays, l'intérêt et l'enthousiasme généraux ont supplanté le scepticisme initial engendré par la thérapie cognitive. Des études visant à analyser les résultats sont aujourd'hui en cours dans quelques-uns des centres médicaux universitaires les plus prestigieux des États-Unis et d'Europe. Récemment, le gouvernement fédéral a pris la décision capitale d'investir sur plusieurs années des millions de dollars dans un programme pluriuniversitaire de recherches sur la dépression, avec le parrainage de l'Institut national de la santé mentale. Comme dans l'étude initiale, les effets antidépressifs de la thérapie cognitive seront comparés aux effets d'un produit pharmaceutique prescrit contre la dépression, afin de déterminer quelle forme de traitement est la meilleure. En outre, un troisième type de psychothérapie, axé sur les facteurs interpersonnels, doit être évalué. Ce projet, décrit dans un numéro de *Science*[5],

---

5. MARSHALL, E. « Psychotherapy Works but for Whom ? » *Science*, vol. 207, février 1980, p. 506-508.

est indubitablement destiné à être l'étude de psychothérapie la plus vaste et la plus soigneusement suivie de l'histoire.

À quoi tout cela se résume-t-il? Nous assistons en ce moment à une percée cruciale de la psychiatrie et de la psychologie modernes : une nouvelle approche de la compréhension des affections humaines, fondée sur une thérapie convaincante, vérifiable et, surtout, efficace! Nombre de spécialistes de la santé mentale sont maintenant partisans de la thérapie cognitive et un véritable raz-de-marée se prépare.

Depuis les conclusions de l'étude initiale, plusieurs centaines de patients ont connu le soulagement à la suite d'un traitement par thérapie cognitive. Certains, se jugeant irrécupérables, étaient simplement troublés par les tensions sans relâche de la vie de tous les jours et désiraient apprendre à jouir de leur bonheur personnel. Ce livre est la synthèse soigneusement élaborée de tous nos travaux. Il vous est destiné. Bonne chance!

Chapitre 2

Comment diagnostiquer votre humeur :
la première étape de votre cure

Peut-être vous demandez-vous si vous souffrez véritablement de dépression. Il faut savoir exactement où vous en êtes. L'Inventaire de dépression de Beck, ou IDB (tableau 2-1), est un guide fiable d'évaluation de l'humeur qui détecte la présence de la dépression et permet d'en mesurer la gravité. Il se présente sous la forme d'un questionnaire à choix multiples que vous remplirez en quelques minutes. Ensuite, je vous montrerai comment interpréter en toute simplicité les résultats, à partir du total que vous aurez obtenu. Vous saurez alors immédiatement si vous souffrez ou non d'une véritable dépression et, si tel est le cas, dans quelle mesure elle est profonde. Je fournirai également quelques lignes directrices importantes qui vous permettront de déterminer si vous pouvez en toute sécurité vous soigner à l'aide de ce livre ou si vos troubles affectifs sont assez graves pour exiger une intervention professionnelle, en sus de vos efforts personnels.

Tout en répondant au questionnaire, lisez soigneusement chaque rubrique et encerclez le chiffre inscrit devant la phrase qui semble refléter le plus fidèlement votre humeur. Ne manquez pas d'encercler un chiffre pour chaque rubrique[1]. Si plus d'une réponse

---

1. À plusieurs reprises on vous demande si vous avez récemment constaté un symptôme particulier tel que l'irritabilité ou l'insomnie «... plus que d'habitude... » ou

s'applique à votre cas, encerclez le chiffre le plus élevé. Dans le doute, essayez de répondre le plus exactement possible. N'omettez de répondre à aucune question. Quel que soit le résultat, ce petit test est peut-être votre premier pas vers une amélioration de votre état émotif.

TABLEAU 2-1

Inventaire de dépression de Beck [2]

---

1. 0 Je ne me sens pas triste.
    1 Je me sens triste.
    2 Je me sens perpétuellement triste et je n'arrive pas à m'en sortir.
    3 Je suis si triste ou si découragé(e) que je ne peux plus le supporter.

2. 0 Je ne me sens pas particulièrement découragé(e) en pensant à l'avenir.
    1 Je me sens découragé(e) en pensant à l'avenir.
    2 Il me semble que je n'ai rien à attendre de l'avenir.
    3 L'avenir est sans espoir et rien ne s'arrangera.

3. 0 Je n'ai pas l'impression d'être un(e) raté(e).
    1 Je crois avoir connu plus d'échecs que le reste des gens.
    2 Lorsque je pense à ma vie passée, je ne vois que des échecs.
    3 Je suis un(e) raté(e).

4. 0 Je tire autant de satisfaction de ma vie qu'autrefois.
    1 Je ne jouis pas de la vie comme autrefois.
    2 Je ne tire plus vraiment de satisfaction de la vie.
    3 Tout m'ennuie, rien ne me satisfait.

---

plus qu'avant… ». Si le symptôme est présent depuis longtemps en raison d'une dépression chronique, vous devez répondre à la question en comparant votre état actuel avec ce que vous ressentiez la dernière fois que vous vous êtes senti heureux. Si vous ne croyez pas avoir jamais été heureux, essayez de comparer votre état avec celui d'une personne normale, non déprimée.

2. Droits de reproduction, Dr Aaron T. Beck, 1978.

TABLEAU 2-1 (suite)
Inventaire de dépression de Beck

5. 0 Je ne me sens pas particulièrement coupable.
   1 Je me sens coupable une grande partie du temps.
   2 Je me sens vraiment coupable la plupart du temps.
   3 Je me sens constamment coupable.

6. 0 Je n'ai pas l'impression d'être puni(e).
   1 J'ai l'impression d'être parfois puni(e).
   2 Je m'attends à être puni(e).
   3 Je sens parfaitement que je suis puni(e).

7. 0 Je ne me sens pas déçu(e) de moi-même.
   1 Je suis déçu(e) de moi-même.
   2 Je suis dégoûté(e) de moi-même.
   3 Je me hais.

8. 0 Je ne crois pas être pire que les autres.
   1 Je critique mes propres faiblesses et défauts.
   2 Je me blâme constamment de mes défauts.
   3 Je suis à blâmer pour tout ce qui arrive de déplaisant.

9. 0 Je ne pense jamais à me tuer.
   1 Je pense parfois à me tuer mais je ne le ferai probablement jamais.
   2 J'aimerais me tuer.
   3 Je me tuerais si j'en avais la possibilité.

10. 0 Je ne pleure pas plus que d'habitude.
    1 Je pleure plus qu'autrefois.
    2 Je pleure constamment.
    3 Autrefois, je pouvais pleurer, mais je n'en suis même
      plus capable aujourd'hui.

11. 0 Je ne suis pas plus irritable qu'autrefois.
    1 Je suis légèrement plus irritable que d'habitude.
    2 Je me sens agacé(e) et irrité(e) une bonne partie du temps.
    3 Je suis constamment irrité(e) ces temps-ci.

TABLEAU 2-1 (suite)
Inventaire de dépression de Beck

12. 0 Je n'ai pas perdu mon intérêt pour les autres.
    1 Je m'intéresse moins aux gens qu'autrefois.
    2 J'ai perdu la plus grande partie de mon intérêt pour les autres.
    3 Les gens ne m'intéressent plus du tout.

13. 0 Je prends mes décisions exactement comme autrefois.
    1 Je remets les décisions au lendemain beaucoup
       plus fréquemment qu'autrefois.
    2 J'éprouve de grandes difficultés à prendre des décisions, de nos jours.
    3 Je suis incapable de prendre des décisions.

14. 0 Je ne crois pas que mon apparence ait empiré.
    1 Je crains d'avoir l'air plus âgé(e) ou moins attrayant(e).
    2 Je crois que mon apparence a subi des changements
       irréversibles qui me rendent peu attrayant(e).
    3 Je crois que je suis laid(e).

15. 0 Je travaille aussi bien qu'autrefois.
    1 J'ai besoin de fournir un effort supplémentaire
       pour commencer un travail.
    2 Je dois me forcer vraiment très énergiquement pour faire
       quoi que ce soit.
    3 Je suis absolument incapable de travailler.

16. 0 Je dors aussi bien que d'habitude.
    1 Je ne dors pas aussi bien que d'habitude.
    2 Je me réveille une à deux heures plus tôt que d'habitude
       et j'ai du mal à me rendormir.
    3 Je me réveille plusieurs heures plus tôt que d'habitude
       et je ne parviens pas à me rendormir.

17. 0 Je ne me sens pas plus fatigué(e) que d'habitude.
    1 Je me fatigue plus vite qu'autrefois.
    2 Un rien me fatigue.
    3 Je suis trop fatigué(e) pour faire quoi que ce soit.

TABLEAU 2-1 (suite)
Inventaire de dépression de Beck

---

18. 0 Mon appétit n'a pas changé.
    1 Mon appétit n'est pas aussi bon que d'habitude.
    2 Mon appétit a beaucoup diminué.
    3 Je n'ai plus d'appétit du tout.

19. 0 Je ne crois pas avoir maigri ces derniers temps.
    1 J'ai maigri de plus de cinq livres.
    2 J'ai maigri de plus de 10 livres.
    3 J'ai maigri de plus de 15 livres.

20. 0 Ma santé ne m'inquiète pas plus que d'habitude.
    1 Certains problèmes physiques me tracassent tels que
      des douleurs, des maux d'estomac ou de la constipation.
    2 Je suis très inquiet(e) à propos de problèmes physiques
      et il m'est difficile de penser à autre chose.
    3 Mes problèmes physiques me tracassent tant que je n'arrive
      à penser à rien d'autre.

21. 0 Je n'ai pas remarqué de changements à propos de ma libido.
    1 Je m'intéresse moins aux rapports sexuels qu'autrefois.
    2 Je m'intéresse beaucoup moins aux rapports sexuels.
    3 J'ai perdu tout intérêt pour les rapports sexuels.

Interprétation de l'Inventaire de dépression de Beck. Une fois le test achevé, vous devrez ajouter les chiffres que vous avez encerclés afin d'obtenir un total. Le chiffre le plus élevé que vous puissiez encercler à chaque question étant «3», le plus haut total que vous puissiez obtenir est 63 (il signifie que vous avez encerclé le chiffre «3» à chaque question).

Vous pouvez donc évaluer maintenant la gravité de votre dépression en vous référant au tableau 2-2. Vous constaterez que plus le total obtenu est élevé, plus votre dépression est grave. En revanche, plus le total est faible, plus vous vous sentez bien dans votre peau.

Bien que l'IDB ne soit pas un test difficile et qu'il ne vous demande que quelques minutes, ne soyez pas dupe de sa simplicité. Vous venez en réalité d'apprendre à utiliser un outil d'une haute complexité destiné à diagnostiquer la dépression. De nombreuses études entreprises au cours des 10 dernières années ont prouvé que l'IDB et d'autres moyens semblables d'évaluation de l'humeur sont d'une grande précision et tout à fait fiables pour détecter et mesurer la dépression. Au cours d'une étude récemment effectuée dans une salle d'urgence psychiatrique, on a découvert qu'un inventaire de dépression par autoévaluation, semblable à celui auquel vous venez de vous soumettre, détecte la présence de symptômes dépressifs plus fréquemment que les consultations dans les formes données par des cliniciens expérimentés. Vous pouvez donc vous servir en toute confiance de l'IDB pour diagnostiquer votre état et surveiller vos progrès.

TABLEAU 2-2

Interprétation des résultats

Total obtenu	Degrés de dépression[3]
1-10	Hauts et bas considérés comme normaux
11-16	Troubles bénins de l'humeur
17-20	Cas limite de dépression clinique
21-30	Dépression
31-40	Dépression grave
Plus de 40	Dépression extrême

Tandis que vous appliquerez les diverses techniques d'effort personnel décrites dans ce livre, soumettez-vous au test de l'IDB à intervalles réguliers pour évaluer objectivement vos progrès. Je suggère un minimum d'une séance hebdomadaire. Exactement comme lorsque vous devez vous peser régulièrement pendant un

---

3. Un total de 17 ou plus à plusieurs reprises indique que vous devez consulter un spécialiste.

régime. Vous remarquerez aussi que les divers chapitres de ce livre se concentrent sur divers symptômes de la dépression. Au fur et à mesure que vous surmonterez ces symptômes, vous constaterez que votre total commence à baisser, ce qui prouve que vous êtes sur la bonne voie. Lorsque le total sera inférieur à 10, votre état pourra être considéré comme normal. Lorsqu'il sera inférieur à cinq, vous vous sentirez particulièrement bien dans votre peau. Il serait idéal que vous atteigniez un total de cinq ou moins chaque fois que vous vous soumettrez au test. C'est ce chiffre qui devra être l'objectif du traitement.

Tous les individus déprimés peuvent-ils essayer sans danger de se soigner à l'aide des méthodes et principes décrits ici? La réponse est : Oui, absolument! Parce que la décision de fournir un effort personnel est la clé qui vous aidera à ressentir enfin un soulagement, le plus rapidement possible, quel que soit le degré apparent de gravité de vos troubles de l'humeur.

Dans quels cas devez-vous rechercher l'aide d'un spécialiste? Si l'IDB démontre que vous êtes déprimé mais si votre total ne dépasse pas 17 – du moins ce jour-là – votre dépression est bénigne et ne doit pas vous alarmer. Bien entendu, il faut absolument y remédier mais une intervention professionnelle est peut-être inutile. Les efforts personnels systématiques, tels que ceux qui sont décrits dans ce livre, combinés à une relation de communication franche avec une personne en qui vous avez confiance, sans doute suffiront. Si votre total dépasse 16, votre dépression est plus profonde. Vos changements d'humeur sont sans doute extrêmement douloureux et risquent d'être dangereux. Nous connaissons tous des moments pénibles mais, si votre total demeure stationnaire ou augmente pendant plus de deux semaines, vous devez solliciter une consultation avec un spécialiste. Je suis convaincu que les principes que je vais vous apprendre vous aideront quand même. Vous pourriez peut-être vaincre votre dépression par vos seuls efforts personnels mais il serait plus judicieux de les combiner avec l'assistance fournie par un spécialiste. Recherchez un conseiller compétent en qui vous avez toute confiance.

Après avoir évalué votre total, concentrez votre attention sur la question 9, qui vous interroge sur vos éventuelles tendances suicidaires. Si vous répondez par « 2 » ou « 3 » à cette question, votre vie est peut-être en danger. Je vous recommande de vous confier immédiatement aux soins d'un spécialiste. Vous trouverez dans l'un des chapitres suivants quelques procédés efficaces pour évaluer et annihiler les pulsions suicidaires mais n'hésitez pas à consulter un psychiatre si le suicide commence à revêtir l'aspect d'une solution désirable ou nécessaire. La conviction que votre cas est désespéré doit vous inciter à vous faire soigner et non à vous suicider ! La majorité des patients atteints de dépression profonde croient que leur cas est absolument sans espoir. Cette illusion destructrice est simplement un symptôme de la maladie, non un fait. Que vous jugiez votre cas désespéré prouve sans l'ombre d'un doute qu'il ne l'est pas !

Il est également important que vous concentriez votre attention sur la question 12. On vous demande si depuis quelque temps vous vous souciez plus de votre santé que d'habitude. Ressentez-vous des douleurs inexplicables ? Avez-vous eu de mystérieux accès de fièvre ? Avez-vous maigri sans raison ? Avez-vous constaté d'autres éventuels symptômes de troubles médicaux ? Si tel est le cas, il serait peut-être judicieux de consulter un médecin qui vous interrogera sur vos antécédents médicaux et vous soumettra à un examen complet accompagné d'analyses de laboratoire. Il est probable qu'il vous garantira ensuite que vous allez très bien, ce qui prouvera que vos symptômes physiques si déplaisants sont liés à votre état affectif. La dépression peut revêtir la forme d'un grand nombre de troubles médicaux car les changements d'humeur donnent fréquemment naissance à une large gamme de mystérieux symptômes physiques. Par exemple, pour n'en citer que quelques-uns, la constipation, la diarrhée, les douleurs, l'insomnie ou la tendance à trop dormir, la fatigue, la perte de la libido, les étourdissements, les tremblements, les sensations d'engourdissement. Il est probable qu'au fur et à mesure que votre dépression diminuera ces symptômes disparaîtront. Cependant, n'oubliez pas que beaucoup de maladies curables peuvent se déguiser au départ en dépression et qu'un examen complet pourrait fort bien permettre au médecin de diagnostiquer rapidement (en vous sauvant peut-être la vie) un trouble organique curable.

Il existe un certain nombre de symptômes qui indiquent (mais ne prouvent pas) la présence d'un trouble mental grave, auquel cas la consultation d'un spécialiste de la santé mentale s'impose. Au traitement qu'il vous prescrira, vous pourrez ajouter le programme d'efforts personnels que contient ce livre. Certains de ces symptômes ont trait à la conviction que les gens complotent contre vous pour vous faire du tort ou vous tuer, une expérience bizarre qu'une personne ordinaire ne peut comprendre, la conviction que des forces extérieures régissent votre corps et votre esprit, le fait d'entendre des «voix» venues d'ailleurs, le fait de voir des choses qui n'existent pas, le sentiment de recevoir des messages personnels diffusés par la radio ou la télévision.

Ces symptômes ne font pas partie des troubles dépressifs mais révèlent la présence d'affections mentales très graves. Un traitement psychiatrique s'impose absolument. Très souvent, les personnes qui présentent ces symptômes sont convaincues qu'elles vont très bien et risquent d'opposer une résistance soupçonneuse lorsqu'on leur suggère de se confier aux soins d'un psychiatre. Par contre, si vous avez l'impression, au plus profond de vous-même, que vous êtes en train de devenir fou, si vous connaissez des moments de panique au cours desquels vous croyez perdre complètement la tête, rassurez-vous. Il y a de grandes chances pour que vous soyez parfaitement sain d'esprit. Il s'agit simplement des symptômes caractéristiques de l'anxiété ordinaire, un trouble bien moins grave.

La manie est un type spécial de trouble de l'humeur avec lequel vous devriez vous familiariser. La manie est l'opposé de la dépression et le patient doit être promptement confié à un psychiatre qui lui prescrira probablement du lithium. Ce produit stabilise l'humeur et permettra au patient de mener une existence normale. Cependant, jusqu'à la mise en route de la thérapie, la maladie peut être affectivement destructrice. Les symptômes englobent une humeur anormalement euphorique ou irritable qui persiste au moins deux jours. Elle n'est provoquée ni par l'alcool ni par les stupéfiants. Le comportement du patient maniaque est caractérisé par des actes impulsifs qui trahissent un jugement médiocre (par exemple des dépenses excessives, irréfléchies) ainsi que par une confiance en soi extrême accompagnés d'idées de grandeur. La manie comporte également un accroissement de l'activité sexuelle ou agressive, des mouvements corporels hyperactifs et continus, des pensées rapides et fugaces, un bavardage incessant, excité, une baisse des besoins de sommeil. Les individus maniaques ont l'illusion d'être extrêmement puissants et brillants. Ils affirment souvent avec insistance qu'ils sont au bord d'une découverte philosophique ou scientifique ou qu'ils ont mis au point une machination lucrative destinée à les enrichir rapidement. De nombreux personnages dotés d'une énergie créatrice qui les a rendus célèbres souffrent de cette maladie mais parviennent à la tenir en respect grâce au lithium. Cependant, le patient qui ressent un premier accès de manie trouve la sensation tellement agréable qu'il est difficile de le convaincre de se confier à un psychiatre. Les premiers symptômes sont si enivrants que la victime refuse absolument l'idée que sa confiance et son exaltation nouvellement acquises ne sont que des manifestations d'une maladie destructrice.

Au bout de quelque temps, l'état euphorique peut atteindre le stade d'un délire incontrôlable qui nécessite l'hospitalisation forcée du patient. Il peut tout aussi bien se transformer en une loque dépressive, immobile et apathique. Je veux que vous soyez familiarisé avec les symptômes de la manie car un pourcentage important de patients qui traversent une période de dépression profonde risquent de présenter, à un moment ou à un autre, ces symptômes. La personnalité du patient enregistre alors un changement profond qui peut se perpétuer pendant plusieurs jours ou plusieurs semaines. Bien que la psychothérapie et un programme d'efforts personnels puissent être extrêmement utiles, un traitement pharmacologique simultané à base de lithium s'impose. Dans de telles circonstances, les chances de guérison sont excellentes.

Admettons que vous ayez obtenu un total inférieur à 17, que vous ne présentiez pas de tendances fortement suicidaires, que vous ne souffriez pas d'hallucinations et que vous ne soyez pas maniaque. Au lieu de vous apitoyer sur votre sort, essayez maintenant de vous aider, en utilisant les méthodes expliquées plus loin. Vous pouvez commencer à jouir de la vie, à apprécier votre travail, à utiliser l'énergie que vous dépensez à être déprimé pour mener une vie créatrice et dynamique.

Chapitre 3

Comprenez vos humeurs : vous ressentez ce que vous pensez

Puisque vous avez lu le chapitre précédent, vous avez compris à quel point les effets de la dépression peuvent être profonds : Votre humeur s'assombrit, votre image de soi s'écroule, votre corps ne fonctionne plus correctement, votre volonté se paralyse et vos actes vous étonnent. C'est pour cette raison que vous vous sentez aussi démoralisé. Quelle est la clé de tout cela ?

Parce qu'on a considéré la dépression comme un désordre émotif tout au long de l'histoire de la psychiatrie, les thérapeutes de la plupart des écoles de pensée ont accordé une importance cruciale au fait de pouvoir « cerner » ses impressions. Mais nos recherches ont eu un résultat inattendu : La dépression n'est absolument pas un trouble émotif ! Le changement soudain de votre humeur n'a pas plus de pertinence qu'un nez qui coule lorsque vous êtes enrhumé. Chaque sentiment pénible que vous éprouvez résulte de la distorsion de votre pensée. Les attitudes pessimistes illogiques sont la clé de voûte de l'apparition et de la persistance de vos symptômes.

Des pensées négatives intenses accompagnent toujours un moment de dépression. D'ailleurs, elles accompagnent tous les moments pénibles, quels qu'ils soient. Vos pensées moroses diffèrent probablement des pensées qui traversent votre esprit lorsque vous ne ressentez pas d'anxiété. Une jeune femme, sur le point d'obtenir son doctorat, a exprimé ainsi ses sentiments :

> «Chaque fois que je deviens déprimée, j'ai l'impression d'avoir reçu un coup de massue et je commence à tout voir différemment. Le changement peut se produire en moins d'une heure. Mes pensées deviennent négatives et pessimistes. Si je commence à me pencher sur ma vie passée, je suis convaincue que tout ce que j'ai pu faire est sans valeur. Tous les moments heureux me semblent être des illusions. Mes réalisations personnelles paraissent aussi authentiques que les rues d'un village dans un western. Je suis convaincue que le véritable moi est sans valeur, incapable. Je ne parviens pas à progresser dans mon travail parce que les doutes me figent, mais je ne peux non plus demeurer inactive car je me sens alors insupportablement malheureuse.»

Comme cette jeune femme, vous apprendrez que les pensées négatives qui traversent et inondent votre esprit sont la véritable cause de vos sentiments défaitistes. Ces pensées font de vous un être léthargique, vous suggèrent que vous êtes un incapable. La pensée, ou cognition, négative est le symptôme le plus fréquemment négligé de la dépression. Cette cognition contient pourtant la clé du soulagement. Elle est donc symptôme le plus important.

Chaque fois que quelque chose vous déprime, essayez d'identifier une pensée négative correspondante qui vous a traversé l'esprit juste avant le moment de dépression et qui continue à vous hanter. Ces pensées ayant véritablement engendré votre humeur morose, vous pouvez facilement apprendre à modifier votre état d'âme en les restructurant.

La lecture de ces lignes vous rend probablement sceptique parce que votre pensée négative est devenue un élément si crucial de votre vie qu'elle provoque chez vous des «réactions spontanées». C'est pourquoi je qualifie les pensées négatives de «réactions spontanées». Elles traversent votre esprit spontanément, sans le moindre effort de votre part. Elles sont aussi naturelles que la manière dont vous tenez une fourchette.

Le rapport entre ce que vous *pensez* et ce que vous *ressentez* est illustré par le schéma 3-1. Il représente le premier indice qui vous permettra de comprendre vos changements d'humeur. Vos sentiments résultent entièrement de la manière dont vous envisagez la situation. C'est un fait neurologique évident qu'avant de connaître, d'accepter un événement, vous le traitez dans votre esprit en lui donnant une signification. Vous devez *comprendre* ce qui vous arrive avant de pouvoir le *ressentir*.

SCHÉMA 3-1

**Rapport entre le monde extérieur
et la manière dont vous ressentez les choses**

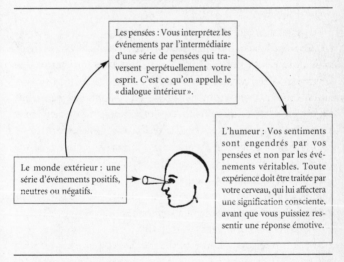

Les pensées : Vous interprétez les événements par l'intermédiaire d'une série de pensées qui traversent perpétuellement votre esprit. C'est ce qu'on appelle le « dialogue intérieur ».

L'humeur : Vos sentiments sont engendrés par vos pensées et non par les événements véritables. Toute expérience doit être traitée par votre cerveau, qui lui affectera une signification consciente, avant que vous puissiez ressentir une réponse émotive.

Le monde extérieur : une série d'événements positifs, neutres ou négatifs.

Si la compréhension de ce qui arrive est exacte, vos sentiments sont normaux. En revanche, si votre perception est faussée d'une manière quelconque, votre réaction émotive est anormale. La dépression entre dans cette dernière catégorie. Elle résulte toujours de distorsions mentales « statiques ». Vos moments de découragement peuvent être comparés aux grésillements qui sont émis par un transistor lorsqu'on ne l'a pas réglé sur la bonne longueur d'onde. Le problème n'est pas posé par un défaut des pièces détachées de l'appareil ou par le mauvais temps qui brouille l'émission. Il suffit simplement de tourner un bouton pour que tout revienne à la normale. Lorsque vous apprendrez à effectuer vous-même ce petit réglage mental, la musique vous parviendra clairement de nouveau. La dépression s'évanouira.

Certains lecteurs, vous peut-être, se sentiront envahis par un flot de désespoir en lisant ce paragraphe. Pourtant, il n'a absolument *rien d'inquiétant*. Au contraire, il doit vous apporter l'espérance. Par conséquent, qu'est-ce qui a assombri votre humeur tandis que vous lisiez? La pensée suivante : «Peut-être qu'un petit réglage suffira aux autres mais moi, je suis complètement hors d'usage. Mes pièces détachées sont fichues. Ça m'est bien égal que dix mille autres patients déprimés guérissent... Je suis absolument convaincu que mon cas est désespéré!» Voyez-vous, j'entends cette affirmation cinquante fois par semaine! Pratiquement chaque patient déprimé semble convaincu, sans rime ni raison, qu'il est le seul cas véritablement désespéré. Cette illusion reflète le type de cheminement mental qui est au cœur de votre maladie.

J'ai toujours été fasciné par la facilité qu'ont certaines personnes de créer des illusions. Lorsque j'étais enfant, je passais des heures à la bibliothèque de quartier, le nez plongé dans les livres de magie. Le samedi, j'allais flâner dans les magasins de farces et attrapes et je regardais l'homme derrière le comptoir, qui exhibait des cartes, des écharpes de soie, des sphères de chrome qui flottaient dans l'air, défiant toutes les lois du bon sens. L'un de mes meilleurs souvenirs d'enfance remonte au jour où – j'avais alors huit ans – on m'emmena voir le numéro de «Blackstone, le plus grand magicien du monde», à Denver au Colorado. Avec plusieurs autres gamins, je fus invité à monter sur la scène.

Blackstone nous ordonna de placer nos mains sur une cage à oiseaux, de 60 sur 60 cm, qui contenait plusieurs colombes blanches. Finalement, les quatre côtés de la cage ainsi que le haut et le bas furent entièrement recouverts de nos mains. Blackstone, près de nous, dit : « Regardez bien la cage. » J'obéis. Mes yeux sortaient de leurs orbites mais je me refusais à cligner des paupières. Le magicien déclara : « Maintenant, je vais taper des mains », avant de joindre le geste à la parole. À ce moment-là, la cage à oiseaux disparut ! Mes mains étaient suspendues dans le vide. Impossible ! Pourtant, c'était arrivé. J'étais abasourdi.

Aujourd'hui, je sais que les capacités d'illusionniste de Blackstone ne sont guère supérieures à celles du patient moyennement déprimé. Vous, par exemple. Lorsque vous êtes déprimé, vous possédez l'admirable faculté de croire et de faire croire à votre entourage des choses qui n'ont aucun fondement réel. En tant que thérapeute, mon travail consiste à *pénétrer* cette illusion, à vous apprendre à regarder *en arrière* du miroir, afin que vous compreniez que vous étiez en train de vous abuser vous-même. Vous pourriez dire que je projette de vous « désillusionner », mais je ne crois pas que vous m'en vouliez.

Lisez maintenant la liste suivante des 10 distorsions cognitives qui forment la base de toutes les dépressions. Essayez de les comprendre. J'ai élaboré cette liste avec le plus grand soin. Elle représente la synthèse de nombreuses années de recherches et d'expériences cliniques. Relisez-la fréquemment lorsque vous parviendrez à la partie pratique du livre. D'autre part, lorsque vous vous sentirez déprimé, elle jouera un rôle précieux en vous permettant de vous rendre compte à quel point vous êtes en train de vous tromper vous-même.

Définition des distorsions cognitives

1. *Les pensées « tout ou rien ».* Je fais ici allusion à votre tendance à enfermer vos qualités personnelles dans des catégories

extrêmes, blanches ou noires. Par exemple, un éminent homme politique m'a dit un jour : «Je n'ai pas réussi à être élu gouverneur. Je suis un zéro.» Un étudiant «abonné» aux A qui obtint un jour un B à un examen conclut : «Maintenant, je sais que je suis un raté.» Ces modes de pensée extrémistes sont à la base du perfectionnisme. Elle vous conduisent à craindre toute erreur et imperfection, toute vous inciteront à vous considérer comme un perdant, un incapable, un déchet.

Cependant, cette vision des choses n'est pas réaliste car la vie est rarement blanche ou noire. Par exemple, personne n'est entièrement génial ou entièrement stupide. Personne n'est entièrement beau ou entièrement laid. Regardez le sol de la pièce dans laquelle vous êtes assis. Est-il parfaitement propre ? Chaque centimètre carré est-il recouvert d'une épaisse couche de saleté et de poussière ? Ou bien est-il partiellement propre ? L'absolu n'existe pas dans notre univers. Si vous essayez de faire entrer de force vos expériences dans des catégories absolues, vous demeurerez constamment déprimé car vos perceptions ne seront jamais conformes à la réalité. Vous finirez par vous discréditer perpétuellement car, quoi que vous ferez, vous ne parviendrez jamais à la hauteur de vos espérances exagérées. Le nom technique de cette erreur de perception est «pensée dichotomique». Vous voyez tout en noir ou en blanc. Aucune nuance de gris n'existe pour vous.

2. *La généralisation excessive.* Lorsque j'avais 11 ans, j'achetai un paquet de cartes truquées à la Foire de l'Arizona. Il s'agit du jeu Svengali. Peut-être avez-vous été témoin de cette illusion, simple mais impressionnante. Je vous tends le jeu de cartes. Vous constatez que chaque carte est différente des autres. Vous en choisissez une au hasard. Mettons qu'il s'agisse du valet de pique. Sans me dire quelle carte vous avez tirée, vous la replacez dans le jeu. Alors je m'exclame : «Svengali!» Puis je retourne le jeu, qui ne contient plus que des valets de pique.

Lorsque vous généralisez à outrance, vous concrétisez mentalement l'illusion créée par le Svengali. Vous concluez arbitrairement que quelque chose qui vous est arrivé vous arrivera toute votre vie, se multipliera comme le valet de pique. Étant donné que cet événement est invariablement déplaisant, vous finissez par vous sentir déprimé.

Un voyageur de commerce remarqua un jour de la fiente d'oiseau sur son pare-brise et pensa : « Voilà bien ma chance ! Les oiseaux viennent toujours faire leurs besoins sur mon pare-brise ! » Exemple parfait de généralisation excessive car, lorsque je l'interrogeai là-dessus, il m'avoua qu'en 20 ans de voyages en automobile il ne se souvenait pas d'avoir découvert de la fiente d'oiseau sur sa glace, si l'on excepte cette fois-là.

La douleur du rejet est presque entièrement engendrée par une généralisation excessive. En son absence, un affront personnel n'est qu'un moment désagréable à passer. Il n'a aucun caractère permanent. Un jeune homme timide, rassemblant tout son courage, invita une jeune fille. Lorsqu'elle refusa poliment, expliquant qu'elle était déjà prise ce jour-là, il se dit : « Je n'arriverai jamais à sortir avec une fille. Aucune n'acceptera un rendez-vous avec moi. Je serai malheureux et solitaire toute ma vie. » Sa cognition faussée lui fit conclure que parce qu'une fille avait refusé une fois de sortir avec lui elle refuserait toutes les autres fois et, puisque nous savons tous que les goûts des femmes sont tous les mêmes, il passerait sa vie à être systématiquement rejeté par toutes les femmes acceptables qui peuplaient la Terre. Svengali !

3. *Le filtre mental.* Vous recueillez un détail négatif dans une situation quelconque et vous vous y attardez, percevant donc l'ensemble de la situation comme négatif. Par exemple, une étudiante déprimée entendit d'autres étudiantes se moquer de sa meilleure amie. Elle en fut outragée parce qu'elle pensa : « C'est bien la race humaine ! Cruelle et insensible ! » Elle négligea complètement le fait qu'au cours des derniers mois un nombre infime,

voire nul, de gens s'était montré cruel et insensible avec elle. À une autre occasion, après avoir présenté son dernier examen de mi-session, elle fut convaincue qu'elle avait donné une mauvaise réponse à 17 questions sur 100. Obsédée par ces 17 malheureuses questions, elle finit par conclure qu'il ne lui restait plus qu'à abandonner les études universitaires. Pourtant, lorsqu'elle récupéra son examen, une petite note était attachée à la copie : « Vous avec correctement répondu à 83 questions sur 100. C'est de loin le meilleur résultat obtenu par un étudiant cette année. A+. »

Lorsque vous êtes déprimé, vous portez une paire de lunettes dont les filtres spéciaux recueillent tout élément positif avant de le rejeter. Seuls les éléments négatifs jouissent du droit d'accès. Comme vous n'êtes pas conscient de ce processus de filtrage, vous en concluez que tout est négatif. Le nom technique de ce phénomène est « abstraction sélective ». C'est une mauvaise habitude qui peut provoquer bien des angoisses inutiles.

4. *La disqualification du positif.* Une illusion mentale encore plus spectaculaire est la tendance persistante de certains individus déprimés à transformer des expériences neutres ou même positives en expériences négatives. Le patient ne se contente plus d'*ignorer* les expériences positives, il les transforme très habilement en événements tout à fait cauchemardesques. C'est ce que j'appelle « l'alchimie inversée ». Les alchimistes médiévaux rêvaient de découvrir le processus de transmutation des métaux vulgaires en or. Lorsque vous êtes déprimé, vous risquez d'acquérir la faculté de faire exactement le contraire : Vous transformez instantanément un bonheur éblouissant en un morceau de plomb. Bien entendu, rien de tout cela n'est intentionnel. Vous n'êtes probablement pas conscient du mal que vous vous faites.

Un exemple quotidien de cette distorsion est la manière dont nous avons été conditionnés à réagir face aux compliments. Lorsque quelqu'un loue votre apparence ou votre travail, votre réaction spontanée sera sans doute : « Oh ! c'est juste pour me faire plaisir ! »

D'un coup de matraque bien placé, vous éliminez mentalement le compliment. Ou alors, vous retournez la politesse en protestant : «Vous savez, c'était vraiment facile.» Si vous passez votre temps à déverser de l'eau froide sur tout ce qui peut vous arriver d'agréable, quoi d'étonnant que la vie vous paraisse humide et glacée !

La disqualification du positif est l'une des formes les plus destructrices de la distorsion cognitive. Vous ressemblez alors à un savant occupé à rechercher des preuves pour étayer à tout prix une hypothèse chère à son cœur. L'hypothèse qui domine votre pensée dépressive est en général une version quelconque de «Je ne vaux pas grand-chose». Lorsque vous vivez une expérience négative, vous retournez le couteau dans la plaie en concluant : «Voilà qui prouve ce que j'ai toujours pensé.» Au contraire, lorsque vous vivez une expérience positive, vous vous dites : «C'était par hasard, ça ne compte pas.» Le prix que vous payez pour entretenir cette tendance est un désespoir intense et une incapacité de jouir des choses agréables qui vous arrivent.

Bien que ce type de distorsion cognitive soit très commun, il forme également la base de l'un des types les plus extrêmes et les plus persistants de dépression. Par exemple, une femme hospitalisée pendant un accès de dépression profonde m'a dit un jour : «Personne ne peut vraiment m'aimer, parce que je suis quelqu'un d'horrible. Je suis totalement seule. Je ne compte pour personne.» Lorsqu'elle sortit de l'hôpital, de nombreux patients et membres du personnel exprimèrent leur amitié pour elle. Devinerez-vous comment elle a réussi à disqualifier complètement cette expérience positive ? «Ils ne comptent pas parce qu'ils ne me voient pas dans la vie de tous les jours. Une personne *réelle*, à l'extérieur de l'hôpital, ne peut pas m'aimer.» Je lui demandai alors comment elle expliquait le nombre d'amis et de parents qui s'inquiétaient de son état. «Ils ne comptent pas, ils ne me connaissent pas sous mon vrai jour. Vous savez, docteur Burns, à l'intérieur de moi-même, je suis complètement pourrie. Je suis la personne la plus horrible qui soit au monde. Il est absolument impossible que quelqu'un m'aime vraiment pendant plus d'une seconde. » En disqualifiant les expériences positives de cette manière, elle parvenait à conserver une croyance négative qui était, évidemment, sans réalisme et ne correspondait guère à sa vie de tous les jours.

Bien que votre pensée négative ne soit probablement pas aussi extrême, il est fort possible que, plusieurs fois par jour, vous ignoriez des choses véritablement positives qui vous sont arrivées. Ainsi, vous dépouillez votre vie d'une grande richesse en lui donnant inutilement un caractère morose.

5. *Les conclusions hâtives.* Vous tirez trop rapidement une conclusion négative que les faits ne justifient pas. Voici deux exemples de cette distorsion : la «lecture des pensées d'autrui» et l'«erreur du diseur de bonne aventure».

a) LA LECTURE DES PENSÉES D'AUTRUI. Vous prenez comme hypothèse que les gens vous méprisent et vous êtes si convaincu qu'elle est justifiée que vous ne prenez même pas la peine de procéder à une vérification. Par exemple, lorsque vous êtes en train de prononcer une excellente allocution, vous finissez par remarquer un individu qui somnole au premier rang. Il a fait la bringue toute la nuit mais, bien entendu, vous l'ignorez. Vous pensez alors : «Mon auditoire me trouve ennuyeux à mourir.» Ou supposons qu'un ami vous croise dans la rue sans vous saluer parce qu'il est perdu dans ses pensées et ne vous a pas vu. Vous conclurez à tort : «Il m'ignore, c'est parce qu'il ne me considère plus comme son ami.» Imaginez que votre conjoint se montre taciturne un soir parce qu'il a dû subir des reproches au travail et se sent trop soucieux pour en discuter. Tout s'écroule autour de vous car, en raison de votre interprétation de son silence, vous croyez qu'il «est en colère contre moi. Mais qu'ai-je donc fait de mal?»

Vous pouvez répondre à ces réactions négatives imaginaires par la retraite ou la contre-attaque. Cette attitude défaitiste vous permet alors de justifier vos appréhensions puisqu'elle finit par établir une interaction négative là où s'épanouissait une relation tout à fait positive.

b) L'ERREUR DE PRÉVISION. Vous la commettez quand vous faites comme si vous aviez devant vous une boule de cristal qui ne vous annoncerait que des malheurs. Vous vous imaginez que quelque chose de terrible est à la veille de vous arriver et vous faites de cette prédiction un *fait*, même si elle a peu de chances de se réaliser. Pendant ses crises d'anxiété, une bibliothécaire d'école ne cessait de se répéter : « Je vais m'évanouir. Je vais devenir folle. » Ces prévisions n'étaient pas fondées sur des réalités puisque, jusque-là, elle n'avait jamais perdu connaissance (ni la raison !) et elle ne présentait aucun symptôme qui pût porter à croire qu'elle fût à la veille de devenir folle. Au cours d'une séance de thérapie, un médecin extrêmement déprimé m'expliquait ainsi pourquoi il avait décidé de cesser de pratiquer : « Je dois faire face à la réalité. Je vais me sentir misérable jusqu'à la fin de mes jours et je suis absolument persuadé que ce traitement, comme tous les autres qu'on pourrait me proposer, ne pourra rien y changer. » Le sombre pronostic qu'il faisait au sujet de sa maladie lui faisait perdre tout espoir. Une réduction de ses symptômes, peu après le début de la thérapie, prouva combien il se trompait dans ses prédictions.

Ne vous est-il jamais arrivé de conclure à la légère comme cela ? Supposons que vous téléphoniez à un ami qui ne vous retourne pas votre appel dans un délai raisonnable. Vous vous dites qu'il a probablement reçu votre message et qu'il ne s'est pas donné la peine de vous rappeler, ce qui vous vexe. De quel genre de distorsion s'agit-il ? Vous avez fait de l'interprétation et, comme vous lui en voulez, vous décidez de ne pas le rappeler pour vous en assurer, car vous vous dites : « Il va trouver que je l'importune si je le rappelle et je vais me rendre ridicule. » Parce que vous entretenez de telles pensées (l'erreur de prévision), vous évitez votre ami et vous sentez diminué. Trois semaines plus tard, vous apprenez que votre ami n'a jamais reçu votre message. Toutes ces idées noires que vous avez ruminées n'étaient, en fin de compte, que le fruit d'un scénario usé que vous aviez vous-même créé. Un autre produit maléfique de votre imagination !

6. *L'exagération et la minimisation.* Un autre piège dans lequel votre imagination peut vous faire tomber est celui de l'exagération ou de la minimisation des événements, ce que je compare à l'utilisation d'une lorgnette qui fait que les choses nous apparaissent beaucoup plus grosses ou plus petites que nature, selon le bout de la lorgnette par lequel on les regarde. L'exagération se produit généralement quand on considère ses propres erreurs, craintes ou imperfections en leur accordant une importance démesurée : «Mon Dieu ! Je me suis trompé. C'est terrible ! C'est effroyable ! Le monde entier va le savoir ! Je vais être déshonoré !» Vous voyez vos imperfections par le bout de la lorgnette qui les fait paraître gigantesques et grotesques. C'est ce qu'on appelle «dramatiser» : On prend un événement désagréable, mais banal, et on en fait quelque chose d'extraordinaire, de cauchemardesque.

Quand vous considérez vos points forts, il se peut que vous fassiez le contraire, que vous les regardiez par le gros bout de la lorgnette et qu'ils vous apparaissent minuscules et sans importance. Si vous exagérez l'importance de vos imperfections et minimisez celle de vos points forts, vous ne pouvez faire autrement que vous sentir inférieur aux autres. Mais le problème, ce n'est pas *vous*, c'est la lorgnette que vous utilisez pour vous regarder !

7. *Les raisonnements émotifs.* Vous vous servez de vos sentiments comme s'il s'agissait de preuves. Vous raisonnez ainsi : «J'ai l'impression d'être un raté, donc je *suis* un raté. «Cette façon de raisonner peut vous induire en erreur parce que vos sentiments sont à l'image de vos pensées et de vos convictions. Si elles ne correspondent pas exactement à la réalité – ce qui est souvent le

cas –, vos sentiments ne vaudront rien comme preuve. Comme exemples de raisonnements émotifs, on pourrait donner aussi : « Je me sens coupable. J'ai donc dû faire quelque chose de mal. » « Je me sens dépassé par les événements et désespéré. Mes problèmes doivent donc être impossibles à résoudre. » « Je ne me sens pas de taille à affronter une situation. Je suis donc un minable. » « J'ai du vague à l'âme et je n'ai pas le goût de rien faire aujourd'hui. Je ferais donc aussi bien de rester au lit. » Je suis fâché contre vous. Cela prouve que vous vous êtes mal conduit avec moi, que vous avez cherché à abuser de moi. »

Les raisonnements émotifs jouent un rôle dans pratiquement toutes les dépressions. Parce que vous réagissez de façon tellement négative à la réalité, vous en déduisez qu'elle l'est vraiment. Il ne vous vient pas à l'idée de remettre en question la validité des perceptions à l'origine de vos sentiments.

Le raisonnement émotif mène usuellement à la temporisation. Vous ne classez pas les papiers qui encombrent votre bureau, car vous vous dites : « Je me sens si découragé quand je vois tous ces papiers sur mon bureau. Il est vraiment impossible de faire un ménage dans ce fouillis. » Et pourtant, six mois plus tard, vous faites un petit effort et vous en venez à bout. Finalement, ce n'était pas si difficile et vous êtes assez fier de vous. Pendant tout ce temps, vous vous mépreniez sur votre compte parce que vous avez l'habitude de laisser vos sentiments négatifs déterminer votre comportement.

8. *Les « dois » et les « devrais ».* Vous essayez de vous motiver en vous disant : « Je *devrais* faire ceci » ou « Je *dois* faire cela ». En vous forçant ainsi à l'action, vous vous sentez bousculé, ce qui vous indispose, et, paradoxalement, cela vous rend apathique et vous fait perdre votre motivation. Albert Ellis appelle *mus*turbation (*must* signifiant « devoir ») cette façon d'aborder les problèmes de la vie de tous les jours ; je l'appelle « l'approche des *dois* et des *devrais* ».

Quand on s'attend à ce que les autres aient la même attitude à notre égard, on est généralement déçu. Ainsi, lorsqu'un imprévu me fit arriver cinq minutes en retard à une première séance de thérapie, ma nouvelle patiente se dit : « Il ne *devrait* pas être si égocentrique et indifférent. Il *devrait* arriver à l'heure. » Cela la rendit morose et de mauvaise humeur.

Les « dois » et les « devrais » sont à l'origine de bien des crises émotives inutiles dans votre vie quotidienne. Quand votre propre conduite n'atteint pas le niveau d'excellence que vous vous êtes fixé, vous vous sentez humilié, coupable et dégoûté de vous-même. Et quand la conduite des autres à votre égard n'est pas celle que vous aimeriez qu'elle soit – ce qui ne peut pas ne pas se produire de temps à autre, car ce sont des êtres humains, tout comme vous –, vous ressentez un sentiment d'amertume et d'être la seule personne à se conduire comme il se doit. Si vous ne modi-fiez pas vos attentes pour qu'elles se conforment à la réalité, le comportement humain vous décevra toujours. Si vous vous recon-naissez comme une de ces personnes qui ont la mauvaise habitude des « dois » et des « devrais », vous trouverez plusieurs recettes pour vous en débarrasser dans les chapitres sur la culpabilité et la colère.

9. *L'étiquetage et les erreurs d'étiquetage.* Vous accoler une étiquette revient à vous former, à partir de vos erreurs, une image toute noire de vous-même. C'est un exemple extrême de généra-lisation indue, basée sur cette vision des choses : « On reconnaît un homme aux fautes qu'il fait. » Il y a de fortes chances que vous soyez en train de vous accoler une étiquette dès que vous décrivez les erreurs que vous commettez à l'aide de phrases qui commencent par : « Je suis un… » Par exemple, lorsque vous dites, en jouant au golf, quand vous manquez un coup : « *Je suis un* perdant-né », au lieu de : « J'ai raté mon dix-huitième trou. » Ou quand vous dites : « *Je suis un* raté », au lieu de : « J'ai fait une erreur », lorsque la cote de vos actions en bourse baisse au lieu de monter.

S'accoler des étiquettes est non seulement contraire à notre intérêt, c'est de plus irrationnel. *Tout votre être* ne peut pas être assimilé à une des choses que vous faites. Votre vie est formée d'un ensemble complexe de pensées, de sentiments et d'actions en perpétuel changement. En d'autres termes, vous ressemblez plus à une rivière qu'à une statue. Cessez de chercher à vous décrire à l'aide d'étiquettes négatives ; elles sont excessivement simplistes et ne correspondent pas à la réalité. Vous décririez-vous exclusivement par l'étiquette « mangeur », tout simplement parce que vous mangez, ou par l'étiquette « respireur », tout simplement parce que vous respirez ? Cela n'a pas de sens, mais ce sont des insanités de ce type qui vous font mal quand vous vous appliquez des étiquettes à partir du sentiment que vous avez de vos imperfections.

Quand vous étiquetez les autres, vous ne pouvez que vous attirer de l'antipathie de leur part. Un exemple courant est celui du patron qui qualifie de « garce entêtée » sa secrétaire à qui il arrive d'être irritable. Parce qu'il lui a accolé cette étiquette, il est plein de ressentiment à son égard et il ne rate pas une occasion de la critiquer. Quant à elle, elle l'a classé parmi les « mâles chauvins et insensibles » et elle se plaint de lui chaque fois qu'elle le peut. Ils sont donc constamment à couteaux tirés, mettant en exergue la moindre faiblesse ou imperfection de l'autre pour montrer jusqu'à quel point c'est une personne indigne.

On fait une erreur d'étiquetage quand on décrit quelque chose avec des mots inexacts et émotivement chargés de sens. Par exemple, une femme, au régime, qui se dit, après avoir mangé une coupe de crème glacée : « Je n'aurais pas dû. C'est dégoûtant. C'est répugnant. Je mange comme une *cochonne.* » Ces pensées peuvent la troubler à un point tel qu'elle engloutira tout ce qui reste du contenant de crème glacée !

10. *La personnalisation.* C'est l'origine du sentiment de culpabilité ! Cette distorsion vous fait assumer la responsabilité

d'événements négatifs dont vous n'êtes nullement la cause. Vous décidez arbitrairement que ce qui vient de se produire est de votre faute, même si vous n'en êtes pas responsable. Par exemple, je me suis senti coupable quand une patiente n'a pas fait un exercice de développement de l'autonomie que je lui avais suggéré, car je me disais : « Je dois être un bien mauvais thérapeute. Je suis responsable du fait qu'elle ne fait pas plus d'efforts pour s'aider elle-même. C'est à moi qu'il revient de voir à ce qu'elle prenne du mieux. » En lisant le bulletin de son enfant, une mère y trouva une note de son professeur l'avisant que son enfant ne travaillait pas bien à l'école. Elle en conclut immédiatement : « Je dois être une mauvaise mère. Voilà la preuve de mon échec. »

Le sentiment de culpabilité qui résulte de la personnalisation fait de vous un infirme : Vous êtes écrasé et paralysé par un sentiment de responsabilité qui vous fait porter sur vos épaules les problèmes du monde entier. Vous ne voyez pas la différence entre *influencer* les autres et les *diriger*. En tant que professeur, conseiller, parent, médecin, vendeur ou cadre, vous devez certainement influencer le comportement des personnes avec lesquelles vous entrez en contact, mais on ne peut raisonnablement pas s'attendre à ce que vous le dirigiez totalement. En dernière analyse, c'est l'autre personne qui est responsable de son propre comportement, pas vous. Plus loin, dans ce livre, on discutera de méthodes qui pourraient vous aider à vous débarrasser de votre propension à personnaliser et à ramener votre sens des responsabilités à des dimensions plus conformes à la réalité et plus à votre mesure.

Ces 10 types de distorsions cognitives sont à l'origine de plusieurs, sinon de tous vos états dépressifs. Vous les trouverez en résumé aux pages 65 et 66. Étudiez ce tableau de façon à bien posséder ces notions ; elles doivent vous devenir aussi familières que votre numéro de téléphone. Consultez le tableau 3-1 aussi souvent que nécessaire au cours de votre apprentissage des diverses méthodes de modification de l'humeur. Une connaissance approfondie de ces 10 types de distorsions vous sera utile pour le restant de vos jours.

TABLEAU 3-1

Les distorsions cognitives

---

1. LE TOUT-OU-RIEN : Votre pensée n'est pas nuancée. Vous classez les choses en deux seules catégories : les bonnes et les mauvaises. En conséquence, si votre performance laisse à désirer, vous considérez votre vie comme un échec total.

2. LA GÉNÉRALISATION À OUTRANCE : Un seul événement malheureux vous apparaît comme faisant partie d'un cycle sans fin d'échecs.

3. LE FILTRE : Vous choisissez un aspect négatif et vous vous attardez à un tel point à ce petit détail que toute votre vision de la réalité en est faussée, tout comme une goutte d'encre qui vient teinter un plein contenant d'eau.

4. LE REJET DU POSITIF : Pour toutes sortes de raisons, en affirmant qu'elles ne comptent pas, vous rejetez toutes vos expériences positives. De cette façon, vous préservez votre image négative des choses, même si elle entre en contradiction avec votre expérience de tous les jours.

5. LES CONCLUSIONS HÂTIVES : Vous arrivez à une conclusion négative, même si aucun fait précis ne peut confirmer votre interprétation.
   a. *L'interprétation indue.* Vous décidez arbitrairement que quelqu'un a une attitude négative à votre égard et vous ne prenez pas la peine de voir si c'est vrai.
   b. *L'erreur de prévision.* Vous prévoyez le pire et vous êtes convaincu que votre prédiction est déjà confirmée par les faits.

6. L'EXAGÉRATION (LA DRAMATISATION) ET LA MINIMISATION : Vous amplifiez l'importance de certaines choses (comme vos bévues ou le succès de quelqu'un d'autre) et vous minimisez l'importance d'autres choses jusqu'à ce qu'elles vous semblent toutes petites (vos qualités ou les imperfections de votre voisin, par exemple). Cette distorsion s'appelle aussi «le phénomène de la lorgnette».

7. LES RAISONNEMENTS ÉMOTIFS : Vous présumez que vos sentiments les plus sombres reflètent nécessairement la réalité des choses : «C'est ce que je ressens, cela doit donc évidemment correspondre à une réalité. »

TABLEAU 3-1 (suite)

Les distorsions cognitives

---

8. LE 8. LES « DOIS » ET LES « DEVRAIS » : Vous essayez de vous motiver par des « je devrais » ou des « je ne devrais pas » comme si, pour vous convaincre de faire quelque chose, il fallait vous battre ou vous punir. Ou par des « je dois ». Et cela suscite chez vous un sentiment de culpabilité. Quand vous attribuez des « ils doivent ou « ils devraient » aux autres, vous éveillez chez vous des sentiments de colère, de frustration et de ressentiment.

9. L'ÉTIQUETAGE ET LES ERREURS D'ÉTIQUETAGE : Il s'agit là d'une forme extrême de généralisation à outrance. Au lieu de qualifier votre erreur, vous vous apposez une étiquette négative : « Je suis un perdant. » Et quand le comportement de quelqu'un d'autre vous déplaît, vous lui accolez une étiquette négative : « C'est un maudit pouilleux. » Les erreurs d'étiquetage consistent à décrire les choses à l'aide de mots très colorés et chargés d'émotion.

10. LA PERSONNALISATION : Vous vous considérez responsable d'un événement fâcheux dont, en fait, vous n'êtes pas le principal responsable.

Pour que vous puissiez tester et renforcer votre compréhension de ces 10 distorsions, j'ai préparé la série d'exercices qui suit. À mesure que vous lisez ces saynètes, imaginez-vous que vous êtes les personnes dont elles décrivent le comportement. Sur la liste de distorsions qui suit chaque saynète, cochez celles qui correspondent au comportement négatif décrit (il se peut qu'il n'y en ait qu'une seule). Je donne la solution du premier exercice. La solution de ceux qui suivent est présentée à la fin de ce chapitre, mais ne trichez pas ! Je suis *persuadé* que vous pourrez identifier au moins *une* distorsion dans le premier exercice et ce sera pour vous une bonne façon de débuter

Vous êtes mariée et vous perdez tous vos moyens quand, par exemple, votre mari vous dit en maugréant que le rôti de bœuf est trop cuit. Vous vous dites alors : « Je ne suis bonne à rien. Je n'en puis plus! Je ne fais *jamais rien* comme il faut. Il me traite comme sa boniche, c'est sa façon de me remercier! Quelle brute!» Cette façon de réagir vous rend triste et agressive. Cette saynète illustre une ou plusieurs des distorsions suivantes :

a. le tout-ou-rien ;

b. la généralisation à outrance ;

c. l'exagération ;

d. l'étiquetage ;

e. toutes ces distorsions.

Voici les bonnes réponses à ce premier exercice et certaines explications pour que vous ayez, dès maintenant, un aperçu du genre de réponses à donner. *Toutes* les réponses étaient bonnes. C'est donc le «e» qu'il fallait cocher! Voici pourquoi. Quand vous vous dites : «Je ne suis bonne à *rien*», vous adoptez justement une attitude de «tout-ou-*rien*». Allons donc! La viande était un peu trop cuite, mais cela ne fait pas de votre vie un échec total. Quant à votre «Je ne fais *jamais rien* comme il faut», c'est de la *généralisation à outrance*. Jamais? Voyons donc! *Rien* comme il faut? Quand vous vous dites : «Je n'en puis plus», vous exagérez la douleur que vous ressentez. Vous la faites paraître bien pire qu'elle n'est en réalité, car, en fait, vous lui *résistez* toujours. Vous ne vous êtes pas encore *écroulée de douleur*... Vous n'aimez pas particulièrement voir votre mari passer des remarques désobligeantes, mais elles n'ont rien à voir avec ce que vous valez en tant que personne. Et enfin, quand vous vous exclamez : «Il me traite comme sa boniche, c'est sa façon de me remercier! Quelle brute!», vous *étiquetez* votre mari aussi bien que vous-même. Votre mari n'est pas une *brute*, il est simplement irritable et insensible à la peine qu'il vous fait. On peut se comporter comme une brute, mais une brute, ça n'existe pas; de même, il est ridicule de vous qualifier de *boniche*. Vous êtes tout simplement en train de laisser la mauvaise humeur de votre mari gâter votre soirée.

Cela dit, voici le reste des exercices :

2. Vous venez tout juste de lire la phrase qui vous avise que vous devrez vous soumettre à un test. Le cœur vous tombe dans les talons et vous vous dites : « Oh ! non, pas encore un test ! Je n'en viens jamais à bout. Je vais sauter cette section. Les tests m'énervent. De toute façon, ça ne me serait d'aucune utilité. » Vos distorsions sont les suivantes :

    a. les conclusions hâtives (l'erreur de prévision) ;
    b. la généralisation à outrance ;
    c. le tout-ou-rien ;
    d. la personnalisation ;
    e. les raisonnements émotifs.

3. Vous exercez la profession de psychiatre à l'Université de Pennsylvanie. Après avoir rencontré votre éditeur à New York, vous avez à réviser un manuscrit que vous lui avez présenté sur la dépression nerveuse. Mais, même si votre éditeur s'est montré extrêmement enthousiaste, vous vous rendez compte que vous vous sentez nerveux et peu sûr de vous, car vous vous dites : « Ils se sont vraiment trompés quand ils ont accepté de publier mon livre ! Je ne viendrai jamais à bout de faire quelque chose de présentable. Comment leur présenter un livre qui soit nouveau, animé et incisif ? Mon style est terne et je n'ai rien de vraiment nouveau à dire. » Vos distorsions cognitives sont les suivantes :

    a. le tout-ou-rien ;
    b. les conclusions hâtives (les prophéties de malheur) ;
    c. le filtre ;
    d. le rejet du positif ;
    e. l'exagération.

4. Vous êtes célibataire et vous acceptez une invitation à une soirée organisée par d'autres célibataires. Dès votre arrivée, vous ressentez le besoin de repartir, car l'inquiétude vous

envahit et vous êtes sur la défensive à cause de ces pensées qui vous viennent à l'esprit : «Ces gens ne sont sûrement pas très intéressants. Pourquoi me compliquer la vie avec eux? C'est une réunion de nullités. C'est facile à voir, ils sont si ennuyeux. Cette soirée va être un désastre.» Vous faites les erreurs suivantes :

a. l'étiquetage ;
b. l'exagération ;
c. les conclusions hâtives (l'erreur de prévision et l'interprétation indue) ;
d. les raisonnements émotifs ;
e. la personnalisation.

5. Votre employeur vous avise qu'il n'a plus besoin de vos services. Vous ressentez de la colère et de la frustration et vous vous dites : «On ne me laisse jamais la chance de montrer ce dont je suis capable. En voilà encore la preuve. Quel monde de fous!» Vos distorsions sont les suivantes :

a. le tout-ou-rien ;
b. le rejet du positif ;
c. le filtre ;
d. la personnalisation ;
e. les «dois» et les «devrais».

6. Vous vous apprêtez à donner une conférence et vous vous rendez compte que votre cœur bat très vite. Vous êtes sous tension et vous sentez la nervosité s'emparer de vous, car vous vous dites : «Mon Dieu! Je vais probablement oublier ce que j'ai à dire. De toute façon, ce que j'ai à dire n'a aucune valeur. Je vais avoir un trou de mémoire. Je vais me rendre ridicule.» Vos erreurs de raisonnement sont les suivantes :

a. le tout-ou-rien ;
b. le rejet du positif ;
c. les conclusions hâtives (l'erreur de prévision) ;

d. la minimisation ;

e. l'étiquetage.

7. La personne dont vous êtes amoureux vous téléphone à la dernière minute pour annuler un rendez-vous pour cause de maladie. Cela vous déçoit et vous êtes en colère car vous vous dites : « Je me fais poser un lapin. Qu'ai-je fait pour qu'on en arrive là ? » Vos erreurs de raisonnement sont :

a. le tout-ou-rien ;

b. les « dois » et les « devrais » ;

c. les conclusions hâtives (l'interprétation indue) ;

d. la personnalisation ;

e. la généralisation à outrance.

8. Vous remettez constamment à plus tard la rédaction d'un rapport dont on a besoin à votre travail. Les soirs où vous décidez de vous en débarrasser en y travaillant à la maison, vous trouvez cela si difficile que vous le mettez de côté pour regarder la télévision. Des sentiments d'impuissance et de culpabilité commencent à vous envahir. Vous vous dites : « C'est la paresse qui m'empêche de travailler à ce rapport. Du train où ça va, je ne finirai jamais ce maudit rapport. Cela me prendra une éternité. De toute façon, je ne serais pas capable de le faire correctement. » Vos erreurs de raisonnement sont :

a. les conclusions hâtives (l'erreur de prévision) ;

b. la généralisation à outrance ;

c. l'étiquetage ;

d. l'exagération ;

e. les raisonnements émotifs.

9. Vous avez lu ce livre et, après avoir mis en pratique les conseils qui y sont donnés pendant plusieurs semaines, vous commencez à vous sentir mieux. Votre score, sur l'échelle IDB, est passé de 26 (modérément déprimé) à 11 (au bord

de la dépression). Puis, soudainement, vous commencez à vous sentir plus mal et, en 3 jours, votre score monte à 28, vous passez par toute une gamme de sentiments négatifs – désillusion, désespoir, amertume, détresse – et cela est dû à votre façon de raisonner : « Je n'arrive à rien. Ces conseils ne me seront jamais d'aucune utilité. Je devrais me sentir mieux. Cette soi-disant amélioration n'était le résultat que d'un coup de chance. Je me faisais des illusions quand je pensais me sentir mieux. Je ne me sentirai jamais bien. » Dans un tel raisonnement, on peut identifier les distorsions cognitives suivantes :

a. le rejet du positif ;
b. les « dois » et les « devrais » ;
c. les raisonnements émotifs ;
d. le tout-ou-rien ;
e. les conclusions hâtives (les prophéties de malheur).

10. Vous essayez de suivre un régime. Après votre semaine de travail, vous sentez la nervosité vous gagner et, puisque votre travail ne tient plus votre esprit et votre corps occupés, vous êtes constamment en train de grignoter. Après avoir mangé quatre bonbons, vous vous dites : « Je ne suis absolument pas capable de me contrôler. J'ai suivi mon régime et j'ai fait de la course à pied toute la semaine pour rien. Je dois avoir l'air d'un ballon. Je n'aurais pas dû manger ces bonbons. Je ne puis plus me supporter. Je vais encore m'empiffrer jusqu'à mon retour au travail. » Vous commencez alors à vous sentir si coupable que, dans une vaine tentative de vous sentir mieux, vous mangez gloutonnement plusieurs autres bonbons. Cette saynette illustre les distorsions suivantes :

a. le tout-ou-rien ;
b. les erreurs d'étiquetage ;
c. les prophéties de malheur ;

d. les « dois » et les « devrais » ;

e. le rejet du positif.

RÉPONSES

1. A B C D E	6. A C D E
2. A B C E	7. C D
3. A B D E	8. A B C D E
4. A B C D	9. A B C D E
5. A C	10. A B C D E

Les sentiments et la réalité

Rendu à ce point dans votre lecture, vous vous dites peut-être : « Jusqu'ici, ça va. Je comprends que ma dépression vienne de mes pensées négatives, puisque ma vision des choses varie beaucoup selon mes humeurs. Mais si mes pensées négatives sont si loin de la réalité, comment se fait-il que je ne m'en rende jamais compte ? Je suis capable de raisonner aussi bien que tout le monde et d'une façon tout aussi réaliste. Alors, si ce que je me dis à moi-même est si irrationnel, pourquoi cela me semble-t-il si vrai ? »

Même si les pensées qui vous dépriment sont déformées, elles gardent cependant fortement l'apparence de la réalité. Si vous me le permettez, je puis vous expliquer, sans trop vous ménager, d'où vous vient cette illusion : Vos sentiments et la réalité sont deux choses bien différentes ! En fait, vos sentiments, en tant que tels, n'ont aucune importance, sauf à titre de reflet de votre façon de raisonner. Si vos perceptions n'ont ni queue ni tête, les sentiments qu'elles vont créer chez vous seront aussi grotesques que les images que renvoient les miroirs déformants d'une foire. Mais vous *ressentez* ces émotions qui dépassent les bornes de la normalité de façon tout aussi normale et réelle que celles qui restent entre les bornes de la normalité et découlent de pensées non déformées ; conséquemment, vous leur attribuez la même authenticité. Voilà pourquoi les états dépressifs peuvent être, pour votre processus mental, une forme si redoutable de magie noire.

Quand vous entrebâillez la porte à la dépression par une telle « réaction en chaîne » à la suite d'une série de distorsions cognitives, vos sentiments et vos comportements anormaux se renforcent mutuellement et vous entraînent dans un cercle vicieux. Parce que vous croyez tout ce que vous transmet votre cerveau handicapé par la dépression, vous en venez à avoir des sentiments négatifs à propos de presque tout. Cette réaction en chaîne se produit en millièmes de seconde, bien trop vite pour que vous puissiez vous en rendre compte. Vous ressentez vraiment ces sentiments négatifs, ce qui donne un caractère d'authenticité aux pensées déformées qui les ont causés. Et le cycle se perpétue jusqu'à ce que vous ne puissiez plus vous en extirper. Mais cette prison dans laquelle votre esprit se trouve enfermé n'est qu'une illusion ; elle est le résultat d'une mystification dont vous êtes inconsciemment l'auteur. Elle vous *semble* vraie parce que vous *ressentez* la même chose que si elle était vraie.

Comment faire pour vous sortir de votre prison ? Où se trouve la clé ? Simplement ceci : Ce sont vos pensées qui créent vos sentiments ; vous ne pouvez donc pas vous servir de vos sentiments pour prouver que vos pensées correspondent bien à la réalité. Ressentir quelque chose de désagréable ne démontre qu'une chose : Votre esprit est occupé par une idée négative à laquelle vous croyez. Vos émotions *suivent* vos pensées tout aussi sûrement que des canetons suivent leur mère. Mais le fait que les canetons suivent fidèlement leur mère ne nous permet pas d'affirmer que la mère sait où elle s'en va !

Examinons ce raisonnement que vous faites : « Je ressens une émotion à l'égard de quelque chose. Donc, cette chose existe. » Il n'y a pas que les personnes déprimées qui adoptent cette croyance que les sentiments sont le reflet d'une vérité ultime, évidente en soi. La plupart des psychothérapeutes d'aujourd'hui croient que le fait de devenir plus *conscient* de ses sentiments et de les exprimer plus ouvertement atteste d'un plus haut niveau de maturité émotive. Cela laisse sous-entendre que vos sentiments atteignent un échelon plus élevé de la réalité et qu'ils reflètent une vérité qui ne peut être remise en question ainsi que votre intégrité personnelle.

Ma position à ce sujet est bien différente. Vos sentiments, en tant que tels, n'ont vraiment rien qui les rende si extraordinaires. En fait, dans la mesure où vos sentiments désagréables trouvent leur origine dans des distorsions cognitives – comme c'est trop souvent le cas –, on peut difficilement les considérer comme quelque chose à rechercher.

Est-ce que cela veut dire qu'il faut vous débarrasser de *toutes* vos émotions, de *tous* vos sentiments? Est-ce que je cherche à faire de vous un robot? Non. Je veux simplement vous enseigner comment éviter des sensations pénibles qui résultent de distorsions dans votre façon de raisonner, parce qu'elles ne sont ni valides ni désirables. Je suis de l'avis que, dès que vous aurez appris à percevoir la vie de façon plus réaliste, vous connaîtrez une vie émotive renouvelée qui vous permettra d'éprouver des sentiments authentiques de douleur et de joie ne résultant pas de distorsions cognitives.

À mesure que vous progressez dans la lecture de ce livre, vous pouvez apprendre à corriger les distorsions qui vous jouent de mauvais tours quand quelque chose vous dérange. En même temps, vous pourrez en profiter pour réévaluer les valeurs et les postulats de base qui vous rendent si vulnérable quand votre humeur passe au noir. J'explique clairement comment vous pouvez vous y prendre. Vous débarrasser de vos schèmes de pensée fautifs aura des répercussions profondes sur votre humeur et augmentera votre capacité de mener une vie plus productive. Allons donc de l'avant et voyons comment nous pourrions régler vos problèmes.

Deuxième partie

La mise en pratique

Chapitre 4

L'estime de soi :
la première chose à améliorer

Une personne déprimée n'a jamais une très haute estime d'elle-même. Et plus on est déprimé, moins on s'apprécie. C'est une réaction courante. Un sondage récent du Dr Aaron Beck nous apprend que plus de 80 % des personnes déprimées interrogées au cours de cette étude ont exprimé des sentiments de répugnance à leur propre égard[1]. Le Dr Beck a de plus découvert que ces personnes se trouvaient des faiblesses dans les domaines qui, justement, leur tenaient le plus à cœur, à savoir l'intelligence, le succès, la popularité, la beauté, la santé et la force. Selon lui, l'image que se font d'elles-mêmes les personnes déprimées peut être résumée à l'aide de quatre mots commençant par la lettre *D*: Elles se sentent dépassées par les événements, déficientes, délaissées et dépossédées.

Dans la très grande majorité des cas, les réactions émotives négatives font des ravages chez les gens *seulement* lorsqu'ils ont une piètre opinion d'eux-mêmes. Une image de soi qui laisse à désirer peut agir comme une loupe et transformer une faute sans

---

1. BECK, Aaron T. *Depression Clinical, Experimental & Theoretical Aspects.* New York, Hoeber, 1967. (Réédité sous le titre *Depression: Causes and Treatment.* Philadelphie, University of Pennsylvania Press, 1972, p. 17-23.)

importance ou une imperfection en preuve inéluctable d'une lacune de sa personnalité. Par exemple, Éric, un étudiant en première année de droit, panique quand il se trouve en classe : « Si le professeur me pose des questions, je vais probablement me mettre à bafouiller. » Même si la peur de « bafouiller » était ce qui préoccupait le plus Éric, ma conversation avec lui a révélé que le véritable problème était un manque de confiance en soi :

DAVID : Supposons que vous vous mettiez à bafouiller en pleine salle de classe. Pourquoi cela vous choquerait-il à ce point ? Pourquoi serait-ce si dramatique ?

ÉRIC : Je me rendrais alors ridicule.

DAVID : Supposons que vous vous rendiez ridicule. Pourquoi cela vous choquerait-il ?

ÉRIC : Parce que, à cause de cela, on aurait une bien mauvaise opinion de moi.

DAVID. Que les gens aient une mauvaise opinion de vous, qu'est-ce que ça peut vous faire ?

ÉRIC : Je me sentirais bien mal dans ma peau.

DAVID : Pourquoi ? Qu'est-ce qui vous forcerait à vous sentir mal dans votre peau si les gens avaient une mauvaise opinion de vous ?

ÉRIC : Eh bien, cela prouverait que je ne suis pas une personne de grande valeur ! Et, de plus, cela pourrait tout chambarder dans ma vie ; j'aurais de mauvaises notes et je ne pourrais peut-être jamais devenir avocat.

DAVID : Supposons que vous ne deveniez pas avocat et supposons, pour les besoins de cette discussion, que vous couliez votre année. En quoi cela vous dérangerait-il particulièrement ?

ÉRIC : Cela voudrait dire que je n'ai pas réussi à faire ce que j'ai toujours voulu faire.

DAVID : Et que signifierait pour vous un tel échec ?

ÉRIC : Ma vie ne vaudrait plus la peine d'être vécue. Cela prouverait que je suis un raté. Cela prouverait que je n'ai aucune valeur.

Dans ce court dialogue, Éric montre jusqu'à quel point il est horrifiant pour lui d'être critiqué par les autres, de faire des erreurs ou de subir des échecs. Il semble convaincu que si une seule personne a une mauvaise opinion de lui, le monde entier emboîtera le pas. C'est comme si le mot *RATÉ* lui était soudainement étampé sur le front de sorte que tout le monde puisse le voir. Il semble que son estime de soi dépende exclusivement de l'approbation des autres ou de son succès dans tout ce qu'il fait. Pour évaluer sa valeur, il se réfère à ce que les autres pensent de lui et à ce qu'il a pu accomplir. Quand son besoin d'approbation et de réussite est insatisfait, Éric a l'impression qu'il n'a plus aucune valeur, car il ne peut s'appuyer sur rien qui provienne véritablement du fond de lui-même.

Si vous considérez que le perfectionnisme qui pousse Éric à rechercher l'approbation et à accumuler les réalisations est irréaliste et ne peut que jouer contre lui, vous avez bien raison. Ce besoin d'approbation et de réalisations semble toutefois *réaliste* et *raisonnable* à Éric. Si vous êtes présentement dans un état dépressif ou l'avez déjà été, il se peut que vous ayez beaucoup de difficulté à reconnaître les raisonnements illogiques qui vous portent à vous déprécier. En fait, vous croyez probablement dur comme fer à votre infériorité et à votre nullité et toute personne qui tenterait de vous convaincre du contraire pourrait difficilement vous apparaître comme autre chose qu'imbécile ou hypocrite.

Malheureusement, une personne déprimée n'est pas toujours seule à être persuadée de sa nullité. Dans bien des cas, elle est si *convaincante* et si *ancrée* dans sa croyance maladive à sa déficience et à son indignité qu'elle amène parfois ses amis, sa famille et même son thérapeute à se former la même opinion d'elle. Pendant longtemps, les psychiatres ont été portés à « se laisser embarquer

par leurs patients dans leurs schèmes faussés d'autoappréciation
sans remettre en question la validité de ce que ces personnes
malades leur disaient à propos d'elles-mêmes. Dans les écrits d'un
observateur aussi averti que Sigmund Freud, on peut en trouver
un exemple dans son traité intitulé *Deuil et Mélancolie*, qui sert de
fondement aux méthodes traditionnelles de traitement de la
dépression en psychanalyse. Dans cette étude classique, Freud
écrit que lorsque le patient se dit dépourvu de toute valeur,
incapable de rien réaliser et méprisable du point de vue moral, il
doit avoir raison. Conséquemment, il ne sert à rien au thérapeute
de montrer à son patient qu'il n'est pas d'accord avec lui. Au
contraire, Freud croyait que le thérapeute devait se dire d'accord
avec ses patients sur le fait qu'ils étaient véritablement intéressants, repoussants, insignifiants et malhonnêtes. Ces qualificatifs,
toujours selon Freud, décrivent la personnalité du patient tel qu'il
est vraiment au fin fond de lui-même, sa maladie rendant simplement ces vérités plus évidentes :

« Le patient nous présente son ego comme dénué de valeur, incapable de réussir quoi que ce soit et méprisable du point de vue
moral ; il se fait des reproches, se dénigre lui-même et s'attend à se
faire rejeter et punir. [...] Il serait stérile, autant du point de vue
scientifique que du point de vue thérapeutique, de contredire un
patient qui adresse de telles accusation à son ego. Il doit *sûrement
avoir raison sur certains points* [je souligne] et décrire quelque
chose qui existe, et ce, telle qu'elle lui apparaît. Nous devons
certainement confirmer immédiatement sans réserve certaines de
ses affirmations. *C'est vrai, il est dépourvu d'intérêt et incapable
d'aimer et de réussir dans la vie, exactement comme il le dit* [je sou-
ligne]. [...] Il nous semble aussi avoir raison en ce qui concerne
d'autres reproches qu'il s'adresse ; *cela est tout simplement dû au
fait qu'il perçoit plus facilement la vérité que les non-mélancoliques*
[je souligne]. Quand, dans cet état exacerbé d'autocritique, il se
décrit comme insignifiant, égoïste, malhonnête, dépendant et
comme une personne dont le seul but dans la vie a été de cacher
ses faiblesses, il se peut, pour autant que nous le sachions, qu'il soit
venu bien *près de se comprendre* (l'italique est de moi) ; nous

nous demandons toutefois pourquoi on ne peut pas atteindre une telle compréhension de soi-même sans être malade. »

Sigmund FREUD, *Deuil et Mélancolie*[2]

L'attitude du thérapeute à l'égard des sentiments d'inaptitude de ses patients est capitale en ce qui concerne leur guérison, car l'impression d'être dépourvu de toute valeur a un rôle clé à jouer dans leur dépression. Cela est d'ailleurs relié à une question philosophique de grande importance : La nature humaine est-elle *intrinsèquement* mauvaise ? Les personnes déprimées seraient alors confrontées à une vérité fondamentale et, dans ce cas, sur quelles bases réelles pourrait-on asseoir l'estime de soi ? Voilà, à mon avis, la question la plus importante qui se pose à tous et chacun d'entre nous.

En premier lieu, on ne *peut pas* se valoriser par ce qu'on fait. Vos réalisations peuvent vous apporter de la satisfaction, mais pas vous donner le bonheur. L'estime de soi basée sur ce qu'on a pu faire dans la vie, c'est du chiqué ! Je reçois de nombreux patients qui ont très bien réussi dans la vie et qui pourraient en témoigner. Pouvez-vous alors vous créer une authentique estime de soi à partir de votre talent, votre beauté, votre célébrité ou votre fortune ? Mark Rothko, Marilyn Monroe, Freddie Prinz et une multitude d'autres personnages célèbres qui se sont suicidés nous prouvent que non. L'amour, l'approbation des autres, l'amitié ou l'aptitude à établir des relations interpersonnelles intimes et chaleureuses n'ajoutent absolument rien non plus à votre valeur personnelle inhérente. En fait, les personnes déprimées sont, en grande majorité, entourées de personnes qui les aiment beaucoup, mais cela ne les aide pas du tout à se sortir de leur dépression

---

2. FREUD, S. *Collected Papers*, 1917. (Traduit par Joan Riviere, Vol. IV, chapitre 8, « Mourning and Melancholia », p. 155-156. Londres, Hogarth Press Ltd., 1952.)

parce qu'elles ne *s'aiment pas* et ont une *piètre image d'elles-mêmes*. En fin de compte, seule votre propre opinion de vous-même fait que vous vous sentez bien ou mal dans votre peau.

Vous commencez peut-être à vous impatienter et à vous demander : «Mais que puis-je *faire* pour améliorer l'image que j'ai de moi-même? Mon problème est que je me sens vraiment mal dans ma peau et personne ne parviendra à me faire croire que je puis me comparer avantageusement aux autres. Jamais je ne pourrai me libérer de ces idées noires car c'est ainsi que je suis et jamais on ne pourra me changer.»

Une des caractéristiques fondamentales de la thérapie cognitive est de refuser obstinément de se laisser toucher par l'opinion négative que vous avez de vous-même. Dans mon cabinet, j'aide mes patients à remettre systématiquement en question l'image qu'ils ont d'eux-mêmes. Je leur pose sans cesse la même question : «Vous tenez absolument à me faire croire qu'au fin fond de vous-même vous êtes une personne essentiellement vouée à l'échec, mais est-ce vraiment la *vérité*?

Ce que vous devez faire, en tout premier lieu, c'est examiner sérieusement ce que vous dites de vous-même quand vous vous efforcez de convaincre les autres que vous ne valez rien. Presque toujours, sinon toujours, les arguments que vous utilisez n'ont aucun sens.

Cette affirmation se base sur une étude récente des Drs Aaron Beck et David Braff qui a démontré qu'il existe effectivement un dérèglement du processus formel de raisonnement chez les personnes déprimées. Ces auteurs ont comparé des individus déprimés à des schizophrènes et à des personnes normales quant à leur capacité d'interprétation d'une série de proverbes du genre : «*Un tiens vaut mieux que deux tu l'auras.*» Les personnes déprimées, tout comme les schizophrènes, firent de nombreuses erreurs de déduction et eurent de la difficulté à trouver la signification des proverbes. Elles se montraient beaucoup trop concrètes dans leurs

interprétations et pouvaient difficilement arriver à des généralisations. Même si ces défauts étaient évidemment moins marqués
et les significations suggérées moins bizarres chez les personnes
déprimées que chez les schizophrènes, les individus déprimés se
distinguaient nettement des sujets normaux.

En pratique, cette étude suggère que durant vos périodes
dépressives votre aptitude à raisonner clairement est diminuée et
vous avez de la difficulté à voir les choses comme elles sont vraiment. Les événements malheureux acquièrent de plus en plus
d'importance, jusqu'à envahir complètement votre existence, et
vous ne pouvez vraiment pas vous rendre compte qu'il s'agit là
d'une distorsion de la réalité. Mais tout cela vous semble si *réel*.
L'enfer que vous vous êtes créé de toutes pièces *ressemble tellement* à la réalité.

Plus votre dépression est profonde et plus vous vous sentez
misérable, plus vos raisonnements sont faussés. Et, inversement,
quand vous ne faites pas de distorsions cognitives, vous ne *pouvez
pas* vous rabaisser vous-même et tomber dans un état dépressif !

Quels types d'erreurs de raisonnement faites-vous le plus
souvent quand vous cherchez à vous dévaloriser ? Pour trouver
réponse à cette question, une bonne façon de débuter serait de
vous référer à la liste de distorsions que vous avez commencé à
assimiler en lisant le chapitre 3. La distorsion cognitive le plus
communément faite quand on a l'impression que notre vie est un
échec total est celle du tout-ou-rien. Si vous êtes de ces personnes
qui ne portent toujours que des jugements extrêmement catégo-
riques, tout ce que vous ferez dans la vie ne sera qu'excellent ou
exécrable, ce qui ne laisse aucune place aux résultats moyens, qui
n'existent pas pour vous. Tel est le cas d'un vendeur qui m'a dit :
« Je considère ma performance acceptable quand j'atteins mon
objectif mensuel de ventes à 95 %, ou plus. Pour moi, 94 % ou
moins équivaut à un échec total. »

En plus d'être irréaliste et inconséquent, un système d'auto-évaluation aussi disproportionné ne peut que rendre ceux qui y ont recours extrêmement anxieux en les confrontant souvent à des échecs. Ainsi, un psychiatre déprimé qui m'avait été dirigé m'a confié avoir remarqué une baisse de sa libido et avoir eu des problèmes d'érection durant une période de deux semaines au cours de laquelle il se sentait particulièrement écrasé par sa dépression. Sa tendance au perfectionnisme avait dominé non seulement sa vie professionnelle, qu'il avait d'ailleurs menée avec éclat, mais aussi sa vie sexuelle. Depuis son mariage, 20 ans auparavant, il avait eu des relations sexuelles avec son épouse très régulièrement, tous les deux jours, exactement à la même heure et, malgré la baisse de sa libido – un symptôme courant de la dépression –, il s'était dit : « Je dois continuer à faire l'amour avec ma femme régulièrement. » Cette pensée suscita tant d'anxiété chez lui qu'il devint de moins en moins capable d'avoir des érections et, comme sa performance sexuelle n'était plus parfaite, il commença à se détruire lui-même en basculant du côté négatif de son « tout-ou-rien » et en se disant : « Cela veut dire que je ne suis plus un vrai mari pour ma femme. Je suis un échec en tant que mari. Et même en tant qu'homme. Je suis une nullité totale. » Malgré sa compétence dans son domaine, ce psychiatre (dont certains disaient qu'il était brillant) me confia, les larmes aux yeux : « Docteur Burns, vous savez aussi bien que moi que je ne pourrai plus jamais faire l'amour avec une femme, c'est un fait indéniable. » Ses nombreuses années d'études en médecine ne l'avaient pas empêché de se mettre une telle idée en tête.

Comment cesser de se déprécier

Il se peut que vous soyez en train de vous dire maintenant : « D'accord, je vois bien qu'un certain illogisme porte ces gens à se déprécier sans qu'ils s'en rendent compte. Mais il s'agit de *cas particuliers*. Ces gens-là sont foncièrement mieux doués que la moyenne; ils ne sont pas comme moi. Vous semblez ne traiter que des médecins célèbres ou des gens qui ont bien réussi en affaires. Il ne faut pas être un génie pour se rendre compte que leur manque d'estime d'eux-mêmes n'est pas logique. Mais, dans mon cas, c'est vrai, je *suis* une personne médiocre. Ces gens-là *sont*, en fait, plus beaux, plus populaires et ont plus de succès dans ce qu'ils entreprennent que moi. Alors, que peut-on faire dans mon cas pour me libérer de l'impression que j'ai de ne rien valoir? Rien, car c'est un fait. C'est un sentiment qui est basé sur une réalité; je ne trouve donc rien de consolant à me faire dire de *penser* logiquement. Je ne pense pas qu'il soit possible de faire disparaître chez moi ces sentiments si douloureux, à moins de me mettre à me raconter des histoires et vous savez comme moi que cela ne donnera rien.» Permettez-moi de vous présenter une couple d'approches couramment utilisées par de nombreux thérapeutes et qui, selon moi, ne parviendront pas à résoudre votre problème. Je vais ensuite vous en présenter quelques-unes qui me semblent plus logiques et qui pourraient vous aider.

En se basant sur la conviction que le fait que vous vous dépréciez signifie qu'il y a quelque chose de fondamentalement mauvais au fin fond de votre être, certains psychothérapeutes vont vous laisser exprimer ces sentiments d'infériorité au cours d'une session de thérapie. Il y a évidemment certains avantages à révéler à quelqu'un d'autre des sentiments honteux que vous gardiez cachés au plus profond de vous-même. Le fait de s'être librement exprimé peut remonter temporairement le moral de certains patients, mais pas de tous. Mais si votre thérapeute ne vous présente pas en retour des arguments logiques pour tester la validité de votre autoévaluation, vous pouvez en conclure qu'il est d'accord avec vous. Et il se peut que vous ayez raison! En fait, vous avez peut-être réussi à le tromper tout autant que vous-même! Et votre dépression en sera d'autant plus aggravée.

La méthode des silences prolongés durant les sessions de thérapie peut accroître votre détresse en vous faisant entendre encore plus clairement cette voix intérieure qui ne cesse de vous critiquer, tout comme dans ces expériences qui étudient les réactions des gens en l'absence de stimuli sensoriels. Ce type de thérapie non directive, qui fait adopter au thérapeute un rôle passif, produit fréquemment plus d'anxiété chez le patient et exacerbe ses sentiments dépressifs. Et, à supposer que vous vous sentiez mieux après avoir exprimé librement vos émotions devant un thérapeute empathique et chaleureux, cette amélioration sera de courte durée si vous n'avez pas transformé de façon importante votre vision de vous-même et de la vie en général. À moins de modifier substantiellement vos schèmes de pensée maladifs ainsi que votre comportement, vous allez probablement voir la dépression reprendre insidieusement possession de votre être.

Tout comme l'expression des sentiments en tant qu'objectif à atteindre ne suffit généralement pas à nous débarrasser de l'impression que nous avons d'être dénué de toute valeur, la connaissance de soi et l'interprétation psychologique pour nous aider à y arriver ont rarement plus de succès. C'est le cas de Jennifer, une auteure qui faisait des crises d'anxiété avant la publication d'une nouvelle. À sa première session de thérapie, elle m'a dit : « J'ai vu plusieurs thérapeutes qui sont arrivés à la conclusion que mon problème, c'était le *perfectionnisme*. Je me fixe des objectifs impossibles à atteindre et je suis beaucoup trop exigeante pour moi-même. Ils m'ont aussi appris que j'ai probablement hérité ce trait de ma mère qui est impulsive et perfectionniste. Elle peut trouver 19 choses à redire d'une chambre extrêmement bien rangée. J'ai toujours essayé de faire tout ce qu'elle me demandait, mais j'y suis rarement arrivée, quoi que je fasse. Ces thérapeutes m'ont dit de cesser de considérer tout le monde comme s'il s'agissait de ma mère et de cesser d'être si perfectionniste, mais comment y parvenir ? Comment *faire* ? J'aimerais bien cela. C'est ce que je veux, mais jamais personne n'est parvenu à me dire comment faire pour y parvenir. »

Presque tous les jours, j'entends ce genre de remarques dans mon cabinet. Identifier la nature ou l'origine de vos problèmes peut vous donner une meilleure connaissance de vous-même, mais cela ne vous amène généralement pas à vous conduire autrement. Et ce n'est pas surprenant. Cela fait des années et des années que vous avez acquis ces mauvaises habitudes de raisonner qui ont contribué à vous former une image négative de vous-même. Pour résoudre votre problème, vous devrez donc procéder méthodiquement et y investir des efforts soutenus. Une personne qui bégaie arrête-t-elle soudainement de bégayer tout simplement parce qu'elle s'est renseignée sur les mécanismes qui l'empêchent de produire des sons correctement ? Un joueur de tennis améliore-t-il son jeu simplement parce que son entraîneur lui dit qu'il frappe la balle trop souvent dans le filet ?

Comme l'expression des émotions et la connaissance de soi – les deux approches les plus courantes en psychothérapie – ne peuvent rien pour vous, qu'y a-t-il d'autre à faire ? La thérapie cognitive vise trois objectifs afin de vous donner une image plus positive de vous-même : une transformation rapide et marquée de votre façon de *penser*, de *ressentir les événements* et de vous *comporter*. Vous pouvez y parvenir en mettant en pratique un programme d'entraînement bien structuré basé sur des exercices simples et tangibles faits quotidiennement. Votre état s'améliorera dans la mesure où vous consacrerez temps et efforts à la pratique de ces exercices.

Croyez-vous que cela vaille la peine d'essayer ? Si oui, nous sommes prêts à commencer et cela marquera le premier pas, le plus important, vers l'amélioration de vos états d'âme et la construction d'une image plus positive de vous-même. J'ai mis au point plusieurs techniques précises et faciles à appliquer qui peuvent vous aider à vous revaloriser. En lisant les sections qui suivent, rappelez-vous que le simple fait de les lire ne vous assurera par une amélioration instantanée de l'image que vous avez de vous-même; du moins, pas pour longtemps. Il faudra y mettre plus d'efforts et faire les exercices suggérés. En fait, je vous recommande d'y consacrer chaque jour un certain temps, car c'est la *seule* façon d'arriver rapidement et pour longtemps à vous revaloriser.

Exercices de revalorisation

1. *Répondez-vous à vous-même!* Votre impression de ne rien valoir de bon provient de votre dialogue intérieur qui est très désobligeant à votre égard. S'entendre se dire des choses dégradantes comme «Je ne vaux rien», «Je suis de la merde», «Les autres sont bien mieux que moi» et ainsi de suite crée puis renforce votre détresse et l'impression que vous avez de présenter aux autres une image bien peu reluisante. Pour vous défaire de cette habitude nocive de voir ainsi les choses, il vous faut franchir trois étapes :

a. Apprenez tout d'abord à reconnaître les pensées dévalorisantes qui vous viennent à l'esprit puis notez-les par écrit;

b. Demandez-vous ensuite pourquoi vous avez formé ces pensées;

c. Répondez-vous enfin à vous-même régulièrement quand vous avez ces idées afin de vous constituer un système d'auto-évaluation plus réaliste.

Une méthode efficace pour y parvenir s'appelle la «technique des trois colonnes». Tracez simplement deux lignes verticales sur une feuille de papier pour la diviser en trois parties (voir le tableau 4-l, page 90). Écrivez en haut de la colonne de gauche «Réaction spontanée (autodénigrement)», en haut de la colonne du milieu «Distorsion cognitive» et, en haut de la colonne de droite, «Réaction rationnelle (autodéfense)». Puis, dans la colonne de gauche, notez toutes les pensées dévalorisantes et dommageables qui vous viennent à l'esprit quand vous avez l'impression que vous ne valez rien et que vous vous méprisez.

Supposez, par exemple, que vous vous souvenez soudainement que vous avez un rendez-vous important et que vous allez être en retard. Vous avez un serrement de cœur et vous vous mettez à paniquer. Demandez-vous maintenant : « Quelles pensées traversent mon esprit à ce moment précis ? Qu'est-ce que je me raconte à moi-même ? Pourquoi est-ce que ça me chagrine tant ? » Puis notez ces pensées dans la colonne de gauche.

Vous vous êtes peut-être dit : « Je ne fais jamais rien comme il faut » et « Je suis toujours en retard ». Écrivez ces pensées les unes à la suite des autres dans la colonne de gauche et numérotez-les (voir tableau 4-1). Il se peut que vous vous soyez aussi dit : « Tout le monde va m'en vouloir. C'est une autre preuve de mon imbécillité. » Dès que ces idées vous viennent, notez-les par écrit. Pourquoi ? Parce que ce sont elles qui sont à l'*origine* de vos problèmes émotifs. Elles vous font aussi mal que si on vous enfonçait un couteau dans la peau. Je suis certain que vous savez ce que je veux dire parce que vous l'avez déjà *ressenti*.

Vous vous demandez quelle est la deuxième étape ? Vous avez déjà commencé à vous préparer en lisant le chapitre 3. À l'aide de la liste de distorsions cognitives des pages 65 et 66, essayez d'identifier les erreurs de raisonnement qui caractérisent chacune de vos réactions spontanées négatives. Par exemple, votre « Je ne fais jamais rien comme il faut », c'est de la généralisation à outrance. Vous l'inscrivez dans la colonne du milieu, puis vous continuez à identifier les distorsions que vous découvrez dans vos autres réactions spontanées, comme on suggère de le faire en 4-1.

Nous sommes maintenant prêts à franchir l'étape décisive : la transformation de vos états d'âme par la substitution, dans la colonne de droite, de pensées plus rationnelles et moins inquiétantes pour vous. Il ne faut pas que vous essayiez de vous remonter

TABLEAU 4-1

Vous pouvez vous servir de la technique des trois colonnes pour apprendre à mieux vivre avec vous-même après avoir fait une gaffe, quelle qu'elle soit. Cette technique vise à remplacer par des pensées plus logiques et objectives l'avalanche de reproches illogiques et féroces dont vous avez pris l'habitude de vous qualifier quand quelque chose de désagréable vous arrive.

Réactions spontanées	Distorsions cognitives	Réactions rationnelles
1. Je ne fais jamais rien comme il faut.	1. Généralisation à outrance.	1. *Ridicule! Je fais bien des choses comme il faut.*
2. Je suis toujours en retard.	2. Généralisation à outrance	2. *Toujours* en retard. C'est impensable. Il m'arrive si souvent d'être à l'heure. Supposons que j'arrive plus souvent en retard que je devrais. C'est un problème auquel on peut facilement trouver une solution; j'ai simplement à me mettre au point un petit système qui me permettra d'arriver plus souvent à l'heure.
3. Tout le monde va m'en vouloir.	3. Interprétation indue. Généralisation à outrance. Tout-ou-rien. Erreur de prévision	3. Il se peut que certaines des personnes convoquées à cette réunion soient déçues de me voir arriver en retard, mais ce n'est pas la fin du monde. Et, à part ça, qui me dit que la réunion va débuter à l'heure prévue?
4. C'est une autre preuve de mon imbécillité.	4. Étiquetage	4. Allons donc! Ce serait une preuve d'imbécillité?
5. Je vais me rendre ridicule.	5. Étiquetage Erreur de prévision	5. Même réaction : Où est le ridicule, là-dedans? On n'a pas l'air bien intelligent quand on arrive en retard, j'en conviens, mais ça ne rend pas une personne ridicule. C'est quelque chose qui arrive à tout le monde de temps à autre.

le moral en rationalisant ou en cherchant à vous faire croire des choses que vous savez ne pas correspondre à la réalité objective. Vous devez plutôt chercher à découvrir la *vérité*. Si ce que vous écrivez dans la colonne «Réaction rationnelle» ne vous semble pas convaincant ou réaliste, cela ne changera absolument rien chez vous. Vous devez vous assurer que vous croyez vraiment aux objections que vous amenez à l'encontre de votre autodénigrement. Une réaction rationnelle est basée sur ce qu'il y a d'illogique et d'erroné dans vos réactions spontanées d'autodestruction.

Par exemple, en réponse à «Je ne fais jamais rien comme il faut», vous pourriez écrire : «Oublie ça! Je fais certaines choses comme il faut et d'autres pas comme il faut, comme tout le monde. Oui, j'ai oublié qu'il fallait que je sois là à cette heure-ci, mais il ne faut pas en faire un plat.»

Si vous ne parvenez absolument pas à trouver une réaction rationnelle à une pensée négative donnée, la meilleure chose à faire est de ne plus vous en préoccuper pendant quelques jours et d'y revenir plus tard. Généralement, vous serez alors capable de voir l'autre côté de la médaille. Quand vous aurez mis à l'épreuve cette technique des trois colonnes pendant 15 minutes par jour durant un mois ou deux, vous vous apercevrez qu'elle devient de plus en plus facile à utiliser. Et n'ayez pas peur de demander à d'autres personnes comment elles réagiraient rationnellement à une pensée inquiétante, si, sans aide, vous pensez que vous ne trouverez jamais de réaction rationnelle à une telle pensée.

Attention : N'utilisez pas de mots qui décrivent vos réactions émotives dans la colonne «Réactions spontanées». Inscrivez-y seulement les pensées qui sont à l'origine de ces émotions. Par exemple, vous vous apercevez qu'un pneu de votre voiture est à plat. N'écrivez pas : «Je me sens vraiment découragé.» Une réaction rationnelle ne pourra jamais trouver d'arguments pour vous prouver le contraire, car c'est un fait : Vous *êtes* vraiment découragé et c'est ce que vous ressentez. Notez à la place les pensées qui

TABLEAU 4-2

Registre quotidien de vos pensées dysfonctionnelles[1]

Situation

Décrivez brièvement l'événement qui est à l'origine de ce sentiment déplaisant.

Un client éventuel raccroche brusquement quand je lui téléphone pour lui proposer notre nouveau plan d'assurance. Il me dit : « Ne pourriez-vous pas me laisser tranquille une seule minute ! »

Sentiments

1. Préciser : tristesse, anxiété, colère, etc.

2. Pondération : de 1 à 100 % Colère, 99 % Tristesse, 50 %

Réactions spontanées	Distorsions cognitives	Réactions rationnelles	Résultat
Enregistrez les réactions spontanées qui accompagnent ces émotions.	Notez les distorsions que vous pouvez identifier dans chaque réaction spontanée.	Décrire ce que devrait être une réaction rationnelle à vos réactions spontanées.	Identifiez et évaluez l'importance de vos sentiments présentement, de 0 à 100.
1. Je ne viendrai jamais à bout de vendre une seule police.	1. Généralisation à outrance	1. J'ai déjà vendu plusieurs polices.	
2. L'enfant de chienne! J'aimerais pouvoir l'étrangler!	2. Exagération; étiquetage	2. Il s'est conduit comme si quelque chose le tracassait. Cela arrive à tout le monde. Pourquoi m'en faire avec ça?	Colère, 50 %
3. J'ai dû dire quelque chose qui l'a choqué.	3. Conclusions hâtives; personnalisation	3. En fait, je lui ai fait mon boniment exactement de la même façon qu'à mes autres cliente éventuels. Pourquoi en avoir des sueurs froides?	

Note : Quand un sentiment déplaisant vous envahit, notez ce que vous croyez en avoir été la cause. Enregistrez ensuite les réactions spontanées associées à ce sentiment négatif. L'échelle de pondération de vos émotions va de 1 = une trace, à 100 = l'intensité maximale.

1. Droits d'auteur 1979, Aaron T. Beck.

vous sont venues soudainement à l'esprit au moment même où vous avez aperçu ce pneu; par exemple, «C'est stupide de ma part; j'aurais dû m'acheter un pneu neuf ce mois-ci» ou «Merde! Comme je suis malchanceux!» À ces réflexions spontanées, vous pouvez substituer des réactions plus rationnelles, comme: «J'aurais probablement dû m'acheter un pneu neuf, mais qui peut prévoir l'avenir avec certitude? Il n'est pas stupide de ma part de ne pas avoir prévu ça.» Cette façon de réagir ne gonflera pas votre pneu mais, au moins, quand vous reprendrez le volant, votre ego ne sera pas dégonflé.

Même s'il est préférable de ne pas décrire vos émotions dans la colonne «Réactions spontanées», il peut cependant être très utile d'en suivre les fluctuations à l'aide d'un petit «registre d'émotions», avant et après que vous ayez commencé à utiliser la technique des trois colonnes, pour voir dans quelle mesure votre état affectif s'est amélioré. Cela peut se faire très facilement si vous évaluez votre état émotif, à l'aide d'une échelle de 0 à 100, avant de découvrir vos réactions spontanées et de leur répliquer. Dans la situation décrite plus haut, on pourrait dire, par exemple, que votre niveau de frustration et de colère se situait aux environs de 80 % quand vous vous êtes aperçu que vous aviez un pneu à plat. Puis, après avoir rempli les trois colonnes de l'exercice écrit, vous noteriez jusqu'à quel point cela vous aurait soulagé; disons que votre niveau de frustration serait descendu à 40 % ou à peu près. S'il y a diminution, cela veut dire que cette méthode fonctionne dans votre cas.

Le Dr Aaron Beck a mis au point une technique un peu plus élaborée; elle nécessite l'utilisation d'un formulaire qui vous permet de noter non seulement les pensées qui vous dérangent mais aussi vos sentiments et les événements contrariants qui en ont été la cause (voir tableau 4-2, page 92).

Supposons, par exemple, que vous soyez vendeur d'assurances et qu'un client éventuel vous insulte au téléphone, sans que vous l'ayez provoqué, et raccroche brusquement. Vous décrivez ce qui s'est passé dans la colonne «Situation», sans vous préoccuper du contenu des autres colonnes. Cela fait, vous notez dans les colonnes appropriées vos sentiments, les réflexions qui vous sont venues spontanément et les distorsions cognitives qui sont à l'origine de vos sentiments désagréables. Vous répliquez ensuite à vos pensées négatives et faites votre comptabilité émotive. Certaines personnes préfèrent utiliser le «Registre quotidien de vos pensées dysfonctionnelles» parce qu'il leur permet de faire une analyse plus approfondie des événements qui les chiffonnent et de leurs idées noires puis des sentiments négatifs qui en résultent. L'important, pour vous, est de choisir la méthode qui vous convient le mieux.

Contrer vos pensées négatives en leur répliquant par écrit de façon plus rationnelle peut vous sembler simpliste, inefficace ou même pas sérieux du tout. Peut-être réagissez-vous comme certains patients qui refusent, au début, de mettre à l'épreuve cette technique en disant : «En quoi cela pourrait-il me servir? C'est inutile. Cette méthode ne peut pas m'être utile parce que je sais que je ne vaux rien, que je n'arriverai jamais à rien.»

Quand on adopte une telle attitude, il n'est pas surprenant qu'on ne fasse jamais rien de bon. Si vous refusez même de prendre un outil en main et de l'essayer, vous ne viendrez certainement pas à bout de faire le travail, tel que vous l'avez prédit. Commencez donc, à raison de 15 minutes par jour et pendant 2 semaines, à noter par écrit vos réactions spontanées, en leur opposant des réactions plus rationnelles et voyez si votre état s'est amélioré, en vous référant à l'échelle IDB. Qui sait? Vous vous apercevrez peut-être que vous avez pris du mieux et que l'image que vous vous faites de vous-même est un peu moins négative.

Ce fut le cas de Gail, jeune secrétaire qui avait une si piètre image d'elle-même qu'elle craignait constamment la critique de ses amis; par exemple, quand une copine avec laquelle elle partageait un appartement lui a demandé de l'aider à faire le ménage après une petite fête dans leur appartement, elle a réagi si mal qu'elle s'est sentie rejetée et absolument inapte. Au début de sa thérapie, elle était si peu optimiste quant à ses chances de prendre du mieux que j'ai eu beaucoup de difficultés à la convaincre d'essayer la technique des trois colonnes. Quand elle a enfin décidé de s'en servir, elle a été surprise de voir son image d'elle-même et son état d'âme se transformer rapidement. Le fait d'*écrire* les nombreuses pensées négatives qui lui venaient à l'esprit au cours de la journée lui donnait un certain recul par rapport à ses pensées, ce qui lui permettait de les considérer de façon plus objective et de les prendre moins au sérieux. Grâce à ces exercices quotidiens, Gail commença à se sentir mieux dans sa peau et ses relations inter-personnelles en furent améliorées d'autant. Le tableau 4-3 présente un extrait de son registre.

Ce qu'a vécu Gail n'a rien qui sorte de l'ordinaire. Remettre en question quotidiennement vos pensées négatives en cherchant à les remplacer par des réactions plus rationnelles, c'est l'idée clé en thérapie cognitive et c'est la meilleure technique à utiliser si vous voulez changer votre façon de voir les choses. Mais il est capital que vous notiez *par écrit* vos réflexions spontanées et les réactions plus rationnelles que vous devez leur substituer; n'essayez pas de faire cet exercice mentalement, car le fait de les écrire vous force à faire preuve de beaucoup plus d'objectivité que si vous laissiez simplement les répliques rationnelles tourbillonner dans votre esprit. Cela vous aide aussi à découvrir les erreurs de rai-sonnement que vous faites et qui vous dépriment. La technique des trois colonnes ne se limite pas, dans son utilisation, aux pro-blèmes d'image de soi; elle peut s'appliquer aussi à bien d'autres types de difficultés émotives où la distorsion cognitive a un rôle important à jouer. Elle peut vous permettre de réduire au minimum l'angoisse que vous causent des problèmes qui vous semblent généralement être bien «réels», et rien d'autre, comme la faillite, le divorce ou les maladies mentales graves. Finalement, dans la section sur la prophylaxie et le rehaussement de son image, vous apprendrez comment utiliser une version légèrement modifiée de la technique que nous venons de voir pour vous introduire dans la région de votre psyché où vos changements d'humeur trouvent leur origine. Cela vous permettra de découvrir où se trouvent les «points sensibles» de votre esprit, ceux qui peuvent le plus facilement vous faire sombrer dans la dépression, et de les transformer pour éviter que cela ne vous arrive.

2. *Le contrôle mental.* Une autre méthode qui peut s'avérer très utile consiste à contrôler le flot de vos pensées négatives à l'aide d'un compteur qui se porte au poignet comme un bracelet-montre. Ce type de compteur se vend dans des magasins d'équipement sportif ou de golf; il ne coûte pas cher et, chaque fois qu'on appuie sur un bouton, une unité est enregistrée sur le cadran. À l'aide de cet instrument, on compte les idées dévalorisantes qui nous viennent à l'esprit; on explore constamment notre conscience à la recherche de telles idées. À la fin de la journée, on fait le total et on le note dans un carnet.

Au début, vous verrez votre total augmenter de jour en jour et cela va continuer pendant plusieurs jours puisque vous parvenez de plus en plus facilement à identifier vos pensées dévalorisantes. Peu après, vous allez vous rendre compte que votre total quotidien est à la veille de plafonner; il atteindra son plafond et y restera d'une semaine à 10 jours, puis se mettra à *descendre*. Cela veut dire que vos pensées nuisibles commencent à diminuer en nombre et que vous prenez du mieux. Ce cheminement se fait d'habitude en trois semaines.

On ne sait pas vraiment comment il se fait qu'une méthode aussi simple donne de si bons résultats, mais on remarque que le fait de contrôler systématiquement ce qu'on fait mène fréquemment

TABLEAU 4-3

Technique des trois colonnes, registre quotidien de Gail

Dans la colonne de gauche, elle a noté les pensées négatives qui se sont mises à défiler dans sa tête quand sa copine lui a demandé de faire le ménage dans leur appartement. Dans la colonne du milieu, elle a identifié les distorsions qui en étaient la cause et, dans la colonne de droite, elle a noté des interprétations qui se rapprocheraient plus de la réalité. Cet exercice qu'elle faisait quotidiennement l'a rapidement portée à rehausser l'image qu'elle avait d'elle-même et a amélioré substantiellement son état émotif.

Réactions spontanées (Autodénigrement)	*Distorsions cognitives*	*Réactions rationnelles* (Autodéfense)
1. Tout le monde sait que je suis très égoïste et que je n'ai pas du tout le sens de l'organisation.	1. Conclusions hâtives (interprétation indue); généralisation à outrance	1. Il m'arrive d'être désorganisée et il m'arrive de ne pas l'être. Tout le monde n'a pas la même opinion de moi.
2. Je suis extrêmement égocentrique et tête de linotte. Il n'y a rien de bon en moi.	2. Tout-ou-rien	2. Il m'arrive d'agir sans réfléchir, mais il m'arrive aussi de bien peser le pour et le contre avant de faire un geste. Je suis probablement beaucoup trop égocentrique par moments. Je puis essayer de me corriger. Je ne suis peut-être pas parfaite, mais aller jusqu'à dire qu'il n'y a «rien de bon en moi», c'est à voir.
3. Ma copine me déteste probablement. Je n'ai pas une seule vraie amie.	3. Conclusions hâtives (interprétation indue); tout-ou-rien.	3. Mes amitiés ne diffèrent en rien de celles des autres; elles sont tout aussi vraies. Parfois, quand on critique ce que je fais, je prends ces critiques personnellement comme si on me rejetait, moi, Gail, en tant que personne, mais, en général, ce n'est pas moi qu'on rejette. Les gens qui me critiquent expriment leur aversion seulement à l'égard de ce que j'ai fait (ou dit); par la suite, ils m'acceptent encore en tant que personne.

à une meilleure maîtrise de soi. Quand vous aurez appris à cesser de vous dénigrer, vous commencerez à vous sentir beaucoup mieux.

Dans l'éventualité où vous auriez l'intention d'essayer cette méthode, j'insiste sur le fait qu'elle ne doit pas servir de substitut à celle décrite plus haut et qui consiste à passer 10 à 15 minutes par jour à noter par écrit vos pensées déformées et à les corriger. On ne peut pas s'en passer parce qu'elle expose au grand jour l'illogisme des idées qui vous troublent. Quand vous aurez pris l'habitude de les corriger par écrit régulièrement, vous pourrez utiliser le compteur que vous avez à votre poignet pour vous débarrasser de ces idées avant qu'elles vous fassent trop de mal.

3. *Au lieu de vous blâmer, faites donc face à la situation! – Le cas d'une mère qui se croyait «mauvaise mère».* En lisant ce chapitre et ceux qui le précèdent, il vous est peut-être venu à l'esprit cette objection : «Tout cela ne s'applique qu'à mes pensées. On ne nous dit pas quoi faire quand nos problèmes sont bien réels. À quoi cela me servirait-il de me mettre à y penser différemment ? Dans mon cas, il s'agit d'une réalité qu'il faut modifier au plus vite.»

Telle était la réaction de Nancy, âgée de 34 ans et mère de 2 enfants. Six ans auparavant, elle s'était divorcée et elle venait tout juste de se remarier. Elle terminait ses études collégiales, à temps partiel. Habituellement animée, enthousiaste et très dévouée à l'égard des membres de sa famille, elle était cependant frappée périodiquement de crises de mélancolie depuis de nombreuses années. Durant ces périodes dépressives, elle devenait extrêmement dure pour elle-même et pour les autres et exprimait des sentiments d'insécurité et de manque de confiance en elle-même. Elle m'a été dirigée alors qu'elle était dans une de ses périodes de dépression.

J'ai été frappé par la véhémence des reproches qu'elle s'adressait à elle-même. Elle venait de recevoir une note d'un professeur l'avisant que son fils commençait à avoir de la difficulté à suivre le rythme de sa classe. Sa première réaction fut de se mettre à broyer du noir et à se croire responsable des problèmes de son fils. Ce qui suit est un extrait d'une de nos séances de thérapie :

> « NANCY : J'aurais dû aider Bobby à faire ses devoirs ; par ma faute, il est tout désorienté et il a de la difficulté à l'école. J'en ai discuté avec son professeur au téléphone et il m'a dit que Bobby manque de confiance en lui-même et ne suit pas bien les instructions qu'on lui donne. C'est pour cela que ses notes sont de moins en moins bonnes. Après cet appel, je me suis mise à me faire toutes sortes de reproches et je me suis sentie soudainement déprimée. Je me disais qu'une bonne mère consacre au moins un peu de son temps à ses enfants, tous les soirs. C'est moi qui suis responsable de ses problèmes de comportement : mentir, ne pas bien travailler à l'école. Je ne sais vraiment pas comment m'y prendre avec lui. Je ne suis certainement pas une bonne mère. Et je me suis alors mise à me répéter qu'il était stupide, qu'il risquait de perdre son année et que tout cela était de ma faute. »

Ma stratégie, au début de sa thérapie, fut de lui montrer comment s'attaquer à son affirmation : « Je suis une mauvaise mère. » Je croyais, en effet, qu'une telle opinion d'elle-même ne pouvait que lui faire du mal et n'était pas réaliste ; elle créait chez elle une angoisse paralysante qui lui nuisait dans ses efforts pour venir en aide à son fils en difficulté.

> « DAVID : Vous avez dit : « Je ne suis pas une bonne mère. » Qu'est-ce qu'il y a qui cloche dans cette affirmation ?
>
> NANCY : Bien…
>
> DAVID : Croyez-vous que cela existe, une mauvaise mère ?
>
> NANCY : Mais… certainement.
>
> DAVID : Quelle est alors votre définition d'une mauvaise mère ?

NANCY : Une mauvaise mère, c'est une mère qui n'élève pas bien ses enfants. Elle ne le fait pas aussi bien que les autres et ses enfants tournent mal. Cela me semble évident.

DAVID : Vous diriez alors qu'une mauvaise mère, c'en est une qui n'a pas la compétence nécessaire pour jouer son rôle de mère? C'est bien cela, votre définition?

NANCY : Oui, on peut dire que certaines mères sont incompétentes.

DAVID : Mais toutes les mères sont incompétentes à certains points de vue.

NANCY : Vraiment?

DAVID : Il n'existe aucune mère, en ce bas monde, qui soit parfaite en toutes choses. Toutes les mères sont donc incompétentes en tant que mères sur certains points. Et, si on leur applique votre définition, il faut alors considérer toutes les mères comme étant des mauvaises mères.

NANCY : J'ai pourtant l'impression d'*être* une mauvaise mère et que ce n'est pas le cas de tout le monde.

DAVID : Eh bien, définissez-moi, encore une fois, ce qu'est une mauvaise mère!

NANCY : Une mauvaise mère, c'est une mère qui ne comprend pas ses enfants ou qui fait constamment des erreurs qui leur font du tort, qui leur sont nuisibles.

DAVID : À en croire votre nouvelle définition, vous n'êtes pas une mauvaise mère et une mauvaise mère, cela n'existe pas puisque personne ne fait constamment des erreurs qui font du tort aux autres.

NANCY : Personne?

DAVID : Vous avez dit qu'une mauvaise mère faisait *constamment* des erreurs qui causent du tort à ses enfants. Cela n'existe pas, quelqu'un qui fasse constamment des erreurs; cela voudrait dire que cette personne ferait des erreurs nuit et jour. Toutes les mères peuvent faire au moins *quelques* choses comme il faut.

NANCY : Mais il y a les parents qui maltraitent leurs enfants, qui les punissent et qui les frappent constamment ; on en entend parler dans les journaux. Leurs enfants font bien pitié. De mauvaises mères, il doit y en avoir parmi ces parents.

DAVID : C'est vrai. Des parents qui ont un tel comportement avec leurs enfants, cela existe. Mais ces parents pourraient changer de comportement à l'égard de leurs enfants et, s'ils le faisaient, ils auraient peut-être une image plus positive d'eux-mêmes et de leurs enfants. D'autre part, il est faux de dire que ces parents punissent et frappent *constamment* leurs enfants et leur accoler l'étiquette de mauvais parents ne fera rien pour corriger la situation. Ces personnes ont évidemment un problème, l'agressivité, et elles devraient apprendre à se contrôler. Essayer de les convaincre que leur problème c'est le mal, en leur disant qu'elles sont mauvaises, ne pourrait qu'empirer les choses. Elles ont d'ailleurs déjà une bien mauvaise image d'elles-mêmes et c'est de là que vient une partie de leur problème d'agressivité. Qualifier les mères de mauvaises mères, dans de tels cas, est non seulement inexact, c'est de plus dangereux ; les étiqueter ainsi, c'est un peu comme essayer d'éteindre un feu avec de l'essence.

À ce stade de sa thérapie, j'essayais de montrer à Nancy qu'elle ne réussissait qu'à se détruire en s'appliquant à elle-même cette étiquette de mauvaise mère. J'espérais parvenir à lui démontrer que, quoi qu'elle fasse, sa définition de « mauvaise mère » ne décrirait jamais vraiment la réalité. Quand elle aurait perdu cette mauvaise habitude qu'elle avait de s'apitoyer sur son sort et de se qualifier de mère indigne, nous pourrions passer à la prochaine étape et mettre au point des stratégies pour essayer d'aider son fils à résoudre ses problèmes scolaires.

«NANCY : Mais j'ai encore l'impression d'être une mauvaise mère.

DAVID : Alors, je vous redemande : «Quelle en est votre définition?»

NANCY : C'est une mère qui ne s'occupe pas suffisamment de son enfant. Je suis tellement prise par mes études. Et, aussi, il faut que cela donne des résultats positifs. Quand je trouve le temps de m'occuper de mon fils, j'ai l'impression que cela n'a que des résultats négatifs. Qui sait? Du moins, c'est ce que je me dis.

DAVID : Une mauvaise mère, selon vous, c'est une mère qui ne s'occupe pas suffisamment de son enfant. Mais suffisamment pour quoi?

NANCY : Pour que son enfant réussisse bien dans la vie.

DAVID : Réussisse bien en *tout*, ou seulement en certaines choses?

NANCY : En certaines choses. Personne ne peut tout faire bien.

DAVID : Est-ce que Bobby réussit bien dans certaines choses? A-t-il certaines qualités qui rachètent ses défauts?

NANCY : Oh oui! Il y a beaucoup de choses qu'il aime et dans lesquelles il réussit bien.

DAVID : Alors, vous n'êtes pas une mauvaise mère, selon la définition que vous venez de me donner, puisque votre fils réussit bien dans bien des choses.

NANCY : Dans ce cas, pourquoi est-ce que j'ai l'impression d'être une mauvaise mère?

DAVID : Il semble que vous vous accolez cette étiquette de mauvaise mère parce que vous aimeriez consacrer plus de temps à votre enfant, parce qu'il vous arrive parfois de ne pas vous sentir à la hauteur et parce que vous avez évidemment beaucoup de difficulté à communiquer avec votre fils Bobby. Mais cela ne vous aide nullement à résoudre ces problèmes, cette habitude de toujours arriver à la conclusion que vous êtes une mauvaise mère. Trouvez-vous que cela a du bon sens?

NANCY : Si je m'occupais plus souvent de lui et si je l'aidais plus, il réussirait mieux à l'école et il serait bien plus heureux. J'ai l'impression que c'est de ma faute quand il ne réussit pas bien.

DAVID : Vous êtes donc prête à prendre à votre charge les erreurs qu'il commet?

NANCY : Oui, c'est de ma faute et c'est pour cela que je suis une mauvaise mère.

DAVID : Alors, ne devriez-vous pas vous sentir responsable de ses succès et de son bonheur?

NANCY : Non, c'est *lui* qui en est le responsable, pas moi.

DAVID : Où est la logique, là-dedans? Vous vous sentez responsable de ses défauts, mais pas de ses qualités!

NANCY : C'est bien ça.

DAVID : Comprenez-vous ce que je cherche à vous faire comprendre?

NANCY : Oui, je pense.

DAVID : Une mauvaise mère, c'est une abstraction, ça n'existe pas. On aura beau chercher dans tout l'Univers, on ne trouvera jamais une chose appelée «mauvaise mère».

NANCY : J'ai compris. Mais une mère, ça peut faire des choses répréhensibles.

DAVID : Une mère, c'est un être humain et les êtres humains font une très grande variété de choses, dont certaines sont bonnes, d'autres mauvaises et certaines autres ni bonnes ni mauvaises. Une mauvaise mère, c'est une création de l'esprit; ça n'existe pas. Un être en chair et en os, c'est une

chose tangible ; une mauvaise mère, c'est une abstraction.
Vous comprenez ?

NANCY : Maintenant, je comprends. Mais certaines mères
ont plus d'expérience que d'autres, sont plus efficaces que
d'autres.

DAVID : Oui, l'efficacité des parents à jouer leur rôle de
parents varie beaucoup. Et la très grande majorité d'entre
eux en ont encore beaucoup à apprendre. En toute logique,
la question qu'il faut se poser, ce n'est pas : « Suis-je une
bonne ou une mauvaise mère ? » mais plutôt : « Quelles sont
mes forces et mes faiblesses et que puis-je faire pour jouer
plus efficacement mon rôle de mère ? »

NANCY : Je comprends. Cette façon de voir les choses est
plus logique et je me sens beaucoup mieux. Quand je
m'applique cette étiquette de mauvaise mère, cela me
porte simplement à me sentir incapable de faire quoi que ce
soit, cela me déprime et je ne fais rien de productif. Je
comprends maintenant ce que vous cherchiez à me dire :
Dès que je cesserai de me critiquer constamment, je vais me
sentir mieux et je pourrai peut-être alors me rendre plus
utile à Bobby.

DAVID : C'est bien ça. Donc, quand vous abordez votre problème de cette façon, vous orientez vos réflexions sur la
recherche de moyens pour le résoudre. Par exemple, quelles
sont vos aptitudes, en tant que parent ? Comment pouvez-
vous vous y prendre pour en acquérir d'autres ou améliorer
celles que vous avez déjà ? Voilà le genre de questions que
je vous suggérerais de vous poser en ce qui concerne Bobby.
Vous considérer comme une mauvaise mère sape votre
équilibre émotif et vous fait gaspiller de l'énergie que vous
devriez plutôt consacrer à des choses qui pourraient vous
rendre plus apte à jouer votre rôle de mère. Ce n'est vraiment
pas raisonnable.

TABLEAU 4-4

Registre de Nancy concernant les difficultés scolaires de son fils Bobby.

C'est une adaptation de la «Technique des trois colonnes»; la colonne du milieu n'apparaît pas, car Nancy n'a pas jugé nécessaire de noter les distorsions cognitives qui caractérisaient ses réactions spontanées.

Réactions spontanées (Autodénigrement)	*Réactions rationnelles* (Autodéfense)
1. Je ne me suis pas occupée de Bobby.	1. En fait, je m'occupe bien trop de lui; je suis une vraie mère poule.
2. J'aurais dû l'aider à faire ses devoirs. Il ne sait plus maintenant comment s'y prendre pour y arriver et il est bien mal préparé pour affronter ses professeurs.	2. Ses devoirs, c'est à lui de les faire, pas à moi. Je peux toutefois lui montrer comment s'organiser pour les faire. De quoi suis-je vraiment responsable? a. M'assurer que ses devoirs soient bien faits; b. Insister pour qu'il les fasse à un moment précis de la journée; c. Lui demander s'il a de la difficulté à les faire; d. Établir un système de récompenses.
3. Une bonne mère s'occupe de ses enfants, au moins pendant quelque temps, chaque jour.	3. Faux. Je m'occupe de mon fils quand je peux et quand je veux. Il ne m'est pas toujours possible de le faire. Et, à part ça, il a aussi son propre horaire.
4. C'est moi qui suis responsable de ses problèmes de comportement et de ses problèmes scolaires.	4. Je ne puis que servir de guide à Bobby. C'est à lui de faire le reste du chemin.
5. Il n'aurait pas de problèmes à l'école si je l'avais aidé. Si j'avais commencé plus tôt à m'assurer qu'il fasse bien ses devoirs, rien de tout cela ne se serait produit.	5. Ce n'est pas vrai. Des problèmes peuvent toujours se produire, même quand je suis là, tout près, en train de le surveiller.
6. Je suis une mauvaise mère. C'est moi la cause de tous ses problèmes.	6. Je ne suis pas une mauvaise mère. Je fais de mon mieux. Mais comment contrôler tout ce qui se passe dans sa vie? Je pourrais peut-être lui parler, ainsi qu'à son professeur, pour voir ce qu'on pourrait faire pour l'aider. Pourquoi me punir chaque fois que quelqu'un que j'aime a un problème?
7. Toutes les mères savent comment se comporter avec leurs enfants, mais, moi, je ne parviens pas à m'entendre avec Bobby.	7. Généralisation à outrance! C'est faux. Il faut que je cesse de m'apitoyer sur mon sort et que je commence à faire face aux problèmes.

NANCY : Vous avez raison. Quand je cesserai de me faire du mal avec ce qualificatif, mon état se sera beaucoup amélioré et je pourrai commencer à chercher des moyens pour venir en aide à Bobby. Dès que j'arrête de me dire que je suis une mauvaise mère, je commence à me sentir mieux.

DAVID : Bon. Et maintenant, qu'est-ce que vous pourriez vous dire si vous vous sentiez encore portée à vous qualifier de mauvaise mère ?

NANCY : Je pourrais me dire que je n'ai pas à me remettre complètement en question chaque fois que je découvre une petite chose que je n'aime pas à propos de Bobby ou que j'apprends qu'il a un problème à l'école. Je dois plutôt essayer de *définir* le problème, puis m'y attaquer en cherchant des façons de le résoudre.

DAVID : C'est ça. À ce moment-là, vous abordez vos problèmes d'une manière plus positive et j'aime ça. Vous contrez une réflexion négative par une autre qui est plus positive. C'est ce qu'il faut faire. »

Nous avons alors combiné nos efforts pour contrer plusieurs des « réactions spontanées » qu'elle avait notées par écrit après sa conversation téléphonique avec le professeur de Bobby (voir tableau 4-4, page 105). Nancy apprit progressivement à repousser les critiques qu'elle était portée à s'adresser et elle commença à se sentir beaucoup mieux du point de vue émotif, ce dont elle avait grandement besoin. Elle put alors se mettre à élaborer un plan d'attaque capable de venir en aide à Bobby dans ses difficultés scolaires.

Comme première stratégie, elle décida d'en discuter avec lui pour essayer de trouver la véritable cause de ses difficultés. Son problème avait-il l'ampleur que lui donnait son professeur ? Quant à lui, que pensait-il de son problème ? Était-il vrai qu'il se sentait tendu et manquait de confiance en lui-même ? Avait-il eu beaucoup de difficulté à faire ses devoirs ces derniers temps ?

Après avoir obtenu réponse à ces questions et défini le problème tel qu'il se posait vraiment, Nancy se rendit compte qu'elle pourrait y trouver des solutions appropriées. Bobby lui disait, par exemple, qu'il trouvait certains cours beaucoup plus difficiles que les autres; la solution, dans ce cas, serait de l'encourager à consacrer plus d'efforts à ces matières en le récompensant s'il faisait bien ses devoirs à la maison. Elle décida aussi de lire de nombreux livres sur l'éducation des enfants. Elle se mit à mieux s'entendre avec Bobby, dont les notes et la conduite à l'école s'améliorèrent grandement.

L'erreur de Nancy avait été de se considérer globalement quand elle adoptait une attitude moraliste à son égard et se qualifiait de mauvaise mère. Porter un tel jugement sur sa personne la paralysait parce que cela lui donnait l'impression d'être acculée à un problème si grave et si terrible qu'il ne trouverait jamais de solution. La détresse qu'elle ressentait quand elle s'étiquetait ainsi l'empêchait de *définir* le véritable problème, de le *décomposer* en ses principaux éléments et de chercher à le résoudre en lui *appliquant des solutions appropriées*. Si elle avait continué à s'apitoyer sur son sort, Bobby aurait fort probablement continué à avoir des problèmes à l'école et elle se serait acquittée de son rôle de mère de moins en moins bien.

L'expérience de Nancy pourrait-elle s'appliquer à votre propre situation? S'il vous arrive de vous appliquer des étiquettes négatives, vous pourriez trouver utile de vous demander ce que vous voulez vraiment dire lorsque vous cherchez à vous définir, en tant que personne, à l'aide d'épithètes de ce genre : « imbécile », « hypocrite », « stupide » et bien d'autres du même acabit. Si vous vous arrêtez à ces épithètes destructrices et commencez à vous demander quelles réalités elles recouvrent, vous vous apercevrez vite qu'elles sont arbitraires et dénuées de sens. En fait, elles ne font que masquer la réalité et vous plongent dans la confusion et le désespoir. Si vous parvenez à vous en débarrasser, vous pourrez alors vous attaquer aux véritables problèmes qui jalonnent votre existence, bien les cerner et vous organiser pour leur faire face.

Résumé. Quand votre moral est au plus bas, il y a bien des chances que vous soyez en train de vous dire que vous êtes un être foncièrement dénué de talent ou tout simplement «mauvais». Avec le temps, cette conviction qu'au fin fond de vous-même il n'y a rien de bon et que vous êtes une nullité s'ancrera dans votre esprit. Dans la mesure où vous y croirez, il se produira chez vous une réaction émotive profonde qui vous poussera au désespoir et au dégoût de vous-même. Vous pourriez même aller jusqu'à désirer mourir, la mort vous semblant préférable à cette aversion que vous avez de vous-même qui vous semble absolument impossible à supporter. Il se peut que ce sentiment vous paralyse et vous empêche de faire toute activité que ce soit, par peur ou par manque d'envie de participer au cours normal de la vie.

Pour vous en sortir, la première mesure à prendre est de cesser de vous dire que vous êtes une nullité, car un jugement aussi sévère à votre égard a de graves répercussions sur votre équilibre émotif et votre comportement. Mais vous n'en viendrez probablement pas à bout tant que vous ne serez pas absolument convaincu que cette opinion de vous-même est *fausse* et ne vous *mène à rien*, en pratique.

Comment faire pour vous en convaincre? Vous devez tout d'abord considérer la vie d'une personne comme un ensemble de phénomènes ayant leur siège dans un être matériel en constant changement et traversé par une quantité innombrable de pensées, sentiments et comportements qui ne cessent de se remplacer à un rythme accéléré. La vie est donc un flot continu de manières d'être en constante évolution. Vous n'êtes pas quelque chose de figé et c'est pour cela que toute étiquette qu'on puisse vous appliquer est restrictive, extrêmement inexacte et trop englobante. Des concepts abstraits comme «la nullité» ou «l'infériorité» ne nous *apprennent rien,* ne *signifient rien* quand on les applique à des personnes.

Malgré cela, il se peut que vous vous croyiez encore une personne de second ordre. Mais sur quoi vous basez-vous? Vous faites peut-être le raisonnement suivant : «Je me sens incapable. C'est donc que je le suis. Autrement, je ne verrais pas tous ces sentiments, si difficile à supporter, m'envahir.» L'erreur que vous faites, c'est de raisonner émotivement. Votre valeur ne dépend pas de vos sentiments; ces derniers déterminent seulement l'état relatif de confort ou d'inconfort dans lequel vous vous trouvez. Que vous vous sentiez profondément malheureux ou pitoyable ne veut pas nécessairement dire que vous êtes digne de pitié ou vraiment dans le malheur, mais simplement que vous vous sentez comme tel; votre état dépressif peut vous empêcher temporairement de raisonner logiquement et de vous voir tel que vous êtes vraiment.

Diriez-vous que le fait de vous sentir heureux et rempli d'optimisme prouve que vous êtes une personne formidable capable de grandes réalisations ou que cela signifie tout simplement que vous vous sentez bien dans votre peau?

Vos sentiments n'ont rien à voir avec ce que vous êtes en tant que personne et il en est de même de vos schèmes de pensée et de vos comportements. Dans certains cas, ils peuvent être positifs, créatifs et valorisants; dans la majorité des cas, ils restent neutres. Dans d'autres cas, ils peuvent être irrationnels, dommageables pour votre personnalité ou inappropriés. On peut les modifier quand il le faut et quand on est prêt à y investir les efforts nécessaires, mais ils ne déterminent en rien notre valeur en tant que personne. Ici-bas, un être humain totalement dénué de valeur, cela n'existe pas.

«Que faire, alors, pour acquérir une plus grande estime de moi-même?» À cette question que vous pourriez me poser, je réponds : «Rien!» Vous n'avez pas à faire des gestes d'éclat pour créer chez vous l'estime de vous-même ou la mériter; tout ce que vous avez à faire, c'est de réduire au silence cette voix intérieure qui ne cesse de vous critiquer et vous faire des remontrances. Pourquoi? *Parce que cette voix intérieure qui vous critique n'a pas raison de le faire!* Ces injures que vous vous adressez intérieurement découlent de pensées faussées et illogiques qui vous viennent à l'esprit. L'impression que vous avez d'être une nullité n'est pas basée sur la réalité, c'est tout simplement un symptôme de la dépression qui vous ronge intérieurement.

Donc, quand des idées troublantes vous dérangent, il est capital pour vous de vous rappeler ces trois étapes:

1. Saisissez au vol ces réactions spontanées et notez-les par écrit. Ne les laissez pas vous étourdir; emprisonnez-les sur une feuille de papier!

2. Référez-vous souvent à votre liste de 10 distorsions cognitives pour voir jusqu'à quel point ces distorsions vous font fausser la réalité ou amplifier certaines choses hors de proportion.

3. Remplacez par des réflexions plus objectives les idées fausses qui vous ont fait vous mépriser. Ce faisant, vous commencerez à vous sentir mieux. L'image que vous avez de vous-même en sera rehaussée et l'impression que vous avez de ne rien valoir de bon disparaîtra (de même, bien sûr, que votre dépression).

Chapitre 5

Votre apathie :
comment vous en guérir

Dans le chapitre précédent, vous avez appris comment vous pouviez changer votre état d'âme en changeant votre façon de *voir les choses*. Il existe une autre technique extrêmement efficace de vous faire vous sentir mieux en votre propre compagnie : Les gens ne font pas que penser, ils font aussi des choses ; il s'ensuit donc – et il n'y a rien de surprenant là-dedans – que vous pouvez changer substantiellement votre façon de vous sentir en modifiant votre comportement. Mais il y a un hic : Quand vous êtes dans un état dépressif, vous n'avez pas le goût de faire grand-chose.

Votre volonté est un des aspects de votre personnalité que la dépression attaque particulièrement. Quand la dépression commence à vous ronger, votre volonté est légèrement touchée et vous êtes simplement porté à remettre à plus tard certaines tâches qui vous rebutent. Puis votre manque de motivation s'intensifie jusqu'à ce que la moindre activité vous semble si difficile que vous vous sentez envahi par le désir de ne rien faire. Et comme vous ne faites pratiquement plus rien, vous vous sentez de plus en plus mal. La paralysie de votre volonté vous coupe de vos sources normales de stimulations et de plaisirs et, de plus, votre manque de productivité attise la haine que vous portez à votre propre personne, ce qui vous porte à vous couper du monde encore plus et à devenir encore moins productif.

Vous resterez dans cette prison des semaines, des mois, ou même des années, tant que vous ne vous apercevrez pas qu'elle a été créée de toutes pièces par votre émotivité. Être inactif sera d'autant plus frustrant pour vous que le dynamisme aura été une des caractéristiques de votre personnalité dont vous aurez été fier avant de vous sentir déprimé. Votre manque de dynamisme sera vu négativement par votre famille et vos amis, qui, comme vous, ne pourront pas comprendre votre comportement. Vous les entendrez peut-être dire que, si vous êtes dans cet état, c'est parce que vous le voulez bien, sinon vous «prendriez les moyens pour vous en sortir». De tels commentaires ne font qu'aggraver vos sentiments d'anxiété et d'impuissance.

L'apathie est un des grands paradoxes de la nature humaine. Certaines personnes se lancent résolument dans la vie avec un extrême débordement d'énergie, alors que d'autres tirent toujours de l'arrière, se jouant des tours à eux-mêmes à chaque tournant, comme s'ils voulaient leur propre perte. Vous est-il jamais arrivé de vous demander pourquoi?

Quand une personne est condamnée à passer plusieurs mois seule et qu'on l'empêche de vaquer à ses occupations habituelles et d'avoir tout contact avec les autres, elle sombre immanquablement dans une profonde dépression. Même de jeunes singes, séparés de leurs semblables et confinés dans de petites cages, se replient sur eux-mêmes et prennent du retard dans leur développement. Pourquoi, volontairement, vous imposer un tel châtiment? Est-ce parce que vous aimez souffrir? Si vous mettez en pratique les techniques de la thérapie cognitive, vous pourrez découvrir les causes précises de votre manque de motivation.

Dans ma pratique, je me suis rendu compte que les personnes déprimées qui m'étaient dirigées, dans leur immense majorité, voyaient leur état s'améliorer substantiellement quand elles essayaient de s'aider elles-mêmes. Ce que vous faites semble parfois compter pour bien peu, en autant que vous le faites dans un climat qui porte le patient à s'aider lui-même. J'ai entendu parler de deux cas, qu'on disait «désespérés», où le simple fait d'amener le patient à tracer quelque chose sur un bout de papier l'a aidé énormément. Dans un de ces cas, il s'agissait d'un artiste qui était convaincu, depuis de nombreuses années, qu'il ne pouvait même pas tracer une ligne droite. Il n'essayait donc plus de dessiner. Quand son thérapeute lui demanda de tracer une ligne pour voir s'il avait raison de penser cela, la ligne qu'il traça était si droite qu'il se remit à dessiner et, quelque temps après, il s'était libéré de ses symptômes! Et pourtant, bien des personnes déprimées *refuseront obstinément*, pendant un certain temps, de faire quoi que ce soit pour s'aider elles-mêmes. Dès que ce problème crucial de manque de motivation est résolu, la dépression commence généralement à se résorber. Vous comprenez donc pourquoi nous avons mis tant d'efforts à la recherche des causes de cette paralysie de la volonté. À partir des connaissances que nous avons accumulées, nous avons mis au point des méthodes spécifiques pour vous aider à vous débarrasser de votre tendance à tout remettre à plus tard.

Permettez-moi de vous décrire les cas de deux patients qui me rendaient perplexe et que j'ai traités récemment. Vous pourriez penser que leur apathie dépasse vraiment les bornes et en conclure, erronément, qu'il s'agit là de personnes détraquées avec lesquelles vous avez bien peu de choses en commun. En fait, je crois que leurs problèmes sont dus à des attitudes qui ressemblent aux vôtres; ne les considérez donc pas comme des cas désespérés.

La patiente A, une femme de 38 ans, s'est prêtée à une expérience dans le cadre de laquelle on a mesuré les fluctuations de son humeur quand elle vaquait à une série d'activités diverses. On a noté une amélioration sensible de son humeur en réaction à presque *toutes* ces activités. Parmi les activités qui ne manquaient jamais de lui remonter le moral, il y avait faire le ménage de la maison, jouer au tennis, aller travailler, jouer de la guitare, aller au supermarché, etc. Une seule chose ne manquait jamais de la faire se sentir plus mal et cette activité la rendait presque toujours intensément misérable. Pouvez-vous deviner de quoi il s'agit ? NE RIEN FAIRE, rester au lit toute la journée, fixer le plafond en invitant les idées noires. Et pouvez-vous deviner ce qu'elle fait de ses samedis et de ses dimanches ? C'est bien ça ! Elle reste au lit le samedi matin et se laisse glisser dans l'enfer de ses pensées. Croyez-vous qu'elle aime vraiment souffrir ?

La patiente B, une femme médecin, m'adresse un message clair et précis dès le début de sa thérapie. Elle dit qu'elle comprend que la vitesse de sa guérison dépend de la quantité de travail qu'elle acceptera de faire par elle-même entre les séances de thérapie et elle insiste sur le fait qu'elle désire guérir plus que toute autre chose au monde puisqu'elle subit les ravages de sa dépression depuis plus de 16 ans. Elle dit aussi emphatiquement qu'elle est heureuse de se présenter à ces séances de thérapie, mais que je ne dois pas lui demander de s'aider elle-même, pas même de lever le petit doigt. Elle me dit que si j'insiste pour lui faire faire des exercices qui lui demandent des efforts personnels, elle va se suicider. Comme elle me décrit ensuite en détail la méthode d'autodestruction macabre et infaillible qu'elle a mise au point avec soin dans la salle d'opération de son hôpital, je me rends à l'évidence qu'elle a vraiment l'intention de faire ce qu'elle me dit. Pourquoi est-elle si déterminée à ne pas s'aider elle-même ?

Votre tendance à la temporisation est probablement moins grave que ces cas extrêmes ; elle doit se résumer à des choses peu importantes, comme le paiement de vos factures ou une visite chez le dentiste, ou peut-être avez-vous de la difficulté à terminer un rapport relativement simple mais qui peut jouer un rôle capital dans l'orientation de votre carrière. Mais c'est quand même toujours la même question qui nous laisse perplexe : Pourquoi nous conduisons-nous fréquemment d'une façon qui est contraire à notre intérêt?

Remettre à plus tard et faire des choses contraires à notre intérêt peuvent sembler comiques, frustrants, déroutants, choquants ou pathétiques, selon le point de vue choisi, mais il s'agit là d'un trait si humain et si répandu qu'on le rencontre presque tous les jours. Les écrivains, les philosophes et toutes les autres personnes qui s'intéressent à la nature humaine depuis les temps immémoriaux ont essayé de trouver une explication à ce type de comportement qui mène à l'autodestruction, ce qui a donné naissance à des théories populaires du genre :

1. Vous êtes foncièrement paresseux ; c'est votre « nature » qui veut ça.
2. Vous *voulez* vous faire mal et souffrir. Vous aimez vous sentir déprimé ou vous êtes autodestructeur ; vous avez une « volonté de mort ».
3. Vous êtes passif-agressif et vous voulez frustrer votre entourage en ne faisant rien.
4. Vous vous attendez à un « paiement » pour votre inaction. Par exemple, vous aimez attirer toute l'attention quand vous êtes déprimé.

Chacune de ces fameuses explications représente une théorie psychologique différente et chacune est inexacte ! La première relève d'un modèle qui accentue les « traits de personnalité » ; elle considère votre inaction comme un trait fixe de votre personnalité qui prend naissance dans votre « nature paresseuse ». Le problème de cette théorie, c'est qu'elle étiquette seulement le problème sans l'expliquer. Placer l'étiquette « paresseux » sur vous est inutile et dévalorisant car cela donne l'impression fausse que votre manque de motivation est une partie innée irréversible et de votre personnalité. Cette forme de pensée ne représente pas une théorie scientifique valable. C'est plutôt un exemple de distorsion cognitive (étiquetage).

Le deuxième modèle implique que vous voulez vous faire mal, souffrir, qu'il y a pour vous quelque chose de plaisant ou de désirable dans l'inaction. Cette théorie est si risible que j'hésite à l'inclure, mais elle est très répandue et soutenue vigoureusement par un pourcentage substantiel de psychothérapeutes. Si vous pensez que vous (ou quelqu'un d'autre) aimez être déprimé, souvenez-vous alors que la dépression est la forme la plus accablante de la douleur humaine. Dites-moi, qu'y trouvez-vous de si agréable ? Je n'ai pas encore rencontré un patient qui aime réellement la misère. Si vous n'êtes pas convaincu mais pensez au contraire prendre réellement plaisir à la douleur, faites-vous subir le test du pince-feuilles. Redressez l'extrémité d'un trombone et insérez-la sous un de vos ongles. En enfonçant de plus en plus, vous remarquerez que la douleur s'amplifie. Demandez-vous maintenant : « Est-ce réellement agréable ? Est-ce que j'aime *réellement* souffrir ? »

La troisième hypothèse – vous êtes passif-agressif – représente la pensée de nombreux thérapeutes qui croient pouvoir expliquer le comportement dépressif d'après une colère intériorisée. Votre inaction pourrait être considérée comme une expression de cette hostilité refoulée car votre inaction ennuie votre entourage. Un problème soulevé par cette théorie, c'est que la plupart des individus déprimés ou inactifs ne ressentent pas particulièrement de colère. Le ressentiment peut parfois contribuer à votre manque de motivation, mais ne constitue habituellement pas le cœur du problème. Bien que votre dépression puisse frustrer votre famille, vous ne voulez probablement pas qu'il en soit ainsi. En fait, le plus souvent, vous avez *peur* de déplaire aux membres de votre famille. L'implication que vous êtes *intentionnellement* inactif dans le but de les frustrer est injurieuse et fausse ; une telle affirmation ne fait qu'empirer votre état.

La dernière théorie – vous devez être payé pour votre inaction – reflète une psychologie plus récente, d'orientation behavioriste. Vos humeurs et vos actes sont considérés comme les résultats de récompenses et de punitions qui proviennent de votre environnement. Si vous vous sentez déprimé et ne faites rien pour changer, votre comportement est en quelque sorte récompensé.

Il y a du vrai dans cette description. Les personnes déprimées reçoivent un appui et une réassurance tangibles de ceux qui essaient de les aider. Cependant, la personne déprimée prend rarement plaisir à toute l'attention qu'elle reçoit, à cause de sa tendance profonde à la disqualifier. Si vous êtes déprimé et qu'on vous manifeste de la sympathie, vous penserez probablement : « On ne sait pas à quel point je suis pourri. Je ne mérite pas ces éloges. » La dépression et la léthargie n'offrent pas de récompenses réelles. La théorie numéro quatre mord la poussière avec les autres.

Comment pouvez-vous trouver la cause réelle de cette paralysie de la motivation ? L'étude des troubles de l'humeur nous donne la chance unique d'observer des transformations extraordinaires dans les niveaux de motivation personnelle pour de courtes périodes. Le même individu qui déborde ordinairement d'énergie créatrice et d'optimisme peut être réduit, pendant une phase dépressive, à une immobilité pathétique qui l'alitera. En retraçant des changements d'humeur pathétiques, nous pouvons cueillir des indices précieux qui dévoilent plusieurs des mystères de la motivation humaine. Demandez-vous simplement : « Quand je pense à cette tâche que je n'ai pas accomplie, qu'est-ce qui me vient immédiatement à l'esprit ? » Notez ensuite ces pensées sur un bout de papier. Ce que vous écrirez reflétera un certain nombre d'attitudes mésadaptées, de conceptions erronées et de présomptions fausses. Vous apprendrez que les sentiments qui entravent votre motivation, comme l'apathie, l'anxiété ou la sensation d'être dépassé par les événements, résultent de distorsions de votre pensée.

Le tableau 5-1 montre un cycle léthargique typique. Les pensées de ce patient sont négatives. Il se dit : « Cela ne sert à rien d'agir car je suis né perdant et voué à l'échec. » Pareille pensée

TABLEAU 5-1

Le cycle léthargique.

Vos pensées négatives et défaitistes vous rendent misérable. À leur tour, vos émotions douloureuses vous convainquent que vos pensées embrouillées et pessimistes expriment la réalité. De la même manière, pensées et actions défaitistes se renforcent mutuellement les unes les autres. Les conséquences désagréables de ce laisser-aller empirent encore vos problèmes.

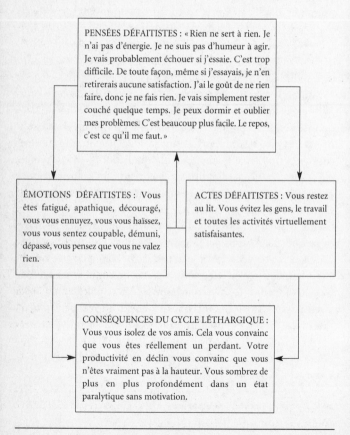

PENSÉES DÉFAITISTES : « Rien ne sert à rien. Je n'ai pas d'énergie. Je ne suis pas d'humeur à agir. Je vais probablement échouer si j'essaie. C'est trop difficile. De toute façon, même si j'essayais, je n'en retirerais aucune satisfaction. J'ai le goût de ne rien faire, donc je ne fais rien. Je vais simplement rester couché quelque temps. Je peux dormir et oublier mes problèmes. C'est beaucoup plus facile. Le repos, c'est ce qu'il me faut. »

ÉMOTIONS DÉFAITISTES : Vous êtes fatigué, apathique, découragé, vous vous ennuyez, vous vous haïssez, vous vous sentez coupable, démuni, dépassé, vous pensez que vous ne valez rien.

ACTES DÉFAITISTES : Vous restez au lit. Vous évitez les gens, le travail et toutes les activités virtuellement satisfaisantes.

CONSÉQUENCES DU CYCLE LÉTHARGIQUE : Vous vous isolez de vos amis. Cela vous convainc que vous êtes réellement un perdant. Votre productivité en déclin vous convainc que vous n'êtes vraiment pas à la hauteur. Vous sombrez de plus en plus profondément dans un état paralytique sans motivation.

semble très convaincante quand vous êtes déprimé. Elle vous immobilise et vous fait vous sentir déphasé, dépassé par les événements. Vous en arrivez à vous prendre en aversion et vous perdez vos ressources. Vous prenez ensuite ces émotions négatives comme preuve que vos attitudes pessimistes sont valables et vous commencez à changer votre approche de la vie. Comme vous êtes convaincu de rater toutes vos entreprises, vous ne tentez rien ; vous restez plutôt au lit. Vous demeurez passivement étendu et vous contemplez le plafond, en espérant que vienne le sommeil, tout en étant douloureusement conscient que votre carrière frôle la ruine et que vous approchez la faillite. Vous pouvez refuser de répondre au téléphone par crainte de mauvaises nouvelles ; la vie n'est plus qu'ennui, appréhension et misère. Ce cercle vicieux peut se poursuivre indéfiniment à moins que vous ne sachiez le briser.

Comme l'indique le tableau 5-1, la relation entre vos pensées, vos sentiments et votre comportement est réciproque : Toutes vos émotions, tous vos actes résultent de vos pensées et de vos attitudes. De la même manière, le schéma de vos sentiments et de votre comportement influence vos perceptions de plusieurs façons. Il résulte de ce modèle que tout changement émotif est ultimement provoqué par des cognitions ; un changement de comportement vous aidera à bien vous sentir dans votre peau s'il s'en dégage une influence positive sur votre façon de penser. Ainsi, vous pouvez modifier votre mentalité défaitiste si vous changez de comportement dans le but de déjouer simultanément vos attitudes défaitistes, qui représentent le noyau de votre problème de motivation. De la même manière, en changeant votre façon de penser, vous vous sentirez d'humeur plus active et cela exercera un effet encore plus positif sur votre schéma de pensée. Ainsi, vous pouvez transformer votre cycle léthargique en cycle productif.

Vous verrez dans ce qui suit les types de pensées que l'on associe le plus communément à l'inaction. Vous pouvez vous identifier à l'un ou plusieurs d'entre eux.

1. *Le désespoir.* Quand vous êtes déprimé, la douleur se concentre si densément dans l'instant présent que vous oubliez complètement que vous vous êtes déjà senti mieux dans le passé. Vous ne pouvez pas non plus concevoir d'état plus positif dans le futur. Par conséquent, toute activité vous semblera absurde car vous êtes absolument certain que votre manque de motivation et votre sentiment d'oppression sont infinis et irréversibles. De ce point de vue, quand on vous suggère de «vous aider vous-même», cela vous semble aussi ridicule et insensible que de dire à un agonisant de se réjouir.

2. *Le manque d'initiative.* Vous ne pouvez rien faire pour améliorer votre état car vous êtes convaincu que vos humeurs sont déterminées par des facteurs qui ne dépendent pas de vous comme la destinée, les cycles hormonaux, l'alimentation, la chance et l'évaluation que les autres font de vous.

3. *L'accablement.* Vous pouvez vous accabler vous-même de plusieurs façons pour vous justifier de ne rien faire. Vous pouvez amplifier une tâche au point qu'elle semble impossible. Vous pouvez prétendre devoir tout faire en même temps au lieu de diviser le travail en unités réduites, discrètes, praticables, que vous pouvez compléter une étape à la fois. Vous pouvez aussi, sans vous en rendre compte, vous distraire du travail à accomplir immédiatement en étant obsédé par la quantité des autres tâches que vous n'avez pas encore faites. Pour illustrer l'irrationalité de ce mécanisme, imaginez que chaque fois que vous vous assoyez pour manger vous deviez penser à toute la nourriture que vous mangerez dans votre vie. Pour un instant, imaginez, empilés devant vous, des tonnes de viande, de légumes, de crème glacée, des milliers de gallons de liquides! Et vous devez manger toute cette nourriture avant de mourir! Supposez maintenant qu'avant chaque repas vous vous disiez : «Ce repas n'est qu'une goutte dans un verre d'eau. Comment puis-je manger toute cette nourriture? Qu'ai-je à faire d'un pitoyable hamburger ce soir?» Vous seriez si

dégoûté et accablé que votre appétit disparaîtrait et que votre estomac se nouerait. Quand vous pensez à tout ce que vous remettez à plus tard, vous agissez exactement ainsi, sans le réaliser.

4. *Les conclusions hâtives.* Vous sentez qu'il n'est pas en votre pouvoir d'agir efficacement pour être satisfait, car vous avez l'habitude de dire : « Je ne peux pas » ou « Je le ferais, mais… » Ainsi, quand j'ai suggéré à une femme déprimée de faire une tarte aux pommes, elle m'a répondu : « Je ne peux plus faire la cuisine. » En réalité, elle voulait dire : « J'ai l'impression que je n'aimerais pas faire la cuisine et cela me semble terriblement difficile. » Quand elle a vérifié ces allégations en essayant de faire une tarte, elle a trouvé cela très satisfaisant et facile.

5. *L'autocondamnation.* Moins vous agissez, plus vous vous condamnez comme un être inférieur. Cela détruit davantage votre confiance en vous. Le problème se complique quand vous vous jugez comme un « inactif » ou un « paresseux ». Cela vous amène à considérer votre manque d'efficacité comme partie intégrante de votre « vraie personnalité ». Ainsi, vous n'attendez automatiquement que peu de choses ou rien de votre personne.

6. *La sous-estimation des récompenses.* Quand vous êtes déprimé, vous pouvez être incapable de commencer une activité significative, non seulement parce que vous vous représentez la tâche comme extrêmement ardue, mais encore parce que vous sentez que la récompense ne vaudrait pas l'effort.

« Anhédonie » est le terme technique utilisé pour qualifier la diminution de la faculté d'éprouver satisfaction et plaisir. Une erreur courante de pensée – votre tendance à « disqualifier le positif » – peut se trouver à la racine de ce problème. Vous souvenez-vous en quoi consiste cette erreur de pensée ?

Un homme d'affaires se plaignait devant moi de ce qu'il n'avait rien fait de satisfaisant pendant toute la journée. Il expliquait que, le matin, il avait essayé de retourner l'appel d'un client, mais que la ligne était constamment occupée. En raccrochant, il se dit : «J'ai perdu mon temps.» Plus tard dans la matinée, il conclut avec succès d'importantes négociations d'affaires. Cette fois, il se dit : «N'importe qui, dans la maison, aurait pu obtenir autant de succès, sinon plus. C'était un problème facile. Mon rôle n'était donc pas important.» Son manque de satisfaction vient du fait qu'il mésestime toujours ses efforts. Sa mauvaise habitude de se dire que son rôle ne compte pas anéantit en lui tout sens d'accomplissement.

7. *Le perfectionnisme.* Vous vous condamnez à l'échec en vous fixant des buts et des normes inappropriés. Vous n'accepterez rien de moins qu'une performance magnifique dans toutes vos entreprises. Ainsi, vous devez fréquemment vous contenter de… rien.

8. *La peur de l'échec.* La peur de l'échec constitue une autre forme de pensée qui vous paralyse. Comme vous vous imaginez qu'un effort qui ne serait pas suivi d'une réussite représenterait une défaite personnelle accablante, vous refusez d'essayer quoi que ce soit. Plusieurs erreurs de pensée impliquent la peur de l'échec. La généralisation à outrance est l'une des plus communes. Vous raisonnez ainsi : «Si je rate ceci, je raterai tout.» Bien sûr, c'est impossible. Nul ne peut tout rater. Nous avons tous notre part de victoires et de défaites. S'il est vrai que la victoire a bon goût et que la défaite est souvent amère, un échec dans une tâche n'est pas nécessairement un poison mortel. L'amertume ne durera pas toujours.

Une deuxième façon de penser qui contribue à la peur de l'échec survient quand vous évaluez votre performance d'après les seuls résultats, indépendamment de votre effort individuel. C'est illogique et reflète une «orientation vers le produit» plutôt que «vers la démarche». Laissez-moi expliquer cela par un exemple personnel. Comme psychothérapeute, je ne maîtrise que les paroles que j'adresse à chaque patient et la façon dont je réagis. Je ne peux diriger les réactions d'un patient particulier à mes efforts au cours d'une séance thérapeutique donnée. Mes paroles et mes actes constituent la démarche ; les réactions de chaque individu représentent le produit. Tous les jours, plusieurs patients me disent qu'ils ont profité grandement de leur séance. Quelques autres m'affirment que leur séance ne les a pas beaucoup aidés. Si je n'évaluais mon travail que d'après les résultats – le produit –, je déborderais d'enthousiasme devant les réussites des patients. Par contre, je me jugerais incompétent devant leurs réactions négatives. Cela ferait de ma vie un véritable manège de foire. Mon amour-propre oscillerait toute la journée, de façon imprévisible et exténuante, entre des sentiments extrêmes. Mais si je prends conscience que je ne peux tirer fierté d'un travail efficace et régulier, quelle que soit l'issue d'une séance précise, j'ai obtenu une grande victoire personnelle car j'ai appris à évaluer mon travail d'après la démarche plutôt que d'après le produit. Si un patient me fournit un rapport négatif, j'essaie d'en apprendre du nouveau. Si j'ai fait une erreur, j'essaie de la corriger, mais je n'éprouve aucune envie de me jeter par la fenêtre.

9. *La peur du succès.* À cause de votre manque de confiance, le succès peut sembler encore plus risqué que l'échec car vous êtes certain qu'il dépend de la chance. Par conséquent, vous êtes convaincu de ne pas pouvoir persister dans le succès. Vous croyez que vos réussites élèveront faussement les attentes d'autrui. Par la suite, quand l'horrible vérité fera surface, quand l'on verra que vous êtes fondamentalement «un perdant», la déception, le sentiment de rejet et la douleur n'en seront que plus pénibles. Comme vous êtes certain de tomber dans le précipice, il vous semble plus sûr de ne pas grimper la montagne.

Vous pouvez aussi craindre le succès parce que vous prévoyez que l'on exercera encore plus de pression sur vous. Parce que vous êtes convaincu de ne pas *devoir* et de ne pas *pouvoir* répondre aux attentes d'autrui, le succès vous placerait dans une situation dangereuse et impossible. Par conséquent, vous essayez de maintenir le contrôle en évitant tout engagement ou toute implication.

10. *La peur de la désapprobation ou de la critique.* Vous vous imaginez que si vous vous engagez dans une nouvelle entreprise une erreur sera fortement désapprouvée et critiquée car les personnes qui vous respectent ne vous accepteront pas si vous êtes humain et imparfait. Le risque de rejet vous semble si dangereux que vous adoptez une attitude aussi effacée que possible pour vous protéger. Si vous ne faites pas d'effort, vous ne faites pas de gaffe !

11. *La contrainte et le ressentiment.* Le sens de la contrainte représente un ennemi mortel pour la motivation. Vous sentez que vous jouez votre rôle sous une pression intense venant de l'intérieur et de l'extérieur. Cela se produit quand vous essayez de vous motiver par des «devoirs» moraux. Vous vous dites : «Je *devrais* faire ceci et cela.» Ensuite, vous vous sentez assujetti, accablé, tendu, rancunier et coupable. Vous êtes comme un délinquant juvénile qui se trouve sous la tutelle tyrannique d'un agent de réhabilitation. Chaque tâche prend une teinte si désagréable que vous détestez l'affronter. Puis, comme vous ne faites rien, vous vous traitez de paresseux et de «bon à rien.» Ceci vous fait dépenser encore plus d'énergie.

12. *La faible tolérance à la frustration.* Vous vous croyez capable de résoudre vos problèmes et d'atteindre vos objectifs rapidement et facilement. Vous entrez donc dans un état de panique et de rage frénétiques quand la vie vous présente des obstacles. Plutôt que de persister patiemment pendant une certaine période, vous voulez répliquer contre les «injustices» de la vie, quand les choses tournent mal, en laissant tout tomber. J'appelle aussi ce phénomène le «syndrome de l'ayant droit», car vous sentez et agissez comme si vous aviez droit au succès, à l'amour, à l'approbation générale, à la santé, au bonheur, etc.

Votre frustration résulte de votre habitude de comparer la réalité avec un idéal que vous vous êtes fixé. Quand les deux entrent en conflit, vous condamnez la réalité. Vous ne pensez pas qu'il vous serait beaucoup plus facile de changer vos attentes que de plier et de déformer la réalité.

Cette frustration est fréquemment causée par des affirmations concernant ce qui vous est dû. En faisant du jogging, vous vous plaignez : « Avec tous les kilomètres que j'ai courus, je devrais être maintenant en meilleure forme. » Ah ! oui ? Pourquoi ? Vous pouvez avoir l'illusion que de telles affirmations, rudes et exigeantes, vont vous aider à faire un effort supplémentaire, mais cela s'applique rarement. La frustration ne fait qu'augmenter votre sentiment d'inutilité, votre désir d'abandonner et de ne rien faire.

13. *La culpabilité.* Si vous vous enfermez dans la conviction que vous êtes « méchant » ou que vous avez laissé tomber les autres, vous manquerez naturellement de motivation pour poursuivre votre vie quotidienne. J'ai récemment traité une femme du troisième âge qui passait ses journées au lit bien qu'elle se sentit mieux quand elle faisait ses courses, la cuisine ou quand elle rencontrait ses ami(e)s. Pourquoi ? Cette gentille femme se tenait responsable pour le divorce de sa fille, cinq ans plus tôt. Elle expliqua : « Quand je leur ai rendu visite, j'aurais dû m'asseoir et discuter avec mon gendre. J'aurais dû lui demander comment allaient les choses. Peut-être aurais-je pu aider. Je le voulais mais je n'ai pas profité de l'occasion. Maintenant, il me semble les avoir déçus. » Quand nous eûmes considéré l'illogisme de sa pensée, elle se sentit mieux immédiatement et reprit ses activités. Comme elle était une femme et non une divinité, on ne pouvait pas attendre d'elle qu'elle prédise l'avenir ou qu'elle sache précisément comment intervenir.

Maintenant, peut-être pensez-vous : « Et puis ? Je sais que mon inaction est d'une certaine façon illogique et défaitiste. Je peux m'identifier à plusieurs des descriptions mentales que vous avez faites. Mais je me sens comme une cuillère dans une piscine remplie de mélasse. Je n'arrive pas à entreprendre quoi que ce soit. Vous pouvez penser que toute cette oppression ne résulte que de mes attitudes, mais il me semble qu'une tonne de briques me pèse sur les épaules. Qu'y puis-je ?»

Savez-vous pourquoi à peu près *toute* activité significative pourrait améliorer votre humeur ? Si vous ne faites rien, vous deviendrez préoccupé par un flot de pensées négatives et destructrices. Si vous faites quelque chose, vous vous éloignerez temporairement de ce dialogue intérieur d'autodénigrement. Et, ce qui est encore plus important, la sensation de maîtrise dont vous ferez l'expérience réfutera plusieurs des pensées déformées qui vous ralentissaient depuis le début.

Prenez connaissance des techniques qui suivent, fondées sur l'effort personnel, choisissez celles qui vous conviennent le mieux et essayez-les pendant une semaine ou deux. Souvenez-vous : Il n'est pas nécessaire de toutes les maîtriser ! Le salut d'une personne peut être la damnation d'une autre. Utilisez les méthodes qui semblent le mieux adaptées à votre genre particulier d'inaction.

Le Programme d'activités quotidiennes. Le Programme d'activités quotidiennes (voir tableau 5-2, page 128) est simple mais efficace et peut vous aider à organiser votre lutte contre la léthargie et l'apathie. Le Programme se divise en deux parties. Dans la colonne Perspective, dressez un programme, heure par heure, de ce que vous aimeriez accomplir chaque jour. Même si vous ne réalisez qu'une partie de votre programme, le simple fait d'établir méthodiquement un plan d'action, chaque jour, peut grandement vous aider. Vous n'avez pas besoin d'élaborer ce programme. Notez un ou deux mots à chaque heure pour indiquer ce que vous aimeriez faire : «m'habiller», «manger», «préparer mon *curriculum vitæ*», etc. Cela ne devrait pas prendre plus de cinq minutes.

En fin de journée, remplissez la colonne «Rétrospective». Pour chaque heure, mentionnez ce que vous avez fait. La rétrospective peut être identique ou différente de la perspective ; néanmoins, même si vous n'avez fait que contempler les murs, notez-le. De plus, définissez chaque activité par les lettres M pour maîtrise ou P pour plaisir. Les activités de maîtrise sont celles qui comportent une réussite quelconque : vous brosser les dents, faire la cuisine, aller au travail, etc. Les activités de plaisir peuvent inclure lecture, repas, film, etc. Après avoir inscrit M ou P après les activités, évaluez la quantité de plaisir ou le degré de difficulté de chacune en utilisant un score de zéro à cinq. Par exemple, vous pourriez vous donner un score de M-1 pour les tâches particulièrement faciles, comme de vous habiller, alors qu'un score de M-4 ou M-5 indiquerait des activités plus difficiles et audacieuses, comme de ne pas trop manger ou de faire une demande d'emploi. Vous pouvez faire de même avec les activités reliées au plaisir. Si, dans le passé, avant que vous soyez déprimé, une activité vous procurait du plaisir alors qu'elle en est aujourd'hui à peu près dépourvue, inscrivez un P1/2 ou un P-0. Certaines activités, comme de faire la cuisine, peuvent comporter un M ou un P.

À quoi ce simple programme d'activités pourrait-il bien servir ? D'abord, il va réduire votre tendance à être sans fin obsédé par la valeur de vos diverses activités et à vous demander inutilement si vous devez agir ou non. L'accomplissement, ne serait-ce que d'une partie de vos activités prévues, va, selon toute probabilité, vous donner une certaine satisfaction et combattre votre dépression.

En planifiant votre journée, développez un programme équilibré pour inclure aussi bien les loisirs que le travail. Si vous vous sentez triste, vous pouvez insister davantage sur les activités reliées au plaisir, même si vous doutez de les aimer autant que d'habitude. Vous pouvez trop exiger de vous-même et cela risque de vous épuiser et de causer un déséquilibre dans votre système « donner et recevoir ». Si cela se produit, prenez quelques jours de « vacances » et n'inscrivez au Programme que ce que vous voulez faire.

TABLEAU 5-2

Programme d'activités quotidiennes

<u>PERSPECTIVE</u> Planifiez vos activités sur une base horaire au début de la journée.	<u>RÉTROSPECTIVE</u> À la fin de la journée, notez ce que vous avez fait et attribuez à chaque activité un M pour maîtrise ou un P pour plaisir [1].
Date _____	
HEURE	
8-9	
9-10	
10-11	
11-12	
12-1	
1-2	
2-3	
3-4	
4-5	
5-6	
6-7	
7-8	
8-9	
9-12	

---

1. Les activités reliées à la maîtrise et au plaisir méritent un score entre 0 et 5. Plus le chiffre est élevé, plus la satisfaction est grande.

Si vous adhérez au Programme, vous constaterez une augmentation de votre motivation. En amorçant vos activités, vous commencerez à croire que vous pouvez fonctionner efficacement. Comme l'a dit quelqu'un qui avait l'habitude de toujours tout remettre au lendemain : «En planifiant mes journées et en comparant les résultats, j'ai découvert comment je passais mon temps. Cela m'a aidé à me reprendre en main. Je réalise que je peux maîtriser la situation si je le veux.»

Suivez ce programme d'activités quotidiennes pendant au moins une semaine. En revoyant les activités auxquelles vous avez participé la semaine précédente, vous constaterez que certaines vous ont donné une plus grande sensation de maîtrise et de plaisir, comme l'indiquent les scores plus élevés. Continuez de planifier vos journées en utilisant l'information pour prévoir davantage de ces activités et pour éviter celles qui sont associées aux niveaux de satisfaction les plus bas.

Le Programme d'activités quotidiennes peut être spécialement utile pour combattre un syndrome commun que j'appelle «le cafard du week-end». C'est un schéma dépressif qui se reflète le plus souvent chez ceux qui vivent seuls et qui ont le plus de difficultés émotives précisément quand ils sont seuls. Si vous répondez à cette description, vous pensez probablement que ces périodes sont intolérables. Et vous êtes alors peu créateur. Vous contemplez tristement les murs ou vous restez au lit toute la journée samedi et dimanche; ou, pendant un long moment, vous regardez une émission ennuyeuse à la télévision en mangeant un sandwich au beurre d'arachide accompagné d'une tasse de café instantané. On comprend que vos week-ends soient pénibles! Il ne vous suffit pas d'être seul et déprimé. Encore vous faut-il vous infliger de la souffrance supplémentaire. Traiteriez-vous quelqu'un d'autre aussi sadiquement?

Vous pouvez vaincre «le cafard du week-end» au moyen du Programme d'activités quotidiennes. Le vendredi soir, planifiez

TABLEAU 5-3

La feuille *Action*.

Depuis plusieurs mois, un professeur avait tendance à remettre au lendemain la rédaction d'une lettre parce qu'il s'imaginait que ce serait ardu et inutile. Il décida de diviser sa tâche en étapes réduites et de prédire, sur une échelle de 0 à 100 %, le niveau de difficulté et de satisfaction de chaque étape (voir les colonnes appropriées). Après chaque étape, il nota le niveau réel de difficulté et de satisfaction. Il fut surpris de constater à quel point ses prévisions négatives étaient fausses.

Date	Activité (diviser chaque tâche en étapes plus courtes)	Difficulté prévue (0-100 %)	Satisfaction prévue (0-100 %)	Difficulté réelle (0-100 %)	Satisfaction réelle (0-100 %)
6/10/05	1. Faire un plan de la lettre.	90	10	10	60
	2. Faire un brouillon.	90	10	10	75
	3. Dactylographier le brouillon final.	75	10	5	80
	4. Adresser l'enveloppe et poster la lettre.	50	5	0	95

votre samedi sur une base horaire. Vous pouvez vous récrier : « À quoi cela sert-il ? Je suis tout seul. » C'est précisément parce que vous êtes seul que vous devez utiliser le Programme. Pourquoi prévoir que vous serez misérable ? Cette prévision ne peut être qu'une prophétie de malheur qui se réalise ! Essayez le Programme en adoptant une approche productive. Vous n'avez pas besoin d'un programme élaboré pour qu'il soit utile. Vous pouvez aller chez le coiffeur, dans les magasins, dans un musée, au parc. Vous pouvez rester chez vous et lire un livre. Vous découvrirez que la préparation d'un programme simple et son application pour la journée peuvent contribuer à vous donner courage. Et qui sait ? Si vous prenez soin de vous-même, vous remarquerez peut-être tout à coup que les autres s'intéressent davantage à votre personne !

Le soir, avant de vous coucher, notez ce que vous avez fait à chaque heure et attribuez un score à chaque activité selon la maîtrise et le plaisir. Puis, faites un nouveau programme pour le lendemain. Cette simple méthode peut constituer la première étape vers une dignité et une indépendance authentiques.

La feuille Action. Le tableau 5-3 est une formule qui s'est révélée efficace pour briser l'habitude de l'inaction. Il se peut que vous évitiez une activité particulière parce que vous prévoyez qu'elle sera trop difficile et ingrate. En utilisant la feuille Action, vous pouvez vous habituer à éprouver ces prévisions négatives. Chaque jour, mentionnez dans la colonne appropriée la ou les tâche(s) que vous avez remise(s). Si la tâche exige beaucoup de temps et d'efforts, il est préférable de la diviser en une série d'étapes plus courtes qui peuvent être réalisées en 15 minutes ou moins. Maintenant, dans la colonne suivante, prévoyez le niveau de difficulté de chaque étape en utilisant une échelle de 0 à 100. Si vous prévoyez une étape facile, donnez-lui un score faible : entre 10 et 20 % ; assignez aux tâches plus difficiles entre 80 et 90 %. Dans la colonne suivante, prévoyez votre degré de satisfaction et

TABLEAU 5-4

Rapport quotidien des pensées dysfonctionnelles.

Date	Situation	Émotion	Réactions spontanées	Réactions rationnelles	Résultat
15/12/05	Restée au lit toute la journée dimanche – dormi par moments – pas de désir ni d'énergie pour me lever ou faire quelque chose de productif.	Je me sens déprimée, épuisée, coupable, seule. Je me déteste.	Pas de désir de faire quelque chose. Pas d'énergie pour me lever. Comme personne, je suis une ratée.	C'est parce que je ne fais rien. La motivation suit l'action. Je peux me lever, j'ai mes deux jambes. Je réussis quand je le veux. Mon inactivité me déprime et m'ennuie mais cela ne veut pas dire : « Je suis une ratée. » Cela n'existe pas!	Éprouvé un soulagement. Décidé de me lever et de prendre une douche à tout le moins.
			Je n'ai aucun intérêt réel.	J'ai des intérêts mais pas quand je ne fais rien. Si je commence quelque chose, je vais probablement être plus intéressée.	
			Je suis égocentrique parce que mon environnement m'indiffère.	Mon entourage m'intéresse quand je me sens bien. C'est naturel d'être indifférente quand on est déprimée.	
			La plupart des gens s'amusent.	Qu'est-ce que cela me fait? Je peux faire tout ce que je veux.	

TABLEAU 5-4 (suite)

Rapport quotidien des pensées dysfonctionnelles.

Date	Situation	Émotion	Réactions spontanées	Réactions rationnelles	Résultat
			Rien ne m'amuse.	Je m'amuse quand je me sens bien. Si je fais quelque chose, je vais probablement aimer cela après avoir commencé, même si cela ne m'apparaît pas ainsi dans mon lit.	
			Je n'aurai jamais un niveau normal d'énergie.	Je n'en ai aucune preuve; je m'interroge là-dessus actuellement et j'obtiens des résultats. Quand je me sens bien, quand je m'implique, je déborde d'énergie.	
			Je ne veux parler à personne.	Et puis? Personne ne me force à parler. Je vais faire quelque chose par moi-même. Au moins, je peux me lever et commencer à agir.	

133

de récompense pour chaque étape de la tâche en utilisant encore une fois le système de pourcentages. Après avoir mentionné ces prévisions, entreprenez la première étape de votre tâche. Après chaque étape, notez-en la difficulté et le plaisir que vous y avez pris. Placez cette information dans les deux dernières colonnes, en utilisant, encore une fois, le système de pourcentages.

Le tableau 5-3 illustre comment un professeur a utilisé cette formule pour postuler un emploi à une université, démarche qu'il remettait depuis des mois. Comme vous pouvez le constater, il s'attendait que la rédaction de cette lettre soit difficile et inutile. Après avoir noté ses prévisions pessimistes, il fit le plan de sa lettre et prépara un brouillon pour vérifier si ce serait aussi futile et ingrat qu'il le pensait. À son grand étonnement, il s'aperçut que c'était facile et satisfaisant. Cela le motiva suffisamment pour finir la lettre. Il mentionna cette donnée dans les deux dernières colonnes. L'information acquise au cours de cette expérience l'étonna à un tel point qu'il utilisa la feuille Action dans plusieurs autres domaines de sa vie. Par conséquent, sa productivité et sa confiance s'accrurent considérablement et sa dépression disparut.

Le Rapport quotidien des pensées dysfonctionnelles. Ce rapport, présenté au chapitre 4, peut être avantageusement utilisé si le besoin de ne rien faire vous submerge. Notez simplement les pensées qui vous viennent à l'esprit quand vous songez à une tâche particulière. Cela vous montrera immédiatement quel est votre problème. Ensuite, notez les réactions rationnelles appropriées qui montrent que vos pensées sont irréalistes. Cela vous aidera à déployer suffisamment d'énergie pour franchir cette difficile première étape. Vous profiterez désormais d'un bon élan.

Le tableau 5-4 donne un exemple de cette approche. Annette est une jeune femme charmante qui possède et gère une boutique qui a du succès (c'est la patiente A décrite en page 113). Pour elle, tout va bien durant la semaine à cause de toute l'animation à sa boutique. Les week-ends, elle tend à rester au lit sauf si elle a prévu des activités mondaines. Dès qu'elle se couche, elle devient déprimée. Pourtant, elle se prétend incapable de se lever. Un dimanche soir, elle nota ses réactions spontanées (Tableau 5-4). Ses problèmes lui sautèrent aux yeux. Pour agir, elle attendait désir, intérêt et énergie ; elle croyait que c'était inutile de faire quoi que ce soit puisqu'elle était seule ; elle se persécutait et s'injuriait à cause de son inactivité.

En revenant sur ses pensées, elle releva que les nuages s'étaient quelque peu dissipés, qu'elle avait pu se lever, prendre une douche et s'habiller. Elle se sentit encore mieux et prit rendez-vous avec un ami pour aller dîner et voir un film. Comme elle l'avait prévu dans la colonne des réactions rationnelles, plus elle était active, mieux elle se sentait.

Si vous décidez d'utiliser cette méthode, assurez-vous de bien noter vos pensées défaitistes. Si vous essayez simplement de les expliquer mentalement, vous n'aboutirez probablement à rien car les pensées qui vous briment sont fuyantes et complexes. En essayant d'y réfléchir, elles vous frapperont encore plus fort, de tous les angles, à une telle vitesse que vous vous y perdrez davantage. Mais quand vous les notez, vous exposez ces pensées à la lumière de la raison. De cette façon, vous pouvez y réfléchir, découvrir les déformations et apporter quelques réponses utiles.

La feuille Prévisions du plaisir. Une des attitudes défaitistes d'Annette, c'est sa tendance à croire qu'il ne vaut pas la peine de faire quoi que ce soit quand elle est seule. À cause de cette croyance, elle ne fait rien et se sent misérable, ce qui ne fait que confirmer son préjugé : La solitude est terrible.

Une solution : Mettez à l'épreuve votre croyance dans l'inutilité d'agir en vous servant de la feuille Prévisions du plaisir, représentée au tableau 5-5, page 136. Pendant quelques semaines, planifiez un nombre d'activités qui offrent des possibilités d'épanouissement personnel ou de satisfaction. Faites-en quelques-unes seul et certaines avec d'autres personnes. Notez avec qui vous avez fait

TABLEAU 5-5

Feuille Prévisions du plaisir.

Date	Activité pour la satisfaction (sens de la réussite ou du plaisir)	Avec qui? (mentionner « seul » quand cela s'applique)	Satisfaction prévue (0-100 %.) (notez ceci avant l'activité)	Satisfaction réelle (0-100 %.) (notez ceci après l'activité)
2/8/05	Lecture (1 heure)	seul	50 %	60 %
3/8/05	Dîner et bar avec Benoît	Benoît	80 %	90 %
4/8/05	Réception chez Suzanne	seul	80 %	85 %
5/8/05	Visite à tante Hélène	parents et grand-mère	40 %	30 %
5/8/05	Chez Annette	Annette et Joëlle	75 %	65 %
6/8/05	Dîner chez Annette	12 personnes	60 %	80 %
6/8/05	Réception chez Lucie	Lucie et 5 personnes	70 %	70 %
7/8/05	Jogging	seul	60 %	90 %
8/8/05	Théâtre	Lucie	80 %	70 %
9/8/05	Chez Henri	Henri, Jean, Benoît et Jacques	60 %	85 %
10/8/05	Jogging	seul	70 %	80 %
10/8/05	Baseball au stade	papa	50 %	70 %
11/8/05	Dîner	Suzanne et Benoît	70 %	70 %
12/8/05	Musée	seul	60 %	70 %
12/8/05	Bar	Frédéric	80 %	85 %
13/8/05	Jogging	seul	0 %	80 %

chaque activité dans la colonne appropriée et tentez de prévoir le niveau de satisfaction de chacune – entre 0 et 100 %. Ensuite, livrez-vous à ces activités. Dans la colonne de satisfaction réelle, notez le plaisir que chaque activité vous a, en fait, procuré. Vous apprendrez peut-être, à votre surprise, que les choses que vous faites seul sont plus agréables que vous ne le pensiez.

Assurez-vous que les activités que vous faites par vous-même soient de qualité égale à celles que vous faites avec autrui, de façon à ce que les comparaisons soient valables. Par exemple, si vous mangez seul un repas congelé, ne comparez pas cette activité à un repas dans un bon restaurant français, en compagnie d'un(e) ami(e) !

Le tableau 5-5 montre les activités d'un jeune homme ayant appris que son amie (qui vivait à 320 kilomètres de distance) fréquentait quelqu'un d'autre et ne voulait plus le voir. Au lieu de s'apitoyer sur son sort, il s'impliqua dans la vie. Vous remarquerez dans la dernière colonne que, par lui-même, il a atteint des niveaux de satisfaction allant de 60 à 90 %. Cette constatation renforça son indépendance car il réalisa qu'il n'était pas condamné à la misère simplement parce qu'il avait perdu son amie et qu'il n'avait pas besoin de se fier aux autres pour s'amuser.

Vous pouvez utiliser la feuille Prévisions du plaisir pour éprouver certaines des présomptions que vous entretenez probablement et qui mènent à l'inaction. Elles incluent :

1. Je ne prends plaisir à rien quand je suis seul.
2. Il ne me sert à rien de faire quoi que ce soit parce que j'ai subi un échec important (je n'ai pas obtenu le travail ou la promotion que je cherchais).
3. Comme je ne suis pas riche, prospère ou célèbre, je ne peux pas prendre un plaisir abondant à la vie.
4. Je ne peux pas prendre plaisir à la vie à moins d'être le centre d'attention.

5. Je ne retirerai aucune satisfaction particulière de ce que je fais à moins que je ne le fasse parfaitement (ou avec succès).
6. Je ne serais pas très satisfait si je ne faisais qu'une partie de mon travail. Je dois *tout* le faire aujourd'hui.

Toutes ces attitudes produiront une ronde de prophéties malheureusement vraies tant que vous ne les éprouverez pas. Cependant, si vous les vérifiez avec la feuille Prévisions du plaisir vous serez émerveillé de découvrir ce que la vie peut vous offrir de satisfaction. Aidez-vous et servez-vous!

Une question est fréquemment soulevée à propos de la feuille Prévisions du plaisir: «Supposez que je planifie un certain nombre d'activités et qu'elles se révèlent aussi désagréables que prévu…» Cela peut se produire. Si c'est le cas, essayez de noter vos impressions négatives et d'y réagir avec le Rapport quotidien des pensées dysfonctionnelles. Par exemple, supposons que vous alliez seul dans un restaurant et que vous soyez tendu. Peut-être pensez-vous: «Ces gens croient probablement que je suis un perdant parce que je suis seul.»

Que répondriez-vous? Vous pouvez vous rappeler que les pensées d'autrui n'affectent pas votre humeur d'un iota. Je démontre cela à des patients en leur disant que je vais penser à deux choses sur chacun d'eux pendant 15 secondes. Une pensée sera extrêmement positive et l'autre sera intensément négative et injurieuse. Ils doivent me dire comment chacune les affecte. Je ferme les yeux et je pense: «Jacques est très gentil et je l'aime bien.» Je pense ensuite: «Jacques est l'être le plus détestable au pays.» Comme Jacques ne sait pas quelle pensée est laquelle, aucune n'a d'effet sur lui!

Cette expérience vous semble insignifiante? Il n'en est rien car seules *vos* pensées peuvent vous affecter. Par exemple, si vous êtes au restaurant et que vous vous sentez misérable parce que vous êtes seul, vous n'avez aucune idée certaine de ce que pensent les gens. Ce sont vos pensées, seulement les vôtres, qui vous rendent malheureux : *Vous êtes la seule personne au monde qui puissiez efficacement vous persécuter.* Pourquoi vous considérer comme un «perdant» parce que vous allez seul au restaurant? Seriez-vous aussi cruel envers quelqu'un d'autre? Arrêtez de vous injurier ainsi! Répliquez à cette réaction spontanée par une réaction rationnelle : «Je ne suis pas un perdant parce que je vais seul au restaurant.» J'ai autant le droit d'être ici que n'importe qui. Cela dérange quelqu'un? Et puis après? En autant que je me respecte, je n'ai pas besoin de l'opinion des autres.»

Comment vous débarrasser de votre «mais» – la réfutation du mais… Votre «mais» peut représenter le plus grand obstacle à l'action efficace. Dès que vous pensez à faire quelque chose de productif, vous vous trouvez des excuses sous forme de «mais…» Par exemple : «Je *pourrais* faire du jogging aujourd'hui, MAIS…»

1. Je suis simplement trop fatigué;
2. Je suis simplement trop paresseux;
3. Je n'ai simplement pas le goût, etc.

Voici un autre exemple. «Je *pourrais* arrêter de fumer, MAIS…»

1. Je n'ai pas assez de discipline;
2. Je ne veux pas vraiment arrêter d'un coup et si j'essayais progressivement ce serait de la torture lente;
3. Je suis déjà assez nerveux.

Si vous voulez vraiment vous motiver, vous devez apprendre à réfuter votre «mais». Vous pouvez le faire avec la Méthode de réfutation du mais», illustrée au tableau 5-6. Supposons qu'il soit samedi et que vous ayez prévu de tondre la pelouse. Cela fait trois semaines que vous remettez cette tâche et c'est devenu une jungle. Vous vous dites : «Vraiment, je devrais, MAIS je n'en ai simplement pas le goût.» Notez ceci dans la colonne Mais. Maintenant, répliquez par une réfutation du mais dans la colonne appropriée : «Cela va aller mieux quand j'aurai commencé. Quand j'aurai fini, je serai tout à fait bien.» Votre prochaine impulsion sera probablement d'imaginer une nouvelle objection : « MAIS cela va prendre tout mon temps. » Répliquez par une nouvelle réfutation, comme en 5-6, et continuez ainsi jusqu'à ce que vous n'ayez plus d'excuses.

TABLEAU 5-6

Méthode de réfutation du « mais ».

Les flèches indiquent le sens de vos pensées
alors que vous discutez mentalement du sujet.

Colonne des « mais »	*Réfutation des « mais »*
Je devrais tondre la pelouse, mais je n'en ai vraiment pas le goût.	Je vais me sentir mieux après avoir commencé. Quand j'aurai fini, je serai tout à fait bien.
Mais cela va prendre tout mon temps.	Ce ne sera pas si long avec la tondeuse électrique. Je peux toujours commencer.
Mais je suis trop fatigué.	Je vais en faire une partie et me reposer.
Mais j'aimerais me reposer tout de suite et regarder la télé.	Je peux. Cependant, je ne me reposerai pas très bien à l'idée de cette corvée qui m'attend.
Mais je suis simplement trop fatigué aujourd'hui.	Ce n'est pas vrai. Je l'ai souvent fait avant.

Apprenez à vous faire confiance. Vous dites-vous fréquemment que vos actes ne comptent pas ? Si vous avez cette mauvaise habitude, vous sentirez naturellement que vous ne faites jamais rien de valable. Que vous soyez un lauréat du prix Nobel ou un jardinier, la vie vous semblera vide parce que votre attitude amère enlèvera toute joie à vos efforts. Vous serez battu sans même avoir commencé la lutte. Votre absence de motivation n'est pas un mystère !

Pour renverser cette tendance destructrice, faites un pas dans la bonne direction : Notez vos pensées négatives qui provoquent

TABLEAU 5-7

Énoncés négatifs	*Énoncés positifs*
N'importe qui peut laver la vaisselle.	C'est un travail routinier et ennuyeux. Je mérite encore plus d'éloges pour le faire.
Cela ne servirait à rien de laver la vaisselle. Elle va se salir de nouveau.	C'est justement le point. La vaisselle va être prête quand on en aura besoin.
J'aurais pu faire un meilleur travail de rangement.	Rien n'est parfait, mais la pièce a meilleure apparence.
Mon discours n'a porté que par chance.	Ce n'était pas une question de chance. Je me suis bien préparé et j'ai bien parlé. J'ai fait un très bon travail.
J'ai poli la voiture mais elle ne paraît pas encore aussi bien que la voiture neuve du voisin.	La voiture paraît beaucoup mieux qu'avant. Il sera plus agréable de la conduire.

cet état. Répliquez à ces pensées en les remplaçant par des considérations plus objectives qui vous donneront confiance. Vous trouverez des exemples de ce mécanisme en 5-7. Une fois acquise cette habitude, ne manquez plus de vous féliciter, toute la journée, pour les tâches que vous menez à bien, même si elles vous semblent banales. Au début, vous pouvez ne pas percevoir d'amélioration émotive, mais persistez même si cela vous paraît mécanique. Après quelques jours, votre humeur changera et vous éprouverez plus de fierté à l'égard de ce que vous faites.

Vous pouvez soulever une objection : « Pourquoi devrais-je me féliciter pour tout ce que je fais ? Ma famille, mes amis, mes associés devraient le faire. » Cela implique plusieurs problèmes. D'abord, si votre entourage oublie de mentionner vos efforts, vous demeurez coupable du même crime si vous vous négligez. Bouder n'arrangera rien.

Même si quelqu'un vous flatte, vous ne pouvez pas absorber les éloges à moins de décider d'y croire et de les justifier. Combien de compliments authentiques tombent dans vos oreilles de sourd parce que vous les niez mentalement? Quand vous faites cela, vous frustrez votre entourage parce que vous réagissez négative-ment à ce que l'on vous dit. Naturellement, les gens arrêtent de combattre votre attitude destructrice. Ultimement, seule votre façon de considérer vos actes affectera votre humeur.

Vous pouvez vous aider simplement en rédigeant ou en vous remémorant une liste quotidienne de vos actes. Ensuite, félicitez-vous mentalement pour chacun d'eux, quelle que soit son impor-tance. Ceci contribuera à attirer votre attention sur ce que vous *avez fait* plutôt que sur ce que vous avez remis. Cela peut paraître simpliste, mais c'est efficace

La technique CAT/CPT. Si vous remettez sans cesse une tâche précise, notez la façon dont vous l'envisagez. Ces CAT (connais-sances antitâches) perdront beaucoup de leur emprise si vous les couchez sur papier et y substituez des CPT (connaissances pro-tâches), en utilisant la technique de la double colonne. Vous en verrez un certain nombre d'exemples en 5-8. En notant vos CAT/CPT, assurez-vous de mentionner la distorsion du CAT qui vous écrase. Par exemple, vous pouvez découvrir que votre pire ennemi, c'est votre habitude du tout ou rien ou celle de disqualifier le positif. Ou encore, vous pouvez avoir développé la vilaine manie de faire des prédictions arbitrairement négatives. Une fois que vous connaissez le genre de distorsion qui déjoue le plus couramment vos projets, vous pouvez la corriger. Votre inaction et vos pertes de temps céderont le passage à l'action et à la créativité.

Vous pouvez aussi appliquer ce principe aux images mentales et aux rêveries, aussi bien qu'aux pensées. Quand vous évitez une tâche, automatiquement vous l'imaginez de façon négative et défaitiste. Cela crée une tension et une appréhension inutiles, qui nuisent à votre performance et augmentent la probabilité, pour vos craintes, de se réaliser.

Par exemple, si vous devez prononcer un discours devant un groupe d'associés, vous pouvez vous agiter et vous tracasser des semaines à l'avance parce que, dans votre esprit, vous vous *voyez* en train d'oublier votre texte ou de réagir défensivement à une question agressive d'un auditeur. Quand vient le moment de livrer votre discours, vous vous êtes effectivement programmé à vous conduire ainsi. Vous êtes si nerveux que le discours prend exactement la mauvaise tournure que vous aviez prévue !

Si vous osez l'essayer, voici une solution. Pendant dix minutes, chaque soir avant de vous endormir, imaginez-vous positivement en train de discourir. Imaginez-vous confiant, en train de présenter énergiquement votre sujet, répondant à toutes les questions de façon chaleureuse et compétente. Vous serez surpris de la manière dont ce simple exercice améliorera votre perception de ce que vous faites. Évidemment, rien ne garantit que tout va se passer comme vous l'imaginez, mais il n'y a *aucun* doute que vos espérances et votre humeur *influenceront* profondément les événements.

À petits pieds, petits pas. Une méthode simple et évidente d'autoactivation consiste à apprendre comment diviser une tâche proposée en ses unités plus petites. Cela combattra votre tendance à vous accabler devant l'énormité de votre tâche.

Supposons que votre tâche implique de nombreuses réunions, mais que vous trouvez la concentration difficile à cause de l'anxiété, de la dépression ou de la rêverie. Vous ne pouvez pas vous concentrer efficacement car vous pensez : « Je ne comprends pas. C'est ennuyeux. J'aimerais mieux être en train de faire l'amour ou de pêcher. »

Voici comment vaincre l'ennui et la distraction, comment accroître votre faculté de concentration. Divisez la tâche en ses plus petites parties ! Par exemple, essayez d'écouter pendant seulement trois minutes, puis prenez une pause d'une minute pour rêver intensément. Au bout de ces vacances mentales, écoutez encore pendant trois minutes et n'entretenez pas de pensées

TABLEAU 5-8

La technique CAT/CPT

Dans la colonne de gauche, notez les pensées qui inhibent votre motivation pour une tâche précise. Dans la colonne de droite, mentionnez les distorsions et substituez-y des attitudes plus objectives et plus productives.

CAT *(Connaissances antitâches)*	CPT *(Connaissances protâches)*
Ménagère : Je ne pourrai jamais nettoyer le garage. Trop de vieilleries s'y sont accumulées depuis des années.	Généralisation outrancière; attitude «tout-ou-rien». Commencer lentement. Rien ne m'oblige à tout faire d'un coup.
Commis de banque : Mon travail n'a aucune importance et n'offre aucun intérêt.	Disqualification du positif. Cela peut me sembler routinier, mais c'est important pour les clients. Quand je ne suis pas déprimé, mon travail peut être assez agréable. Beaucoup de personnes font un travail routinier et n'en sont pas moins importantes. Je devrais peut-être briser la routine dans mes loisirs.
Étudiant : Inutile de faire ce travail. Le sujet est ennuyeux.	Attitude «tout-ou-rien». Faire un travail routinier. Nul besoin d'un chef-d'œuvre. Je peux apprendre quelque chose. Je vais me sentir mieux si je le fais.
Secrétaire : Je vais probablement faire des erreurs en tapant ceci. Ensuite, le patron va me tomber dessus.	Prophétie de malheur. Je ne suis pas parfaite et je peux corriger les fautes. S'il est trop critique, je peux le désarmer ou lui dire que je ferais un meilleur travail s'il m'encourageait davantage et exigeait moins.
Politicien : Si je perds lors de cette campagne, tout le monde va rire de moi.	Prophétie de malheur; condamnation. Ce n'est pas une honte de perdre une élection. Un grand nombre de personnes me respectent parce qu'au moins je fais un effort et je suis honnête quant aux thèmes électoraux. Malheureusement, ce n'est pas toujours le meilleur qui l'emporte et je pourrai continuer à croire en moi, que je gagne ou non.

TABLEAU 5-8 (suite)

La technique CAT/CPT

Dans la colonne de gauche, notez les pensées qui inhibent votre motivation pour une tâche précise. Dans la colonne de droite, mentionnez les distorsions et substituez-y des attitudes plus objectives et plus productives.

CAT *(Connaissances antitâches)*	CPT *(Connaissances protâches)*
Agent d'assurances : Cela ne me donne rien de le rappeler. Il n'avait pas l'air intéressé.	Lecture de pensées. Je n'ai aucune façon de le savoir. Je suis mieux de prendre une chance. Au moins, il m'a demandé de le rappeler. Il y a des intéressés et je dois séparer le bon grain de l'ivraie. Je peux me sentir productif même quand je rate une vente. En moyenne, je réalise une vente en cinq essais. Il est donc à mon avantage de me faire dire non le plus souvent possible ! Plus il y a de gens qui refusent, plus il y a de ventes !
Célibataire timide : Si j'appelle une belle femme, elle va refuser. Je vais plutôt attendre qu'une femme me fasse signe. Alors, je ne courrai pas de risque.	Prophétie de malheur ; généralisation outrancière. Elles ne refuseront pas toutes et il n'y a pas de honte à essayer. Je peux apprendre d'un refus. Il faut que je commence à améliorer mon approche. Aussi bien plonger ! Pour sauter d'un tremplin, la première fois, cela m'a pris du courage, mais je ne suis pas mort. Je peux aussi faire ceci !
Auteur : Ce chapitre se doit d'être bon, mais je ne me sens pas d'attaque.	Attitude « tout-ou-rien ». Je vais simplement préparer un brouillon que j'améliorerai plus tard.
Athlète : Je ne peux pas me discipliner. Je ne me contrôle pas. Je ne me remettrai jamais en forme.	Disqualification du positif ; attitude « tout-ou-rien ». Je peux me contrôler car je l'ai déjà fait. Je n'ai qu'à commencer lentement et à arrêter quand je serai épuisé.

distrayantes pendant cette brève période. Accordez-vous une autre pause d'une minute pour rêver.

Cette technique vous permettra de maintenir un niveau plus élevé de concentration générale. Si vous vous permettez de courtes périodes de rêverie, vous diminuerez leur emprise sur vous. Après quelque temps, elles vous paraîtront risibles.

Les limites de temps représentent une façon extrêmement utile de diviser des tâches en unités plus pratiques. Décidez du temps que vous allez consacrer à une tâche particulière, puis arrêtez à la fin de cette période pour passer à une activité plus agréable, que vous ayez terminé ou non. Cela peut paraître simple, mais cela peut faire des miracles. Par exemple, l'épouse d'un homme politique a passé des années à éprouver du ressentiment envers lui, à cause de sa brillante carrière. Elle sentait que sa propre vie se résumait aux fonctions oppressives de mère de famille et ménagère. Comme elle avait tendance à n'agir que sous contrainte, elle ne trouvait jamais qu'elle avait assez de temps pour finir ses lugubres corvées. La vie n'était qu'une série de besognes ingrates. La dépression l'avait envahie. Des thérapeutes célèbres l'avaient traitée sans succès pendant plus d'une décennie alors qu'elle cherchait en vain la clé cachée de son bonheur.

Après avoir consulté l'un de mes collègues (le Dr Aaron T. Beck), elle expérimenta un changement d'humeur rapide et sortit de sa dépression (la sagesse de ce thérapeute m'a toujours étonné). Comment a-t-il pu accomplir ce miracle? Facilement. Il lui a dit que sa dépression était due en partie au fait qu'elle ne poursuivait aucun but valable parce qu'elle ne croyait pas en elle-même. Au lieu de reconnaître sa peur du risque et de l'affronter, elle blâmait son mari pour son manque d'orientation et se plaignait des tâches ménagères inachevées.

Le premier pas fut de décider du temps qu'elle voulait consacrer quotidiennement aux tâches ménagères; elle ne devait pas dépasser cette allocation même si la maison n'était pas parfaite et elle devait utiliser le reste de la journée pour se livrer à des activités qui l'intéressaient. Elle jugea raisonnable de prendre une heure pour les corvées et s'inscrivit à un cours pour développer sa propre carrière. Cela lui donna un sentiment de libération. Comme par magie, sa dépression disparut avec la colère qu'elle éprouvait envers son mari.

Je ne veux pas vous donner l'idée que la dépression est habituellement aussi facile à éliminer. Même dans le cas ci-dessus, la patiente devra probablement combattre un certain nombre de rechutes dépressives. Occasionnellement, il pourra lui arriver de retomber temporairement dans le même piège ; elle essaiera d'en faire trop, blâmera son entourage et se sentira accablée. Puis, elle devra appliquer la même solution. L'important, c'est qu'elle ait trouvé une méthode qui lui convienne.

Vous pouvez appliquer la même approche. Avez-vous tendance à prendre les bouchées doubles ? *Osez* imposer de modestes délais à vos activités. *Ayez le courage* de vous éloigner d'une tâche inachevée. Peut-être cela vous étonnera-t-il, mais il est possible que vous amélioriez votre productivité et votre humeur. Votre inaction pourrait devenir chose du passé.

La motivation sans la contrainte. Un système de motivation inapproprié représente une source possible d'inaction. Vous pouvez inconsciemment nuire à vos tentatives en vous flagellant avec des « Je devrais » et des « Je dois ». Vous vous battez d'avance par la *façon* dont vous vous *tuez* à ne pas vous mettre à la tâche ! Le docteur Albert Ellis décrit ce piège mental comme un exercice de masturbation par les « dois ».

Repensez votre façon d'agir en supprimant de votre vocabulaire les mots associés à la contrainte. Le matin, une alternative pour vous tirer du lit serait de vous dire : « Cela va me faire du bien de sortir du lit, même si c'est dur au début. Même si je ne suis pas *obligé* de me lever, je vais peut-être en profiter au bout du compte. D'un autre côté, si je bénéficie réellement du repos et de la détente, aussi bien rester couché!» Si vous traduisez les «dois» en «veux», vous vous respecterez. Cela vous communiquera un sens de la liberté et de la dignité. Vous découvrirez qu'un système de récompenses est meilleur et dure plus longtemps qu'un fouet. Demandez-vous: «Qu'est-ce que je *veux* faire? Quelle activité serait à mon avantage?» Je pense que cette façon d'envisager les choses augmentera votre motivation.

Votre désir de rester au lit persiste? Vous continuez de vous apitoyer sur votre sort? Vous vous demandez si vous voulez

TABLEAU 5-9

Avantages de rester au lit	Désavantages de rester au lit
1. C'est facile.	1. Bien que cela semble facile, cela devient horriblement ennuyeux et douloureux après quelque temps. En fait, ce n'est pas si facile de ne rien faire et de rester là à m'affliger et à me critiquer heure après heure.
2. Je n'aurai rien à faire, aucun problème à affronter.	2. Je n'aurai rien à faire non plus si je me lève, mais je me sentirai peut-être mieux. Si j'évite mes problèmes, ils ne disparaîtront pas. Ils vont empirer et je n'aurai même pas la satisfaction d'avoir tenté de les solutionner. L'effort douloureux que je m'imposerai à court terme est probablement moins déprimant que l'angoisse interminable que j'éprouve à rester au lit.
3. Je peux dormir et m'évader.	3. Je ne peux pas dormir pour toujours et je n'ai plus besoin de sommeil car j'ai dormi près de 16 heures par jour. En fait, je vais probablement me sentir moins fatigué si je me lève et que je fais fonctionner mes bras et mes jambes au lieu de rester au lit comme un infirme à attendre que pourrissent mes membres!

vraiment vous lever? Faites une liste des avantages et des désavantages de rester au lit un jour de plus. Par exemple, un comptable, en retard dans son travail au moment de l'impôt, trouvait difficile de se lever quotidiennement. Ses clients commençaient à se plaindre du travail qui attendait et, pour éviter les confrontations embarrassantes, il restait au lit pendant des semaines en essayant de s'évader. Il ne répondait même pas au téléphone. Il perdit plusieurs clients et son entreprise commença à décliner.

Son erreur était de se dire : «Je sais que je *dois* aller travailler, mais je ne le veux pas. Et je n'ai pas besoin d'y aller non plus! Donc, je reste ici!» Essentiellement, le mot *devrais* créait l'illusion que, pour lui, la seule raison de se lever était de plaire à une bande de clients courroucés et exigeants. C'était si désagréable qu'il *résistait*. L'absurdité de sa conduite lui devint apparente quand il dressa une liste des avantages et des désavantages de rester au lit (tableau 5-9, page opposée). Après avoir préparé cette liste, il réalisa qu'il était à son avantage de se lever. Par la suite, comme il s'appliqua davantage à son travail, son humeur s'améliora rapidement, bien qu'il eût perdu plusieurs comptes pendant sa période d'inactivité.

La technique désarmante. Votre paralysie s'intensifiera si votre famille et vos amis ont l'habitude de vous pousser dans le dos et de tenter de vous persuader d'agir. Leur exposition des faits, en termes de «devrais», renforce les pensées injurieuses qui se répercutent déjà dans votre esprit. Pourquoi leur approche insistante est-elle vouée à l'échec? Une loi élémentaire de physique nous enseigne que chaque action entraîne une réaction. Chaque fois que vous vous sentez brusqué, par la main ou la volonté de quelqu'un, vous allez naturellement vous tendre et résister pour maintenir votre équilibre. Vous allez essayer de vous contrôler et de préserver votre dignité en refusant de faire ce qu'on vous dit. Le paradoxe, c'est que vous en arrivez souvent à vous faire du tort.

La confusion peut devenir très grande quand quelqu'un insiste désagréablement pour que vous fassiez quelque chose qui, réellement, vous avantagerait. Cela vous accule à une impasse car si vous refusez de faire ce que l'on vous dit, vous vous nuisez juste pour le (la) vexer. Par ailleurs, si vous faites ce que l'on vous a dit, vous sentez que vous avez été possédé. Comme vous avez cédé à ces demandes agressives, vous avez le sentiment que cet individu vous a abusé et cela vous enlève votre amour-propre. Personne n'aime être forcé d'agir.

Par exemple, Marie arrive à la fin de son adolescence. Elle m'a été envoyée par ses parents après plusieurs années de dépression. Marie était une véritable hibernatrice et pouvait rester seule dans sa chambre à regarder des feuilletons télévisés pendant des mois. C'était dû en partie à sa croyance irrationnelle qu'elle avait une apparence «bizarre» et que les gens la regarderaient d'un drôle d'air si elle sortait. Elle se sentait aussi dominée par sa mère. Marie admit que des activités l'aideraient à se sentir mieux, mais cela aurait signifié qu'elle cédait devant sa mère qui lui disait de sortir de sa coquille et de faire quelque chose. Plus maman poussait, plus Marie résistait.

Il peut être malheureusement très difficile pour la nature humaine d'agir sous contrainte. Par contre, c'est très facile d'apprendre à manipuler ceux qui vous harcèlent, vous haranguent et essaient de mener votre vie pour vous. Mettez-vous à la place de Marie. Après avoir considéré votre situation, vous décidez de l'améliorer en participant à un certain nombre d'activités. Vous venez de prendre cette décision quand votre mère entre dans votre chambre et annonce : «Lève-toi! Ta vie s'en va au diable. Bouge! Fais comme les filles de ton âge!» Dès lors, bien que vous veniez de décider d'agir précisément dans ce sens, vous développez une épouvantable aversion à cet égard!

La technique désarmante est une méthode de revendication qui va solutionner ce problème (d'autres applications de cette manœuvre verbale seront décrites au chapitre suivant). La technique désarmante consiste essentiellement à vous dire d'accord avec votre mère, mais de façon à lui rappeler que la décision est la vôtre et non la sienne. Vous pouvez donc répondre ainsi : « Oui, maman, j'ai repensé à la situation et j'ai décidé qu'il *serait* à mon avantage d'agir. C'est *ma* décision et je vais le faire. » Maintenant, vous pouvez commencer vos activités sans penser avoir été dupé. Vous pouvez aussi acérer vos commentaires. Vous pouvez toujours dire : « Oui, maman, en fait, *j'ai* décidé de me lever même si tu m'as dit de le faire ! »

L'évocation du succès. Une méthode de motivation puissante implique l'élaboration d'une liste des avantages de l'action productive que vous avez évitée parce qu'elle exigeait plus de discipline que vous n'en aviez. Cette liste vous apprendra à envisager les conséquences positives de votre action. C'est humain de faire des efforts pour atteindre un but. De plus, les coups de pied sont loin de motiver autant qu'une grosse carotte fraîche.

Par exemple, supposez que vous vouliez arrêter de fumer. Vous pouvez penser au cancer et à tous les dangers du tabac. Ces tactiques, qui font appel à la peur, vous énervent tellement que vous allumez immédiatement une autre cigarette ; cela ne fonctionne pas. Voici une méthode en trois étapes qui agit.

La première étape consiste à dresser une liste des résultats positifs que vous obtenez en cessant de fumer. Mentionnez-en le plus possible, notamment :

1. Je vais améliorer ma santé.

2. Je vais me respecter.

3. Je vais avoir plus de discipline. Avec ma confiance supplémentaire, je pourrai faire un grand nombre d'autres choses que je remettais.

4. Je pourrai courir et danser sans m'épuiser. Je vais avoir plus d'endurance et d'énergie.

5. Mes poumons et mon cœur s'endurciront. Ma pression sanguine va baisser.

6. Mon haleine sera fraîche.

7. Je vais avoir plus d'argent.

8. Je vais vivre plus longtemps.

9. Chez moi, l'air sera propre.

10. Je vais pouvoir dire aux gens que je suis devenu un non-fumeur.

Une fois la liste préparée. Vous êtes prêt à la deuxième étape. Chaque soir, avant de vous endormir, imaginez que vous êtes à votre endroit préféré : Vous marchez dans les bois par une journée vivifiante d'automne ou vous êtes étendu sur une plage tranquille, près de l'océan d'un beau bleu cristallin, en train de vous chauffer au soleil. Quel que soit le rêve éveillé que vous choisissiez, contemplez-en les détails agréables le plus vivement possible. Laissez chaque muscle de votre corps se détendre. Permettez à la tension de passer par vos bras et vos jambes et de quitter votre corps. Remarquez à quel point vos muscles commencent à se délier, à quel point vous êtes paisible. Vous êtes maintenant prêt à la troisième étape.

Imaginez-vous toujours sur la même scène. Vous avez cessé de fumer. Passez en revue votre liste de bénéfices et répétez chacun de la manière suivante : «Maintenant, j'ai amélioré ma santé et cela me plaît. Je peux courir le long de la plage et c'est ce que je veux. L'air qui m'entoure est pur et frais et je me sens bien. Je me respecte. Maintenant, j'ai plus de discipline et je peux relever d'autres défis si je le veux. J'ai plus d'argent», etc.

Cette méthode de contrôle des habitudes par le pouvoir de la suggestion positive accomplit des merveilles. Plusieurs de mes patients et moi-même avons cessé de fumer après une seule séance de traitement. Vous pouvez y arriver facilement et vous verrez que cela vaut l'effort. Vous pourrez utiliser cette méthode d'amélioration pour maigrir, tondre la pelouse, vous lever à l'heure le matin, suivre un programme de jogging, pour n'importe quelle activité que vous voulez changer.

Le compte de ce qui compte. Un garçon de trois ans, Stéphane, se tenait sur le bord d'une pataugeuse et avait peur de sauter. Sa mère était assise dans l'eau, devant lui, le pressant de sauter. Il hésitait ; elle l'enjôlait. L'affrontement dura 30 minutes. Finalement, il sauta. L'eau était bonne. Ce n'était pas si difficile et il n'y avait rien à craindre. Mais les efforts de sa mère eurent des échos négatifs. Un malheureux message s'était ancré dans l'esprit de Stéphane : « On doit me pousser pour que je prenne des risques. Je ne suis pas assez débrouillard pour sauter de moi-même comme les autres enfants. » Ses parents avaient la même idée. Ils commencèrent à penser : « Laissé à lui-même, Stéphane n'oserait jamais se jeter à l'eau. Si on ne le pousse pas continuellement, il ne fera rien par lui-même. Son éducation va être un combat long et dur. »

Évidemment, comme Stéphane grandissait, le drame se répéta souvent. On devait le *persuader* et le *pousser* pour aller à l'école, pour jouer au baseball, pour aller à des réceptions et ainsi de suite. Rarement commençait-il de lui-même une activité. Quand il vint me voir, à 21 ans, il était chroniquement déprimé, vivait chez ses parents et faisait peu de choses avec sa vie. Il continuait d'attendre que les gens lui disent quoi faire et comment faire. Mais, maintenant, ses parents en avaient assez d'essayer de le motiver.

Après chaque séance de thérapie, il quittait le bureau débordant d'enthousiasme et prêt à faire les tâches dont nous avions discuté et qui devaient l'aider. Une semaine, par exemple, il avait décidé de sourire à trois personnes qu'il ne connaissait pas, ou de les saluer. Ce devait être un premier petit pas pour briser son isolement. Mais, la semaine suivante, il entra dans mon bureau, la mine basse, avec un air honteux qui me faisait savoir qu'il avait « oublié » de saluer qui que ce soit. Une autre semaine, sa tâche fut de lire un article de trois pages que j'avais écrit dans une revue pour célibataires. J'y parlais d'un célibataire qui avait appris à vaincre sa solitude. Stéphane revint la semaine d'après et dit qu'il avait perdu le manuscrit avant de pouvoir le lire. Chaque semaine, avant de quitter, il sentait un grand besoin de s'aider, mais dès qu'il atteignait l'ascenseur il «savait» dans le cœur de son cœur que sa tâche serait trop *difficile*, peu importe sa simplicité!

Quel était le problème de Stéphane? Pour l'expliquer, il faut retourner à l'époque de la piscine. Il continue à avoir la même idée fixe en tête : «Je ne peux rien faire par moi-même. J'ai besoin que l'on me pousse dans le dos.» Comme il n'a jamais pensé à questionner cette croyance, elle continue à se réaliser comme prophétie de malheur. Stéphane a eu plus de 15 ans pour appuyer la pensée qu'il était «vraiment» comme cela.

Quelle était la solution? D'abord, Stéphane devait prendre conscience de deux erreurs mentales qui constituaient la clé de son problème : filtrage mental et étiquetage. Son esprit était dominé par les diverses activités qu'il remettait au lendemain et il ignorait les centaines de choses qu'il faisait hebdomadairement par lui-même, sans y être poussé.

Après une discussion de ce problème, Stéphane dit : «*Bien.* Vous me semblez avoir expliqué mon problème et je pense que vous avez raison. Mais comment puis-je *changer* la situation?»

La solution s'est révélée plus simple qu'il ne le pensait. Je lui ai suggéré de se procurer un compteur de poignet (comme nous l'avons vu au dernier chapitre), de façon à compter les actes quotidiens qu'il accomplissait sans la poussée ou l'encouragement de quelqu'un d'autre. Enfin de journée, il devait en noter le total et l'inscrire dans un dossier.

Au bout de plusieurs semaines, il commença à remarquer que son score quotidien augmentait. Chaque fois qu'il vérifiait le compteur, il se rappelait qu'il *maîtrisait* sa vie. De cette façon, il s'habituait à *remarquer ce qu'il faisait*. Stéphane sentait croître sa confiance et commençait à se considérer comme un être humain plus accompli.

Cela paraît simple ? Ce l'est ! Cela s'applique-t-il à vous ? Vous pensez probablement que non. Mais pourquoi ne pas l'essayer ? Si votre réaction est négative, si vous êtes convaincu que le compteur n'est pas pour vous, pourquoi ne pas évaluer votre prévision pessimiste par une expérience ? Apprenez à compter ce qui compte ; les résultats pourraient vous surprendre

L'épreuve de vos « Je ne peux pas ». Une clé importante du succès et de la motivation implique l'adoption d'une attitude scientifique à l'égard des prévisions défaitistes que vous faites concernant votre performance et vos aptitudes. Si vous mettez à l'épreuve vos pensées pessimistes, vous pouvez découvrir la vérité.

Quand vous êtes déprimé ou inactif, un schème de pensée défaitiste courant se manifeste. Chaque fois que vous trouvez quelque chose de productif à faire, vous vous « impuissantez ». Cela provient peut-être de votre peur d'être blâmé pour votre inaction. Vous essayez de sauver la face en créant l'illusion que vous êtes simplement inepte, incapable de faire quoi que ce soit. Le problème, quand vous défendez votre léthargie de cette façon, c'est que vous pouvez commencer à croire véritablement à ce que vous dites ! Si vous répétez assez souvent : « Je ne peux pas », vous procédez à une sorte d'autosuggestion. Après quelque temps, vous devenez authentiquement convaincu que vous êtes comme un invalide qui ne peut rien faire. Voici quelques cas typiques où l'on ne « peut pas » : « Je ne peux pas faire la cuisine » – « Je ne peux pas fonctionner » – « Je ne peux pas travailler » – « Je ne peux pas me concentrer » – « Je ne peux pas lire » – « Je ne peux pas me lever » – « Je ne peux pas nettoyer mon appartement ».

Non seulement de telles pensées sont-elles défaitistes, mais, de plus, elles aigrissent vos relations avec les êtres que vous chérissez. Ils interpréteront vos « Je ne peux pas » comme des pleurnicheries ennuyeuses. Ils ne réaliseront pas qu'il vous *paraît* réellement impossible d'agir. Ils vous harcèleront et vous livreront des combats frustrants pour vous dominer.

Une technique cognitive très efficace implique l'épreuve de vos prévisions négatives par des expériences réelles. Par exemple, supposons que vous vous disiez : « Je suis si troublé que je ne peux pas assez me concentrer pour lire. » Pour éprouver cette hypothèse, installez-vous avec le journal et lisez une phrase. Ensuite, essayez de la résumer à voix haute. Vous pouvez ensuite prévoir : « Mais je ne pourrai jamais lire et comprendre un paragraphe entier. » Une fois de plus, faites-en l'épreuve. Lisez un paragraphe et résumez-le. Plusieurs dépressions, graves et chroniques, ont été vaincues par cette puissante méthode.

Le système « Rien à perdre ». Vous pouvez hésiter à éprouver vos « Je ne peux pas » parce que vous ne voulez pas courir le risque d'un échec. Si vous ne courez pas de risque, du moins pouvez-vous maintenir la croyance secrète d'être fondamentalement une personne agréable ayant décidé, pour l'instant, de ne pas s'engager. Derrière votre réserve et votre manque d'implication se cachent un sentiment profond d'insuffisance et la peur de l'échec.

Le système « Rien à perdre » vous aidera à combattre cette peur. Faites une liste des conséquences négatives qui surviendraient si vous preniez un risque qui échouerait. Ensuite, découvrez les distorsions que contiennent vos craintes et dites comment les affronter productivement, même après une déception.

Le risque que vous évitiez pouvait être financier, personnel ou scolaire. Souvenez-vous : Même si vous échouez, vous pouvez y gagner à long terme. Après tout, c'est ainsi que vous avez appris à marcher. Vous n'êtes pas tout simplement sorti du berceau un jour en valsant gracieusement autour de la chambre. Vous avez trébuché, vous êtes tombé, vous vous êtes relevé, vous avez essayé de nouveau. À quel âge êtes-vous tout à coup supposé de tout savoir et de ne plus jamais faire d'erreurs ? Si vous pouvez vous aimer et vous respecter dans l'échec, tout un univers d'aventures et de nouvelles expériences s'ouvrira devant vous et votre peur disparaîtra. Le tableau 5-10 illustre un exemple écrit du système « Rien à perdre ».

TABLEAU 5-10

Conséquences négatives d'un refus	Pensées positives et stratégies d'adaptation
1. Je n'aurai jamais de travail.	1. Généralisation outrancière. C'est faux. Je peux vérifier en faisant des demandes pour d'autres emplois et voir ce qui se produit.
2. Mon mari va me regarder de haut.	2. Prophétie de malheur. Je vais le lui dire. Peut-être sera-t-il sympathique.
3. Et s'il n'est pas sympathique? Il peut dire que cela démontre que j'appartiens à la cuisine et que je n'ai pas les qualités requises.	3. Lui faire remarquer que je fais de mon mieux et que son attitude de rejet n'aide pas. Lui dire que je suis déçue, mais qu'au moins je fais de mon mieux.
4. Mais nous sommes presque fauchés. Nous avons besoin de cet argent.	4. Nous nous sommes arrangés jusqu'à maintenant et n'avons jamais manqué un repas.
5. Si je ne trouve pas d'emploi, je ne pourrai pas acheter de nouveaux vêtements pour les enfants. Ils vont mal paraître à l'école.	5. Je pourrai acheter de nouveaux vêtements plus tard. Pendant quelque temps, nous devrons apprendre à nous contenter de ce que nous avons. Ce ne sont pas les vêtements qui font le bonheur, c'est le respect de soi.
6. Plusieurs amies ont un emploi. Elles vont s'apercevoir que je ne peux pas me débrouiller dans le vrai monde.	6. Elles n'ont pas toutes un emploi. Celles qui en ont un se rappellent probablement une époque où elles étaient en chômage. Et elles n'ont jamais rien fait qui m'indique qu'elles me regardent de haut.

Ne mettez pas la charrue avant les bœufs!

Je parie que vous ne savez toujours pas, avec certitude, d'où provient la motivation. À votre avis, qu'est-ce qui vient en premier : la motivation ou l'action?

Si vous avez répondu par la motivation, vous avez fait un excellent choix logique. Malheureusement, c'est faux. C'est *l'action*, et non la motivation, qui vient en premier! Vous devez d'abord pomper. C'est ensuite que vous commencerez à être motivé, que les liquides couleront spontanément.

Les individus qui ont tendance à fréquemment remettre leurs actes à plus tard confondent motivation et action. Vous attendez bêtement d'être d'humeur à agir. Comme vous n'êtes pas d'humeur à agir, vous remettez automatiquement votre action à plus tard.

Votre erreur est de croire que la motivation vient en premier lieu et qu'elle mène à l'action et au succès. C'est habituellement le contraire; l'action vient en premier et entraîne la motivation.

Prenez ce chapitre, par exemple. Le premier brouillon était trop long, maladroit et banal. C'était si long et ennuyeux qu'un lecteur indécis n'aurait jamais eu le courage de le lire, Quant à la révision, c'était comme si je m'étais jeté à l'eau les pieds dans le ciment. Quand vint le jour prévu pour la révision, j'ai dû me donner une poussée pour m'asseoir et commencer. Ma personne était divisée : 1 % de motivation, 99 % de répulsion. Quelle horrible corvée!

Après m'être mis à la tâche, ma motivation augmenta remarquablement et le travail me semble facile maintenant. Au bout du compte, j'ai découvert qu'écrire pouvait être agréable! Voici le mécanisme :

Premièrement :	Action
Deuxièmement :	Motivation
Troisièmement :	Nouvelle action

Si vous êtes inactif, vous ne connaissez probablement pas ce mécanisme. Aussi, vous restez au lit et vous attendez l'inspiration. Quand quelqu'un vous suggère de faire quelque chose, vous gémissez : « Je ne me *sens* pas d'aplomb. » Ah ! oui ? Qui vous a dit que vous deviez vous sentir d'aplomb ? Si vous attendez d'être « d'humeur », vous risquez d'attendre toute la vie !

Le tableau des pages suivantes va vous aider à revoir les diverses techniques de motivation et à choisir celles qui vous conviennent le mieux.

TABLEAU 5-11

Résumé des principes d'autoactivation

Symptômes à traiter	Techniques d'autoactivation	Objectifs de la méthode
1. Vous vous sentez désœuvré. Vous n'avez rien à faire. Vous vous sentez solitaire et vous vous ennuyez pendant les fins de semaine.	1. Programme d'activités quotidiennes.	1. Planifiez vos activités une heure à la fois et inscrivez le degré de plaisir qu'elles vous apportent. Théoriquement, n'importe quelle activité doit vous paraître plus enviable que de rester au lit toute la journée et doit saper votre sentiment d'insuffisance.
2. Vous vous laissez aller à la procrastination parce que toutes les tâches vous paraissent trop pénibles et peu enrichissantes.	2. Fiche anti-procrastination ou fiche action.	2. Mettez à l'épreuve vos prédictions pessimistes.
3. Le désir de ne rien faire du tout vous accable.	3. Rapport quotidien de vos pensées dysfonctionnelles.	3. Mettez en évidence les pensées illogiques qui vous paralysent. Vous apprendrez que la motivation suit l'action et non l'inverse.
4. Pourquoi faire quoi que ce soit puisque vous êtes toujours seul.	4. Fiche du plaisir anticipé.	4. Prévoyez des activités qui vous permettront de redorer votre blason psychologique ou vous apporteront une satisfaction personnelle. Essayez de prévoir le plaisir que vous en retirerez. Comparez la satisfaction que vous ressentez seul avec celle que vous ressentez en compagnie.

TABLEAU 5-11 (suite)

Résumé des principes d'autoactivation

Symptômes à traiter	Techniques d'autoactivation	Objectifs de la méthode
5. Vous vous cherchez des excuses pour tout éviter.	5. Réfutation du « mais... »	5. Vos « mais » lâcheront prise si vous les combattez à l'aide de réfutations efficaces et réalistes.
6. Vous imaginez que ce que vous faites ne vaut rien.	6. Autoapprobation.	6. Inscrivez vos pensées autodénigrantes et répliquez-leur. Recherchez les distorsions cognitives telles que les pensées « tout-ou-rien ». Faites une liste de ce que vous accomplissez chaque jour.
7. Vous pensez à une tâche avec défaitisme.	7. Technique POPA	7. Remplacez les pensées-obstacles (PO) par les pensées-actions (PA).
8. Vous êtes écrasé par l'ampleur des tâches qui vous attendent.	8. « *Petit à petit, l'oiseau fait son nid.* »	8. Divisez vos tâches en plusieurs petites parties que vous entreprendrez une après l'autre.
9. Vous vous sentez coupable, opprimé, forcé et lié par le devoir.	9. Motivation sans coercition.	9. Éliminez les « Je dois » ou « Il faut que » lorsque vous vous donnez des instructions. Dressez la liste des avantages et des inconvénients de chaque activité de manière à la considérer en fonction de ce que vous voulez faire et non de ce que vous devez faire.
10. Quelqu'un vous sermonne et vous harcèle. Vous êtes agacé, irritable. Vous refusez carrément de faire quoi que ce soit.	10. Technique du « désarmement ».	10. Vous vous montrez volontiers d'accord avec cette personne sans manquer cependant de lui rappeler que vous êtes capable de penser tout seul.

TABLEAU 5-11 (suite)

Résumé des principes d'autoactivation

Symptômes à traiter	Techniques d'autoactivation	Objectifs de la méthode
11. Vous avez du mal à modifier vos habitudes (par exemple, à cesser de fumer).	11. Imaginez le succès.	11. Faites une liste des avantages du changement. Imaginez les résultats après avoir atteint un état de relaxation profonde.
12. Vous êtes incapable d'entreprendre quelque chose de votre propre initiative car vous êtes esclave de la procrastination.	12. Faites le compte.	12. Comptez chaque jour les choses que vous avez accomplies en utilisant votre compteur-bracelet. Ainsi, vous surmonterez votre mauvaise habitude de vous appesantir sur votre incompétence.
13. Vous vous sentez incapable et incompétent parce que vous vous répétez : « Je ne peux pas ».	13. Mettez vos « Je ne peux pas » à l'épreuve.	13. Mettez au point une expérience qui vous permettra de démentir vos funestes prédictions en vous mettant à l'épreuve.
14. Vous avez peur d'échouer. Alors, vous n'osez rien faire.	14. Système « Je gagne à tous les coups ».	14. Inscrivez les conséquences négatives de l'échec et mettez au point une stratégie préalable.

Chapitre 6

Le judo verbal : apprenez à contre-attaquer lorsque la critique vous assaille

Vous êtes en train d'apprendre en lisant ce livre que la cause de votre sentiment de ne rien valoir est votre autocritique perpétuelle. Elle revêt la forme d'une désagréable conversation intérieure au cours de laquelle vous vous sermonnez et vous persécutez continuellement, cruellement et sans raison. Votre autocritique est fréquemment déclenchée par une remarque acide de quelqu'un. Vous craignez peut-être la critique simplement parce que vous n'avez appris aucune technique efficace pour accuser le coup. Soyez assuré qu'il est important que vous maîtrisiez l'art, somme toute facile, de contrer les insultes et la désapprobation d'autrui sans vous mettre sur la défensive et sans endommager votre amour-propre.

De nombreux accès de dépression sont déclenchés par la critique extérieure. Même les psychiatres, qui sont censés recevoir les insultes en professionnels, peuvent réagir défavorablement. Un résident en psychiatrie prénommé Art reçut de son supérieur des critiques négatives qui avaient apparemment un but constructif. Un patient s'était plaint du caractère abrasif de plusieurs commentaires dudit Art au cours d'une séance de thérapie. Le résident réagit par la panique et la dépression lorsqu'on lui rapporta le fait car il pensa immédiatement : «Oh! mon Dieu, tout le monde me voit maintenant tel que je suis. Même mes patients peuvent s'apercevoir que je ne vaux rien, que je n'ai aucune sensibilité! Je vais sûrement être expulsé du programme de résidence et je devrai peut-être quitter l'université.»

Pourquoi la critique blesse-t-elle certaines personnes tandis que d'autres demeurent imperturbables face aux attaques les plus acerbes? Dans ce chapitre, vous apprendrez le secret de ceux qui bravent la désapprobation. Je vous montrerai comment surmonter et éliminer pas à pas cette vulnérabilité face à la critique. Lorsque vous lirez les paragraphes suivants, gardez à l'esprit que la domination de votre peur des critiques exigera un certain degré de pratique. Mais la technique n'est pas difficile à maîtriser. Vous constaterez à quel point son impact sur votre amour-propre peut être renversant.

Avant de vous expliquer comment éviter de vous effondrer psychologiquement sous les critiques, je vais vous révéler pourquoi certaines personnes accusent plus durement le coup que d'autres. Tout d'abord, comprenez bien que ce ne sont pas les autres, pas plus que leurs commentaires acerbes, qui vous dépriment. En d'autres termes, il ne vous est pas arrivé une seule fois dans votre vie d'être ennuyé par les critiques d'autrui, même à un degré infime. Aussi méchants, sans cœur, cruels que soient ces commentaires, ils n'ont absolument *pas* le pouvoir de vous blesser.

Après avoir lu ce paragraphe, vous commencerez peut-être à soupçonner que vous avez affaire à un auteur qui a perdu la tête, qui divague, qui ne sait pas ce qu'il dit ou qui se trompe, simplement. Pourtant, je vous assure que j'ai toute ma raison lorsque j'affirme qu'une seule personne au monde possède la faculté de vous blesser : *vous* et nul autre.

Voici ce qui se passe : Lorsque quelqu'un vous critique, des pensées négatives sont automatiquement engendrées dans votre esprit. Votre réaction affective naîtra de ces pensées et non des paroles de l'autre personne. Les pensées qui vous perturbent contiennent invariablement le type d'erreurs mentales décrites au chapitre 3 : la généralisation excessive, les pensées «tout-ou-rien», le filtre mental, l'étiquetage, etc.

Par exemple, étudions les pensées d'Art. Sa panique a résulté d'une interprétation catastrophique : «Ces critiques démontrent que je ne vaux rien.» Quelles erreurs mentales commet-il ? Tout d'abord, il tire des conclusions hâtives lorsqu'il estime arbitrairement que la critique du patient est valide et raisonnable. Rien ne le prouve. En outre, il exagère l'importance de remarques, peut-être manquant de tact, qu'il a faites au patient (amplification) et il suppose qu'il ne peut rien faire pour rectifier ses erreurs de comportement (erreur du diseur de bonne aventure). Sans aucun réalisme, il prédit qu'il sera expulsé, que sa carrière sera brisée parce qu'il réitérera constamment l'erreur commise envers ce patient (généralisation excessive). Il s'est concentré uniquement sur son erreur (filtre mental) en négligeant ses nombreux autres succès thérapeutiques (disqualification ou ignorance du positif). Il s'est identifié avec son comportement erroné pour conclure qu'il «ne valait rien» et ne possédait «aucune sensibilité» (étiquetage).

La première étape pour surmonter votre crainte de la critique se rapporte à vos propres processus mentaux : la peur d'identifier les précédents. Vous pourriez alors analyser vos pensées et admettre dans quelle mesure elles sont illogiques ou erronées. Enfin, vous les disposerez en colonnes, ainsi que je vous l'ai montré dans les deux chapitres précédents. Vous pourriez alors analyser vos pensées et admettre dans quelle mesure elles sont illogiques ou erronées. Enfin, vous inscrirez les réactions rationnelles qui sont plus raisonnables et moins déprimantes.

Un extrait du travail d'Art, qui a mis en pratique cette technique, est reproduit en 6-1.

En apprenant à penser de manière plus réaliste à sa situation, Art a cessé de gaspiller son énergie mentale et émotive pour l'orienter vers des problèmes créateurs et réalistes. Après avoir évalué avec précision les paroles blessantes ou insultantes qu'il avait apparemment prononcées, il a pu prendre les mesures qui s'imposaient pour modifier son attitude envers ses patients, de manière à minimiser les risques d'erreurs futures. Il a donc tiré un enseignement de la situation, ses compétences et sa maturité clinique s'en sont trouvées accrues. Sa confiance en lui a été stimulée et l'a ainsi aidé à surmonter la crainte de n'être pas professionnellement parfait.

TABLEAU 6-1

Extrait du travail écrit d'Art (tableau à double colonne)

Il a d'abord été en proie à la panique lorsqu'il a reçu les commentaires critiques de son supérieur concernant la manière dont il s'est adressé à un patient difficile. Après avoir inscrit ses pensées négatives, il s'est aperçu qu'elles n'étaient pas réalistes. Il s'est ensuite senti très soulagé.

Réactions spontanées (autocritique)	*Réactions rationnelles* (autodéfense)
1. Oh! mon Dieu, les patients me voient tel que je suis. Ils s'aperçoivent que je n'ai aucune sensibilité, que je ne vaux rien.	1. Parce qu'un seul patient se plaint ne signifie pas que je ne vaux rien, que je suis insensible. En réalité, la majorité de mes patients m'aiment bien. Une seule erreur ne suffit pas pour révéler ma véritable personnalité. Tout le monde a le droit de commettre des erreurs.
2. Ils vont probablement m'expulser du programme de résidence.	2. Prédiction ridicule qui repose sur deux hypothèses erronées : a) Tout ce que je fais est mauvais ; b) Je ne suis pas capable de faire des progrès. Puisque a) et b) sont absurdes, il est extrêmement improbable que mon poste soit menacé. J'ai d'ailleurs reçu à de nombreuses reprises les louanges de mon supérieur.

En résumé, lorsqu'on vous critique, les commentaires sont soit justifiés soit injustifiés. Dans le dernier cas, il n'y a vraiment pas de quoi s'inquiéter. Pensez-y un peu! Beaucoup de patients sont venus me trouver en larmes parce que quelqu'un leur avait fait une remarque critique, étourdie et injustifiée. Quelle réaction inutile! Pourquoi seriez-vous ennuyé si quelqu'un vous critique injustement? C'est son problème, pas le vôtre. Pourquoi vous en soucier? Imaginiez-vous que les autres étaient parfaits? D'autre part, si la critique vise juste, vous n'avez pas plus de raison d'en être accablé. Personne n'exige que vous soyez parfait. Admettez vos erreurs et prenez des mesures rectificatrices. Cela paraît simple, à juste titre d'ailleurs, mais un gros effort est parfois nécessaire pour transformer cette impression en réalité affective.

Bien entendu, vous craignez peut-être la critique parce que vous estimez que vous avez besoin de l'amour et de l'approbation d'autrui pour vous sentir heureux et respectable. L'inconvénient de ce point de vue est que vous devrez consacrer toute votre énergie à plaire aux autres, ce qui ne vous laissera pas grand-chose à consacrer à des activités productives et créatrices. Paradoxalement, il se peut que bien des gens vous considèrent comme moins intéressant et moins agréable que vos amis plus confiants en eux-mêmes.

Ce que j'ai expliqué jusqu'à présent résume les techniques cognitives présentées dans le chapitre précédent. Le fond du problème est que seules vos pensées vous affectent. Si vous apprenez à réfléchir de manière plus réaliste, vous serez moins affecté. Maintenant, inscrivez les pensées négatives qui vous passent par la tête lorsque quelqu'un vous critique. Puis essayez d'identifier les distorsions et substituez-y des réactions rationnelles plus objectives. Vous vous sentirez moins irrité, moins menacé.

J'aimerais maintenant vous apprendre quelques techniques verbales très simples qui peuvent se révéler particulièrement utiles dans la pratique. Que dire lorsqu'on vous attaque? Comment

maîtriser ces situations délicates de manière à accroître votre sentiment de force et votre confiance en vous?

Première étape : Vous sympathisez avec l'attaquant. Lorsqu'on
vous critique, c'est soit pour vous aider, soit pour vous blesser. La
critique peut être justifiée, injustifiée ou partiellement justifiée. Il
n'est pas judicieux de se concentrer sur cet aspect dès le départ.
Posez plutôt à la personne une série de questions précises destinées à mettre en évidence ce qu'elle a l'intention de vous faire
savoir en vous critiquant. Évitez de porter un jugement ou de
vous mettre sur la défensive tandis que vous posez des questions.
Réclamez sans relâche des informations plus précises. Essayez de
vous mettre à la place de l'attaquant. S'il émet des insultes vagues,
demandez-lui d'être plus précis et de décrire exactement ce qu'il
n'aime pas chez vous. Cette première manœuvre est particulièrement utile pour couper l'herbe sous le pied de l'attaquant et pour
transformer une interaction «défense-attaque» en une relation de
collaboration et de respect mutuel.

J'illustre souvent cette technique au cours d'une séance de
thérapie en créant une situation imaginaire dans laquelle le patient
joue le rôle du critique. Je vous apprendrai comment jouer cette
petite comédie car elle peut avoir une utilité inappréciable. Dans
le dialogue qui suit, imaginez que vous êtes un critique irrité.
Dites-moi les choses les plus brutales et les plus désagréables que
vous puissiez imaginer. Ce que vous direz sera peut-être faux,
peut-être vrai, peut-être vrai et faux à la fois. Je répondrai aux
critiques en utilisant la technique qui consiste à sympathiser avec
l'adversaire.

VOUS (rôle de l'attaquant) : Docteur Burns, vous êtes une vraie
fripouille !

DAVID : Une fripouille? Comment cela une fripouille?

VOUS : Vous êtes une fripouille dans tout ce que vous dites
et tout ce que vous faites. Vous êtes insensible, égocentrique et
incompétent.

DAVID : Procédons par ordre. Je veux des précisions. Apparemment j'ai fait ou dit des choses qui vous ont déplu. Qu'ai-je dit, exactement, qui vous a paru dépourvu de sensibilité? Qu'est-ce qui vous a donné l'impression que je suis égocentrique? Qu'ai-je fait de répréhensible?

VOUS : Lorsque j'ai téléphoné l'autre jour pour changer l'heure de mon rendez-vous, vous avez paru bourru et maussade, comme si vous étiez pressé et vous fichiez pas mal de moi!

DAVID : D'accord, je vous ai parlé sèchement et avec indifférence au téléphone. Qu'ai-je fait d'autre pour vous mettre en colère?

VOUS : Vous semblez toujours pressé de vous débarrasser de moi à la fin d'une séance. Comme si vous travailliez à la chaîne pour mettre le plus d'argent possible dans votre poche.

DAVID : Parfait, vous avez l'impression que je suis trop pressé pendant les séances. Je vous ai donné l'impression que je suis plus intéressé par votre argent que par vous. Qu'ai-je fait d'autre? Pensez-vous à d'autres circonstances dans lesquelles je vous ai trompé ou insulté?

Ce que je fais là est très simple. En vous posant des questions précises, je minimise la possibilité que vous me rejetiez en bloc. Nous sommes maintenant tous deux conscients de la présence de problèmes concrets que nous pourrons résoudre. En outre, je vous donne la chance de vous exprimer en vous écoutant afin de me mettre à votre place. Cette attitude désamorce la colère et l'hostilité tout en créant une situation plus constructive et non une discussion stérile ou une séance d'accusations mutuelles.

Souvenez-vous de la première règle : Si vous estimez que la critique est totalement injuste, sympathisez avec l'attaquant en lui posant des questions précises. Déterminez exactement où il veut en venir. S'il est particulièrement irrité, il se peut qu'il vous traite de tous les noms et vous jette même des obscénités à la tête. Néanmoins, continuez de réclamer des précisions. Que signifient ces mots ? Pourquoi vous traite-t-on de « fripouille » ? Comment avez-vous pu offenser cette personne ? Qu'avez-vous fait ? Quand ? Combien de fois ? Quels sont les autres griefs de l'attaquant ? Déterminez exactement ce que cela signifie pour lui. Essayez de vous mettre à sa place. Cette démarche permet fréquemment de désamorcer la fureur de l'autre et pose les fondements d'une discussion à tête reposée.

Deuxième étape : Désarmez l'attaquant. Lorsqu'on vous tire dessus, trois possibilités s'offrent à vous : Ou vous restez debout et contre-attaquez, ce qui conduit généralement à la destruction mutuelle, ou vous partez en courant pour éviter les balles, ce qui aboutit fréquemment à votre humiliation et à la perte de votre amour-propre, ou vous demeurez sur place pour désarmer l'adversaire avec habileté. Lorsque vous privez votre ennemi de ses munitions, il est probable que vous sortirez vainqueur de la bataille. En outre, vous serez peut-être étonné d'apprendre que lui aussi estimera qu'il a gagné la partie.

Comment s'y prendre ? C'est simple. Que votre attaquant ait ou non raison, trouvez au départ un moyen de vous montrer d'accord avec lui. Laissez-moi illustrer la situation la plus simple. Admettons que la critique soit justifiée. Dans l'exemple précédent, lorsque vous m'avez accusé d'être toujours pressé et indifférent aux besoins de mes patients, j'aurais pu vous répondre : « Vous avez tout à fait raison. J'étais pressé lorsque vous m'avez téléphoné et je vous ai sans doute répondu de manière impersonnelle. D'autres personnes m'ont fait la même remarque. Je vous assure que je n'avais pas l'intention de vous blesser. Vous avez également raison de penser que certaines de nos séances se sont terminées de manière hâtive. Souvenez-vous que les séances durent le temps que vous désirez, pourvu que nous décidions de leur durée à l'avance pour les incorporer dans le programme. Aimeriez-vous que nous prévoyions des séances plus longues de 15 ou 20 minutes afin de voir si elles vous conviennent mieux ? »

Maintenant, supposons que les critiques sont injustes et sans fondement. Comment acquiescer avec ce que vous jugez être un ramassis d'inepties ? Très facile ! Vous acquiescez avec le principe de la critique. Ou vous recherchez une partie infime de vérité dans l'affirmation de votre opposant et exprimez votre accord avec ce minuscule détail. Vous pouvez aussi juger que l'irritation de l'autre est compréhensible parce qu'elle est fondée sur sa propre vision de la réalité. La meilleure manière d'illustrer la technique est de poursuivre notre petite comédie : Vous m'attaquez, mais cette fois par des critiques essentiellement absurdes. Selon les règles du jeu, je dois : 1) trouver un moyen d'acquiescer avec vous quoi que vous puissiez dire ; 2) éviter le sarcasme et l'attitude défensive ; et 3) dire toujours la vérité. Vos affirmations peuvent être aussi bizarres, aussi acerbes que vous le désirez. Allons-y.

VOUS (jouant toujours le rôle de l'attaquant) : Docteur Burns, vous n'êtes que de la merde dans un bas de soie !

DAVID : C'est exactement ce que je ressens parfois ! Si vous saviez les gaffes que je peux commettre !

VOUS : La thérapie cognitive n'est que de la bêtise !

DAVID : Il est certain qu'elle pourrait être améliorée.

VOUS : Vous êtes un imbécile.

DAVID : Le monde regorge de gens plus intelligents que moi. Il est certain que je suis loin d'être le type le plus brillant du monde.

VOUS : Vous vous fichez de vos patients. Votre approche thérapeutique est artificielle et sournoise.

DAVID : J'avoue que je ne montre pas toujours autant de chaleur humaine que je le voudrais. Certaines de mes méthodes peuvent vous paraître sournoises, au départ.

VOUS : Vous n'êtes pas un vrai psychiatre. Ce livre est un tas d'idioties. Vous n'êtes ni digne de confiance ni compétent.

DAVID : Je suis navré de vous paraître incompétent. Cela doit être terriblement pénible pour vous. Vous semblez avoir du mal à me faire confiance et l'efficacité de notre travail d'équipe ne vous apparaît pas comme évidente. Vous avez absolument raison. Nous ne pourrons jamais travailler fructueusement sans respect mutuel et esprit d'équipe.

À ce stade (sinon plus tôt), l'attaquant commence en général à s'essouffler. Étant donné que je ne contre-attaque pas mais trouve chaque fois un prétexte pour acquiescer, il se trouve rapidement à court de munitions. Je lui ai coupé l'herbe sous le pied. Vous pouvez considérer que j'ai remporté la victoire en évitant le conflit. Une fois l'attaquant calmé, il devient plus facile de communiquer avec lui.

Après avoir illustré ces deux premières étapes pour le bénéfice de mon patient, je lui propose en général que nous renversions les rôles afin de lui laisser la possibilité de maîtriser la technique. Allons-y. Je vais vous critiquer et vous vous entraînerez à sympathiser avec moi en mettant au point vos propres réponses. Voyons dans quelle mesure elles sont correctes et sensées. Pour que l'exercice soit plus profitable, dissimulez les réponses de mon interlocuteur et trouvez les vôtres. Comparez-les ensuite avec les réponses imprimées. Souvenez-vous que vous devez me poser des questions en sympathisant avec moi et rechercher le moyen d'acquiescer en utilisant la technique du désarmement.

DAVID (jouant le rôle de l'attaquant) : Vous n'êtes pas venu ici pour guérir. Vous cherchez simplement à vous faire plaindre.

VOUS (jouant le rôle de la victime) : Qu'est-ce qui vous donne l'impression que je ne cherche qu'à me faire plaindre?

DAVID : Vous ne faites aucun effort entre les séances. Vous voulez simplement venir vous apitoyer sur votre sort.

VOUS : Il est vrai que j'ai omis de faire certains travaux écrits que vous m'aviez recommandés. Estimez-vous que je ne devrais pas m'apitoyer sur mon sort pendant les séances?

DAVID : Vous pouvez bien faire ce que vous voulez! Reconnaissez seulement que vous vous fichez de tout!

VOUS : Vous voulez dire que vous croyez que je ne veux pas guérir? C'est bien cela?

DAVID : Vous n'êtes qu'un bon à rien! Un déchet!

VOUS : C'est justement ce que je me dis depuis des années! Pourriez-vous me suggérer comment je pourrais penser autrement?

DAVID : J'abandonne, vous avez gagné.

VOUS : Exactement. J'ai gagné.

Je vous suggère vivement de vous entraîner à ce jeu avec un ami. La comédie vous permettra d'acquérir l'habileté nécessaire pour vous tirer d'affaire dans la réalité. Si vous ne connaissez personne avec qui vous vous sentez assez à l'aise pour vous entraîner, écrivez des dialogues imaginaires entre vous et un adversaire, semblables à ceux que vous venez de lire. Après chaque provocation, écrivez une réponse possible en utilisant les techniques de la sympathie avec l'adversaire et du désarmement de l'adversaire. Même si cela vous paraît ardu au début, vous progresserez rapidement. C'est très facile une fois que l'on a saisi le principe de la question.

Vous remarquerez que vous avez une tendance profonde et irrésistible à vous défendre lorsque vous êtes injustement accusé. C'est une GRAVE ERREUR! En cédant à cette tendance, vous accroissez l'intensité de l'attaque. Paradoxalement, vous fournissez à l'adversaire de nouvelles munitions chaque fois que vous faites mine de vous défendre. Par exemple, si vous jouez le rôle de l'attaquant de nouveau, je vais vous montrer comment il est facile d'allumer une guerre en bonne et due forme.

VOUS (l'attaquant) : Docteur Burns, vous vous fichez de vos patients!

DAVID : C'est faux et injuste! Vous ne savez pas ce que vous dites. Mes patients respectent tous les efforts que je fais pour les aider!

VOUS : Eh bien, vous avez devant vous un patient qui ne les respecte pas du tout. Adieu! (Vous sortez, ayant décidé de me congédier. Mon attitude défensive a conduit à ma défaite totale).

En revanche, si je réponds en sympathisant avec vous, je désamorcerai votre hostilité. Vous aurez plutôt l'impression que je vous écoute et que je respecte votre jugement. Par conséquent, vous perdrez votre ardeur guerrière et vous vous apaiserez. La voie est ouverte à la troisième étape : rétroaction et négociation.

Vous découvrirez peut-être au départ qu'en dépit de votre volonté d'utiliser vos nouvelles techniques vous demeurerez prisonnier de vos émotions et de vos anciens modes de comportement lorsqu'une situation réelle se présentera. Vous vous mettrez à bouder, à argumenter, à vous défendre avec véhémence, etc. C'est compréhensible. Il est peu probable que vous appreniez ces méthodes en 24 heures et vous n'êtes pas obligé de gagner toutes les batailles. Il est cependant important que vous analysiez ensuite vos erreurs, de manière à déterminer comment vous auriez pu manœuvrer à l'aide de vos nouvelles techniques. Il peut être extrêmement profitable de pouvoir jouer la comédie avec un ami, en reprenant la situation que vous avez vécue de manière à découvrir toute une variété de réponses possibles, jusqu'à ce que vous ayez maîtrisé une méthode qui vous satisfait.

Troisième étape : rétroaction et négociation. Après avoir écouté l'attaquant (en sympathisant avec lui) et l'avoir désarmé en trouvant un moyen d'acquiescer, vous serez alors en mesure d'expliquer votre position et vos sentiments avec tact et fermeté afin de parvenir à un compromis sur vos divergences d'opinions. Imaginons que l'attaquant se trompe complètement. Comment exprimer cela de manière constructive? C'est simple. Vous exprimez votre point de vue objectivement en reconnaissant que vous pourriez avoir tort. Fondez votre attitude sur les faits plutôt que sur la personnalité ou la fierté. Évitez de traiter votre opposant de qualificatifs destructeurs. Souvenez-vous que son erreur ne lui enlève rien de sa valeur, n'en fait ni un imbécile ni un être inférieur. Par exemple, l'une de mes patientes se plaignit un jour d'avoir reçu une facture relative à une séance qu'elle avait déjà payée. Elle m'assaillit d'un «Pourquoi donc ne tenez-vous pas votre comptabilité correctement?» Sachant qu'elle était dans l'erreur, je répondis : «Il est possible que mes écritures soient erronées. Il me semble cependant me souvenir que vous aviez oublié votre carnet de chèques ce jour-là. Bien sûr, je peux me tromper. J'espère que vous nous pardonnerez à tous deux des erreurs occasionnelles. Notre relation n'en sera que plus détendue. Pourquoi ne pas vérifier si vous avez reçu le chèque oblitéré? Ainsi, nous saurons où nous en sommes.»

Dans ce cas précis, mon attitude apaisante lui permit de ne pas perdre la face, tout en évitant une confrontation qui risquait d'être nuisible à son amour-propre. Bien que l'avenir eût prouvé qu'elle avait tort, elle se montra par la suite soulagée que j'eus admis que je pouvais commettre des erreurs. Elle se sentit plus à l'aise avec moi car elle avait eu peur que je sois aussi perfectionniste et aussi exigeant qu'elle envers elle-même.

Parfois, votre opposant et vous serez séparés non par un élément factuel mais par une question de goût. Une fois de plus, vous jouerez gagnant si vous présentez votre point de vue avec diplomatie. Par exemple, j'ai découvert que quel que soit mon style vestimentaire certains patients réagissent positivement, d'autres réagissent négativement. C'est dans un costume ou un veston agrémentés d'une cravate que je suis le plus à mon aise pour travailler. Admettons qu'un patient critique mes vêtements trop formalistes qui lui donnent l'impression que je suis un membre des classes dirigeantes. Après l'avoir interrogé sur les autres caractéristiques de ma personne qui l'indisposent, je pourrais lui répondre : «Je suis d'accord avec vous. Un costume est une tenue formaliste. Vous vous sentiriez peut-être plus à l'aise avec moi si j'adoptais un style vestimentaire plus décontracté. Mais je suis sûr que vous comprendrez qu'après plusieurs expériences vestimentaires j'ai découvert que c'était un costume ou un veston que préféraient mes patients et les personnes avec lesquelles je travaille. C'est pour cette raison que j'ai décidé d'adopter cette tenue. J'espère cependant que vous ne laisserez pas ce petit détail influencer notre travail d'équipe. »

Vous disposez de plusieurs possibilités lorsque vous négociez avec l'adversaire. S'il continue à vous sermonner, reprenant et rabâchant son argument, reprenez et rabâchez votre réponse, poliment mais fermement jusqu'à ce qu'il se lasse. Par exemple, si mon patient continue à insister pour que je cesse de porter des costumes, je pourrai lui expliquer à plusieurs reprises : « Je comprends parfaitement votre point de vue et je sais que vous n'avez pas entièrement tort. Néanmoins, pour le moment, j'ai décidé de continuer à porter une tenue vestimentaire classique. »

Parfois, la solution réside dans le compromis. Vous devrez vous contenter d'une demi-victoire. Mais si vous avez consciencieusement appliqué les techniques de la sympathie avec l'adversaire et de son désarmement, vous obtiendrez probablement plus que vous ne pensez.

Il peut arriver que vous ayez tort et que votre opposant ait raison, auquel cas son respect pour vous bondira d'un pas de géant si vous exprimez avec enthousiasme votre accord avec la critique, remerciez l'autre de vous avoir ainsi renseigné et vous excusez de tout tort que vous lui avez peut-être causé. Voilà qui ressemble étrangement au vieux bon sens, si simple, mais vous serez étonné de constater à quel point la technique est efficace.

Parvenu à ce stade de votre lecture, vous pensez sûrement : « Mais n'est-ce pas mon *droit* de me défendre lorsqu'on me critique ? Pourquoi devrais-je toujours sympathiser avec l'autre ? Après tout, c'est peut-être lui l'imbécile, pas moi ! N'est-ce pas humain de se mettre en colère ? Pourquoi devrais-je constamment chercher à détendre la situation ? »

J'avoue qu'il y a du vrai dans ce que vous vous dites. Vous avez effectivement le droit de vous défendre vigoureusement lorsqu'on vous critique et de vous mettre en colère contre qui vous voulez. En outre, vous avez parfaitement raison de faire remarquer que c'est fréquemment le point de vue du critique qui est faussé, non le vôtre. Ce n'est pas pour rien qu'on dit qu'une «bonne engueulade» éclaircit l'atmosphère. Après tout, puisque l'un de vous est sûrement un crétin, il est préférable que ce soit l'autre. En outre, on ressent un tel soulagement après avoir laissé éclater sa colère!

Beaucoup de psychothérapeutes sont d'accord sur ce point. Freud croyait que la dépression n'était que de la «colère refoulée». En d'autres termes, il estimait que les individus déprimés dirigeaient leur colère vers eux-mêmes. Conformément à cette théorie, beaucoup de thérapeutes exhortent leurs patients à «cerner» leur colère et à l'exprimer le plus souvent possible. Il est fort possible qu'ils considèrent certaines des méthodes décrites dans ce chapitre comme répressives.

La question n'est pas là. Il ne s'agit pas de savoir si vous devez ou non exprimer vos sentiments mais de mettre au point la manière dont vous devez les exprimer. Si votre message est : Je suis en colère parce que vous me critiquez alors que vous n'êtes qu'un abruti», vous empoisonnerez votre relation avec votre interlocuteur. Si vous refusez toute rétroaction négative en vous défendant sur un ton vengeur, vous réduirez à néant toute chance d'interaction positive à l'avenir. Par conséquent, même si votre explosion momentanée de colère vous soulage sur le coup, à longue échéance, c'est vous qui serez perdant puisque vous venez de vous fermer une porte. Vous avez prématurément et inutilement envenimé la situation et perdu l'occasion d'apprendre ce que l'opposant essayait de vous faire savoir. Pire, vous ressentirez peut-être un choc en retour qui se manifestera par un état dépressif et vous vous punirez vous-même de votre accès de colère d'une manière tout à fait disproportionnée.

La technique «anticontradicteur» : Ceux d'entre vous qui enseignent ou qui donnent des conférences trouveront particulièrement utile une application spéciale des techniques décrites dans ce chapitre. J'ai mis au point ma méthode «anticontradicteur» lorsque j'ai commencé à donner des cours à l'université ou à des groupes professionnels sur les recherches en cours sur la dépression. Bien que mes cours soient en général bien accueillis, j'ai parfois l'occasion de constater la présence d'un contradicteur dans l'auditoire. Ses commentaires présentent en général plusieurs caractéristiques : 1) ils sont extrêmement critiques; 2) ils proviennent en général d'une personne qui est mal acceptée ou mal considérée par ses condisciples ou ses collègues; et 3) ils sont exprimés sur un ton hostile, voire insultant.

J'ai donc dû mettre au point une technique particulière afin d'être capable de réduire courtoisement un éventuel raseur au silence et de laisser au reste de l'auditoire la possibilité de poser aussi des questions. J'ai découvert que la méthode suivante est extrêmement efficace : 1) je remercie immédiatement la personne de ses commentaires; 2) j'admets que le point souligné est important; 3) j'insiste sur le fait qu'une plus grande connaissance du sujet s'impose et j'encourage mon critique à poursuivre des recherches pertinentes. Enfin, je l'invite à venir me faire part de son opinion une fois le cours terminé.

Bien que l'on ne soit jamais certain au départ des résultats de telle ou telle technique verbale, j'ai constaté à maintes reprises que cette approche positive manquait rarement son but. Il est fréquemment arrivé qu'un contradicteur vienne, après le cours, me complimenter et me remercier de mes aimables commentaires. C'est parfois le contradicteur qui semble ensuite le plus porté à apprécier mon cours!

Résumé : Les divers principes cognitifs et verbaux de réception des critiques sont résumés dans le diagramme qui suit (tableau 6-2). En règle générale, lorsque quelqu'un vous insulte, vous empruntez immédiatement l'une de ces trois voies : la voie de la colère, la voie de la tristesse, la voie de la satisfaction. Quel que soit votre choix, il fera entrer en jeu tout votre être, vos pensées, vos sentiments, votre comportement, jusqu'à vos fonctions corporelles.

Beaucoup de personnes qui ont une tendance à la dépression choisissent la voie de la tristesse. Vous concluez automatiquement que la critique est justifiée. Sans essayer d'élucider la question, vous décidez que vous avez tort et que vous vous trompez sur votre compte. Vous amplifiez alors l'importance de la critique par une série d'erreurs de jugement. Vous pouvez aussi généraliser à l'excès et conclure à tort que votre vie n'est qu'une longue suite d'erreurs. Vous pouvez aussi vous qualifier de « gaffeur-né ». En raison de votre conception perfectionniste de vous-même, vous vous sentirez probablement convaincu que votre erreur (présumée) révèle que vous n'êtes qu'un bon à rien. À la suite de toutes ces erreurs mentales, vous connaîtrez la dépression et perdrez votre amour-propre. Vos réponses verbales seront molles et passives, caractérisées par un besoin d'éluder les questions et de vous renfermer dans votre coquille.

Vous pouvez aussi choisir la voie de la colère. Vous vous défendez contre l'horreur d'être un être imparfait en essayant de convaincre l'attaquant qu'il est un monstre. Vous refusez obstinément d'admettre toute erreur car, selon vos normes perfectionnistes, cela reviendrait à admettre que vous n'êtes qu'une larve incompétente. Par conséquent, vous lancez des accusations à la tête de votre interlocuteur, en fonction du principe que la meilleure défense est l'attaque. Votre rythme cardiaque s'accélère, vos hormones se précipitent dans votre sang, tandis que vous vous préparez à la bagarre. Chaque muscle se raidit, les mâchoires se contractent. Vous ressentez peut-être une euphorie passagère

TABLEAU 6-2

Trois réactions possibles face à la critique : En fonction de ce que vous ressentez, vous choisirez la tristesse, la colère ou la satisfaction. Votre comportement sera fortement influencé par votre état mental et, à son tour, influencera l'aboutissement négatif ou positif de la crise.

RECEVOIR LA CRITIQUE :

Votre patron vous dit :

« Depuis peu, vous négligez votre travail et commettez des gaffes. »

Réaction : Je suis un bon à rien.

Pensée :
« Je fais toujours des bêtises.
Je suis nul. »

Sentiment :
Tristesse
Anxiété

Comportement :
Isolement
Apitoiement
Défaitisme

Résultat :
Vous restez couché, fuyez le travail, vous déprimez. Vous vous enfoncez dans les sables mouvants de la dépression. Au travail, on vous donne un ultimatum.

Réaction : Vous êtes un bon à rien.

Pensée :
« Cette vieille peau de vache en a encore après moi. »

Sentiment :
Colère
Frustration

Comportement :
Échange d'accusation et d'obscénités

Résultat :
Vous êtes immédiatement mis à la porte. Vous enragez pendant deux jours en vous disant que le monde est pourri. Vous n'avez rien appris et avez empoisonné votre relation avec votre patron.

Réaction : J'ai de l'amour-propre.

Pensée :
« Voici ma chance d'apprendre et de m'améliorer. »

Sentiment :
Sécurité

Comportement :
Vous demandez :
« Quelles gaffes ai-je commises ? »

Résultat :
Le problème est défini, une solution est proposée. Votre amour-propre est intact et votre humeur s'éclaircit. Le patron est satisfait de l'accueil que sa critique a reçu.

tandis que vous extériorisez votre vertueuse indignation. Vous allez prouver à l'autre qu'il n'est qu'un idiot. Malheureusement, il n'est pas d'accord et, à long terme, votre explosion fera de vous le perdant puisque vous avez empoisonné vos relations.

La troisième possibilité suppose, soit que vous ayez de l'amour-propre, soit que vous vouliez donner l'impression que vous en avez. Elle est fondée sur l'hypothèse que vous êtes un être d'une valeur tout à fait respectable mais que vous n'éprouvez pas le besoin d'être parfait. Lorsqu'on vous critique, votre première réaction est l'interrogation. La critique contiendrait-elle une parcelle de vérité? Qu'avez-vous donc fait au juste? Avez-vous vraiment commis des gaffes?

Ayant cerné le problème en posant une série de questions impartiales, vous êtes en mesure de proposer une solution. Si un compromis semble indiqué, vous pouvez négocier. Si vous aviez vraiment tort, faites amende honorable. Si la critique est injustifiée, faites-le remarquer avec tact à son auteur. Mais que votre comportement passé ait ou non laissé à désirer, vous saurez que votre réaction est la bonne parce qu'elle signifie que vous avez enfin compris que votre amour-propre n'a jamais été vraiment en cause.

Chapitre 7

Vous êtes en colère ?
Quel est donc votre QI ?

Quel est votre QI ? Ce n'est pas à votre quotient intellectuel que je m'intéresse car il n'a qu'un rapport infime, voire nul, avec votre faculté d'être heureux. C'est à votre quotient d'irritabilité. Je veux parler du degré de colère et d'agacement que vous absorbez et gardez en vous pendant le déroulement de votre vie quotidienne. Si votre QI est particulièrement élevé, vous vous trouvez en position d'infériorité parce que vous réagissez à l'excès face aux causes de frustration ou de déception, créant des sentiments de rancune qui assombrissent votre tempérament et font de votre vie une lutte permanente des plus affligeantes.

Voici comment mesurer votre QI. Lisez les 25 situations potentiellement irritantes qui sont énumérées ci-dessous. Dans l'espace prévu à cet effet, estimez le degré de colère qu'elles provoquent généralement en vous, en utilisant cette échelle d'évaluation très simple :

0 : Vous vous sentez peu ou pas irrité(e).

1 : Vous vous sentez légèrement irrité(e).

2 : Vous êtes modérément en colère.

3 : Vous êtes très en colère.

4 : Vous êtes furieux(se).

Exemple : Vous allez en voiture chercher un ami à l'aéroport et vous êtes obligé d'attendre le passage d'un long train de marchandises _____

La personne qui a répondu à cette question a jugé que sa réaction correspondait au numéro 2 : une légère irritation qui disparaîtrait rapidement après le passage du train. Pour décrire la manière dont vous réagissez aux situations ci-dessous, fondez-vous sur votre attitude habituelle même si des détails importants sont omis de la question. Par exemple, si votre journée a été difficile ou non, quelles sont les personnes concernées, etc.

Échelle d'irritabilité de Novaco [1]

1. Vous déballez un appareil que vous venez d'acheter, vous le branchez et vous vous apercevez qu'il ne marche pas _____
2. Vous recevez une facture excessive d'un réparateur _____
3. C'est vous que l'on réprimande tandis que les actes des autres passent inaperçus _____
4. Votre voiture reste prise dans la boue ou dans la neige _____
5. Vous parlez à quelqu'un qui ne vous répond pas _____
6. Quelqu'un prétend être ce qu'il n'est pas _____
7. Tandis que vous transportez quatre tasses de café jusqu'à votre table dans une cafétéria, un quidam vous cogne et le café se renverse _____
8. Vous avez suspendu vos vêtements mais quelqu'un les fait tomber en passant et omet de les ramasser _____
9. Vous êtes harcelé(e) par un vendeur dès que vous entrez dans un magasin _____

---

1. Cette échelle a été élaborée par le Dr Raymond Novaco, du Programme d'écologie sociale de l'Université de Californie, à Irvine. Nous en reproduisons ici une partie avec sa permission. L'échelle complète contient 80 rubriques.

10. Vous avez pris vos dispositions pour vous rendre quelque part avec quelqu'un qui vous laisse choir à la dernière minute _____

11. Quelqu'un vous taquine _____

12. Votre voiture cale à un feu de circulation et le conducteur qui vous suit se met à klaxonner _____

13. Vous faites une mauvaise manœuvre dans un stationnement public. Dès que vous émergez de votre voiture quelqu'un s'exclame : «Mais où avez-vous donc appris à conduire?» _____

14. Quelqu'un commet une erreur et en rejette le blâme sur vous _____

15. Vous essayez de vous concentrer mais votre voisin tapote continuellement le sol du pied _____

16. Vous prêtez un livre ou un outil important que l'on ne vous rend pas _____

17. Vous avez eu une journée harassante et la personne avec laquelle vous vivez se plaint que vous avez oublié de faire quelque chose d'important, malgré votre promesse _____

18. Vous essayez de discuter d'un point important avec votre compagnon ou partenaire qui ne vous laisse pas la possibilité de vous exprimer _____

19. Vous discutez avec quelqu'un qui parle d'un sujet qu'il connaît très mal _____

20. Quelqu'un intervient dans votre discussion avec quelqu'un d'autre _____

21. Vous êtes pressé(e) mais la voiture qui vous précède roule à 40 km/h dans une zone où la limite maximale est 70 km/h et vous ne pouvez pas la dépasser _____

22. Vous marchez sur un morceau de *chewing-gum* _____

23. Un groupe de gens se moque de vous lorsque vous passez à proximité _____

24. Vous êtes pressé(e) et vous déchirez votre beau pantalon en l'accrochant à un objet pointu _____

25. Vous utilisez votre dernière pièce de monnaie pour téléphoner mais la communication est coupée avant que vous ayez achevé de composer le numéro et votre pièce est perdue _____

Vous êtes maintenant en mesure de calculer votre QI ou quotient d'irritabilité. Assurez-vous que vous avez répondu à toutes les questions. Faites la somme des points obtenus. Le total le plus faible que vous puissiez obtenir est zéro. Il signifie évidemment que vous avez choisi de répondre par « zéro » à chaque question et que vous êtes soit un menteur, soit un gourou. Le total le plus élevé est 100. Il signifie que vous avez répondu par « 4 » à chaque question et que vous vivez dans un état permanent d'emportement.

Interprétez maintenant votre total en fonction de l'échelle suivante :

– entre 0 et 45 : Le degré de colère et d'agacement que vous ressentez en général est remarquablement faible. Un très petit pourcentage de la population entre dans cette catégorie. Vous faites partie des quelques élus.

– entre 45 et 55 : Dans l'ensemble, vous êtes d'un tempérament plus pacifique que la majorité des gens.

– entre 56 et 75 : Vous réagissez aux désagréments de l'existence par un degré de colère moyen.

– entre 76 et 85 : Vous réagissez fréquemment par la colère aux nombreux désagréments de la vie. Vous êtes beaucoup plus irritable que la majorité des gens.

– entre 85 et 100 : Vous êtes un véritable champion de la colère et des réflexes furieux très puissants vous accablent. Votre rancune est tenace.

Vous continuez à ressentir des sentiments négatifs longtemps après l'insulte initiale. Vous avez la réputation d'être emporté et soupe au lait. Il est possible que vous souffriez fréquemment de céphalalgies causées par la tension dans laquelle vous vivez ainsi que d'hypertension artérielle. L'intensité de votre colère vous fait souvent perdre toute maîtrise de vous-même, provoquant des explosions hostiles qui vous créent parfois des ennuis. Un très faible pourcentage de la population réagit aussi violemment que vous.

Maintenant que vous savez quel est votre quotient d'irritabilité, voyons comment vous pouvez le faire diminuer. Selon les conceptions traditionnelles, les psychothérapeutes (et le public) identifient deux manières fondamentales de réagir face à la critique : a) la colère orientée vers l'intérieur; b) la colère orientée vers l'extérieur. La première solution est considérée comme «malsaine». Vous intériorisez votre agression et absorbez la rancune comme une éponge. Son effet corrosif vous conduit à la culpabilité et à la dépression. Les premiers psychanalystes, tels que Freud, pensaient que la colère intériorisée était à l'origine de la dépression. Malheureusement, aucune preuve convaincante ne vient étayer cette hypothèse.

La deuxième solution est considérée comme «saine». Vous exprimez votre colère, vous aérez votre rancune, vous êtes censé vous sentir soulagé ensuite. L'inconvénient de cette démarche simpliste est qu'elle n'est pas très efficace. Si vous passez votre temps à extérioriser votre colère, il est fort probable que vos semblables finiront par vous considérer comme un fou ou un détraqué. En outre, vous deviendrez incapable d'avoir des rapports dépourvus de colère avec les autres êtres humains.

La solution cognitive transcende ces deux solutions : Elle vous en offre une troisième. Ne créez plus votre propre colère. Vous n'aurez plus à choisir entre son intériorisation ou son extériorisation puisqu'elle n'existera plus!

Dans ce chapitre, j'ai défini des lignes directrices qui doivent vous aider à évaluer les avantages et les inconvénients de se laisser aller à la colère dans diverses situations, afin que vous puissiez décider vous-même à quel moment la colère est ou n'est pas la meilleure stratégie d'autodéfense. Si vous le voulez, vous pouvez apprendre à maîtriser vos sentiments. Vous cesserez progressivement d'être accablé par l'irritabilité et la frustration excessives qui gâchent inutilement votre vie.

Qui vous met en colère, au juste?

« Les gens ! »

« Merde ! »

« J'en ai marre des gens ! »

« J'ai besoin de vacances pour ne plus les voir ! »

La femme qui inscrivit ces pensées à 2 heures du matin ne pouvait pas s'endormir. Comment ses voisins pouvaient-ils être aussi bruyants ? Comme elle, je parie que vous pensez que ce sont les actes irréfléchis, égocentriques des autres qui vous mettent en colère.

Il est naturel de croire que ce sont les événements extérieurs qui vous irritent. Lorsque vous êtes en colère contre quelqu'un, vous faites de cette personne la cause de tous vos sentiments négatifs. Vous dites : « Tu m'énerves, tu me portes sur les nerfs. » Lorsque vous pensez ainsi, vous vous trompez vous-même car les autres n'ont pas la faculté de vous mettre en colère. Mais oui, vous m'avez parfaitement compris. Un adolescent effronté vient se planter devant vous dans une queue, à l'entrée d'un cinéma. Un escroc vous vend une fausse pièce de monnaie ancienne dans un magasin d'antiquités. Un « ami » vous dépouille de votre part à la suite d'un contrat profitable. Votre petit ami est toujours en retard bien qu'il sache que la ponctualité est très importante pour vous. Aussi insultante, aussi injuste que l'attitude des autres puisse vous paraître, elle ne peut vous irriter et ne vous irritera jamais. La vérité est malheureusement que vous créez vous-même chaque parcelle de colère que vous ressentez.

Cela vous paraît être une hérésie ou simplement une ineptie. Si vous croyez que je nie l'évidence, vous avez peut-être envie de jeter ce livre dans le feu ou de le projeter contre le mur. Si tel est le cas, je vous défie de continuer à le lire parce que…

… La colère, comme tous les sentiments, est créée par votre cognition. La relation entre votre colère et vos pensées est illustrée par le tableau 7-1. Vous remarquerez qu'avant de pouvoir nous sentir irrités par quelque chose, nous devons d'abord prendre conscience de ce qui arrive et l'interpréter à notre manière. Nos sentiments résultent de la signification que nous donnons à l'événement et non de l'événement même.

TABLEAU 7-1

Ce ne sont pas les événements négatifs mais vos perceptions et pensées qui engendrent votre réaction émotive.

Événements extérieurs (que vous ne maîtrisez pas)	*Événements intérieurs* (que vous pouvez maîtriser)
Les actes des autres	Les pensées « C'est injuste ! » « Quel salaud ! » « Je ne me laisserai pas faire ! »

Le comportement	*Les sentiments*
Vous vous débarrassez de l'autre par quelques mots blessants. Vous avez l'intention de faire match nul avec votre adversaire.	Colère, frustration, crainte, culpabilité.

Par exemple, supposons qu'après une journée harassante vous placiez votre bambin de deux ans dans son lit pour la nuit. Vous fermez la porte de sa chambre et vous installez confortablement devant la télévision. Dix minutes plus tard, ledit bambin ouvre soudain la porte de sa chambre et sort en riant sous cape. Vous pouvez réagir de plusieurs façons, selon la signification que vous attachez à l'événement. Si vous êtes irrité, vous vous direz probablement : «Oh! mon Dieu, il faut toujours qu'il fasse une bêtise Pourquoi ne peut-il pas rester tranquillement dans son lit? Il ne me laisse pas une minute de répit!» En revanche, vous pourriez tout aussi bien être enchanté de le voir apparaître : «Merveilleux! Il a réussi à descendre tout seul de son lit pour la première fois! Il grandit et devient plus indépendant.» L'événement est exactement le même. Votre réaction émotive est entièrement déterminée par la manière dont vous réagissez à l'événement.

Je crois deviner ce que vous pensez maintenant : «Cet exemple du bébé n'est pas pertinent. Lorsque je me mets en colère, c'est parce qu'on m'a provoqué. Le monde est rempli d'injustice et de cruauté. Je ne vois pas comment je pourrais penser à tous les torts qu'on me fait à longueur de journée sans me mettre en colère. Cherchez-vous à pratiquer une lobotomie sur moi afin de me transformer en zombie? NON, MERCI!»

Vous avez certainement raison de penser que des événements réellement négatifs ont lieu chaque jour mais vos sentiments sont créés par l'interprétation que vous en faites. Étudiez soigneusement ces interprétations car la colère peut être une arme à double tranchant. Les conséquences d'une flambée impulsive de colère risquent de vous nuire, à longue échéance. Même si vous avez réellement été victime d'une injustice, il n'est peut-être pas avantageux pour vous de céder à la colère. La douleur que vous allez vous infliger risque d'excéder de beaucoup le choc de l'insulte initiale. Comme l'a fait remarquer la gérante d'un restaurant : «Bien sûr, j'ai le droit de me laisser aller à un accès de fureur. L'autre jour, j'ai constaté que les chefs avaient oublié de commander du jambon malgré mes recommandations à cet effet. J'ai explosé en lançant un chaudron plein de soupe chaude à travers la cuisine. Dix minutes plus tard, j'ai compris que j'avais agi comme la pire des idiotes. Bien entendu, je me refusais à l'admettre et j'ai passé les 48 heures suivantes à essayer de me persuader que j'avais réellement le droit de me conduire comme une idiote en face de vingt employés. Ça n'en valait vraiment pas la peine ! »

Très souvent, votre colère est provoquée par de subtiles distorsions cognitives. Comme dans le cas de la dépression, beaucoup de vos perceptions sont faussées, subjectives ou simplement erronées. En apprenant à les remplacer par des pensées plus réalistes et plus fonctionnelles, vous vous sentirez moins irrité et acquerrez une plus grande maîtrise de vous-même.

Quels types de distorsions se produisent le plus souvent lorsque vous êtes irrité ? L'étiquetage survient le plus souvent : Lorsque vous qualifiez la personne concernée de « crétin », « abruti », « merdeux », vous la voyez de manière totalement négative. Vous pourriez appeler cette forme de généralisation excessive « universalisation » ou « création de monstres ». Il est possible que quelqu'un ait véritablement trahi votre confiance, auquel cas il est parfaitement normal de vous sentir irrité. En revanche, lorsque vous lui apposez une étiquette, vous dirigez votre colère vers ce que vous pensez qu'il est en réalité.

Lorsque vous étiquetez ainsi les gens, vous cataloguez dans votre esprit tout ce que vous n'aimez pas chez eux (filtre mental) en ignorant ou négligeant leurs côtés favorables (disqualification du positif). C'est ainsi que vous érigez une fausse cible pour votre colère. En réalité, chaque être humain est un mélange complexe de côtés positifs, négatifs et neutres.

L'étiquetage dénote un mode de pensée faussé qui provoque chez vous une indignation et un sentiment de supériorité injustifiés. Il est destructeur d'essayer de rehausser votre image par ce moyen. L'étiquetage vous conduit inévitablement à vouloir blâmer l'autre. Votre soif de représailles intensifie le conflit et fait ressortir des sentiments semblables chez votre adversaire. Ce qui signifie que l'étiquetage est prophétique : Vous polarisez les sentiments de l'autre et vous êtes responsable d'un état de guerre entre vous et lui.

Quel est exactement l'enjeu de la bagarre ? Vous vous trouvez engagé dans la défense de votre amour-propre. L'autre vous a peut-être menacé en vous insultant ou en vous critiquant, en ne vous aimant pas ou en ne partageant pas vos idées. Par conséquent, vous avez l'impression d'être engagé dans un duel à mort dans lequel votre honneur est en jeu. L'inconvénient est que l'autre personne n'est certainement pas l'imbécile irrécupérable que vous croyez. En outre, vous ne pouvez rehausser votre amour-propre en dénigrant quelqu'un d'autre, même si cela vous procure une satisfaction passagère. En fin de compte, seules vos pensées négatives, faussées, peuvent vous faire perdre votre amour-propre, comme je l'ai expliqué au chapitre 4. Il n'y a qu'une seule personne au monde qui détient la faculté de menacer votre amour-propre : c'est vous. Le sentiment de votre valeur personnelle ne peut baisser que si vous vous abaissez vous-même. La seule solution consiste à mettre un terme à votre absurde raisonnement intérieur.

Une autre distorsion caractéristique des pensées créatrices de colère est la lecture des pensées des autres : Vous inventez des motifs qui expliquent, selon vous, les actes de l'autre. Ces hypothèses sont fréquemment erronées car elles ne reposent pas sur les véritables pensées et perceptions qui motivent l'autre. Aveuglé par votre indignation, vous ne pensez pas à vérifier le bien-fondé de ce que vous imaginez.

Les explications habituelles que vous fournissez au comportement de l'autre sont : « Il a des tendances mesquines », « Elle est injuste », « Il est comme ça, c'est tout », « Elle est stupide », « Quels affreux voyous », etc. L'inconvénient de ces prétendues explications est qu'elles ne sont que des étiquettes supplémentaires qui

ne contiennent aucune donnée valide. En fait, elles sont carrément trompeuses.

Voici un exemple. Joan se mit en colère lorsque son mari lui
déclara qu'il préférait regarder le match de football dominical à la
télévision plutôt que l'accompagner à un concert. Elle se sentit
irritée parce qu'elle se dit : « Il ne m'aime pas. Il parvient toujours
à faire ses quatre volontés. C'est injuste. »

L'interprétation de Joan n'est pas valide. Son mari l'aime.
Il ne fait pas toujours ses quatre volontés et il n'est pas intentionnellement injuste. Ce dimanche, les Cowboys de Dallas talonnent
les Steelers de Pittsburgh et il veut vraiment regarder le match. Il
n'a pas la moindre intention de s'habiller pour aller à un concert.

Lorsque Joan pense aux motivations de son mari de manière
aussi illogique, elle crée deux problèmes pour le prix d'un seul.
Elle doit se battre avec l'illusion qu'elle n'est pas aimée, qui se
superpose au chagrin d'aller seule au concert.

La troisième forme de distorsion qui conduit à la colère est
l'amplification. Si vous exagérez l'importance de l'événement
négatif, l'intensité et la durée de votre réaction risquent de perdre
toutes proportions. Par exemple, si vous attendez un autobus en
retard alors que vous avez un rendez-vous important, vous
risquez de vous dire : « C'est absolument intolérable ! » N'est-ce pas
légèrement exagéré ? Puisque vous êtes en train de le tolérer de toute
façon, pourquoi vous répéter que c'est intolérable ? Attendre un
autobus qui ne vient pas est suffisamment ennuyeux sans qu'en
plus vous vous créiez d'autres problèmes et vous apitoyiez sur votre
sort. Avez-vous vraiment envie de vous mettre dans cet état ?

Les « devrait » et « ne devrait pas » mal à propos représentent le
quatrième type de distorsion qui alimente votre colère. Lorsque vous
estimez que les actes de quelqu'un vous déplaisent, vous vous dites
que cette personne ne « devrait pas » agir ainsi ou « devrait » faire
quelque chose qu'elle ne fait pas. Par exemple, admettons qu'en
arrivant dans un hôtel vous vous aperceviez que le personnel a

perdu toute trace de votre réservation et qu'il n'y a plus de chambre disponible. Vous insistez furieusement. « Cela n'aurait jamais dû arriver, ces réceptionnistes sont tous des imbéciles ! »

Est-ce véritablement la privation qui cause votre colère ? Non. La privation peut seulement engendrer un sentiment de perte, une déception, l'ennui d'avoir à prendre d'autres dispositions. Avant de ressentir de la colère, vous devez conclure que vous avez droit à ce que vous réclamez. Par conséquent, vous considérez l'erreur administrative du réceptionniste de l'hôtel comme une injustice. Cette perception conduit à la colère.

Et puis après ? Voyez-vous, lorsque vous déclarez que les employés n'auraient pas dû commettre cette erreur, vous faites naître en vous un sentiment de frustration inutile. Il est dommage que votre réservation ait été perdue mais il est improbable que quelqu'un ait intentionnellement voulu vous priver de chambre. Il est également douteux que tous les réceptionnistes soient des imbéciles. Pourtant, ils ont commis une erreur. Lorsque vous recherchez la perfection chez les autres, c'est vous que vous rendez malheureux et prisonnier de votre comportement. Car voici où le bât blesse : Votre colère ne provoquera certainement pas l'apparition miraculeuse d'une chambre libre et le désagrément de vous rendre jusqu'à l'hôtel voisin serait bien moindre que la souffrance que vous vous infligez en boudant pendant des heures ou des jours à propos de votre réservation perdue.

Les affirmations irrationnelles qui contiennent des « devrait » reposent sur l'hypothèse que vous avez en tout temps droit à une gratification immédiate. C'est pourquoi, chaque fois que vous n'obtenez pas ce que vous voulez, vous entrez dans une colère noire ou êtes la proie de la panique, parce que vous pensez qu'à moins d'obtenir X vous mourrez ou serez tragiquement privé de bonheur à tout jamais (X représentant l'amour, l'affection, une position enviable, le respect, la ponctualité, la perfection, la gentillesse, etc.). L'insistance de vouloir obtenir constamment une gratification immédiate est la base de beaucoup de colères destructrices. Les personnes portées à la colère formulent souvent leurs désirs en termes moralisateurs tels que : «Si je me montre gentil envers un tel, il *devra* se montrer reconnaissant.»

Cependant, les autres ont aussi leur propre volonté. Ils pensent et agissent d'une manière qui ne vous agrée pas. Vous aurez beau les exhorter de se conformer à vos désirs, vous ne parviendrez jamais à vos fins. Au contraire, vos tentatives de coercition et de manipulation des autres par vos exigences coléreuses les dresseront contre vous et leur ôteront toute envie de vous plaire. Les autres n'aiment pas plus être commandés ou dominés que vous. Votre colère limitera simplement les possibilités de résolution positive du problème.

C'est la perception de l'injustice qui provoque en définitive la plupart, voire la totalité, des accès de colère. Il est de fait que nous pourrions définir la colère comme le sentiment qui correspond avec la plus parfaite exactitude à votre croyance que vous êtes injustement traité.

Nous arrivons maintenant à une vérité que vous accueillerez soit comme une amère pilule, soit comme une révélation. Il n'existe pas de notion universellement acceptée d'équité et de justice. Il existe indéniablement une relativité de la justice, comparable à la relativité du temps et de l'espace démontrée par Einstein, qui a postulé qu'il n'existait pas de temps absolu, valide dans tout l'Univers, postulat qui a été validé par l'expérience depuis. Le temps peut sembler s'accélérer ou ralentir; il est relatif à la conception de l'observateur. Parallèlement, la justice absolue n'existe pas. La «justice» est aussi relative à l'observateur et ce qui paraît juste à l'un peut paraître injuste à l'autre. Même les règles sociales et les restrictions d'ordre moral qui sont acceptées par une culture peuvent varier dans des proportions non négligeables lorsqu'on passe à une autre culture. Que vous protestiez que votre propre système moral est universel n'y change rien. Vous avez tort.

En voici la preuve : Lorsqu'un lion dévore un mouton, est-ce injuste ? Du point de vue du mouton, c'est certainement injuste. Il est méchamment et intentionnellement assassiné sans provocation. Du point de vue du lion, en revanche, c'est parfaitement juste. Il a faim et le mouton représente le pain quotidien auquel il a droit. Qui a raison ? Il n'existe pas de réponse définitive ou universelle à cette question parce que la notion de justice universelle n'est pas là pour nous tirer d'embarras. En réalité, la justice n'est qu'une interprétation perceptuelle, une abstraction, une notion qui ne repose sur rien. Lorsque vous mangez un hamburger, estimez-vous que c'est injuste ? Certainement pas. Du point de vue de la vache, c'est – ou du moins c'était – injuste. Qui a raison ? Personne ne vous donnera de réponse.

En dépit du fait que la justice absolue n'existe pas, les codes moraux, sociaux et personnels sont importants et utiles. Je ne recommande certes pas l'anarchie. Je veux simplement dire que les affirmations et jugements moraux à propos de la justice sont des conventions, non des faits objectifs. Les systèmes sociaux d'ordre moral, tels que les dix commandements du christianisme, sont essentiellement des ensembles de règles que les groupes décident de respecter. L'un des fondement de ces systèmes est la conception éclairée que chaque membre du groupe a de son intérêt personnel. En effet, si vous agissez de manière à négliger les sentiments et intérêts des autres membres, votre bonheur en pâtira probablement car ils vous rendront tôt ou tard la monnaie de votre pièce, lorsqu'ils s'apercevront que vous profitez d'eux.

Tout système qui définit la justice varie en fonction du nombre de personnes qui l'acceptent. Lorsqu'une règle de comportement est propre à une seule personne, les autres risquent de la considérer comme une manifestation d'excentricité. Je puis vous donner comme exemple l'un de mes patients qui se lave rituellement les mains plus de 50 fois par jour pour «mettre tout en ordre» et éviter les sentiments extrêmes de culpabilité et d'anxiété. Lorsqu'une règle est quasi universellement acceptée, elle devient partie intégrante d'un code moral général et peut être annexée par la législation. Par exemple, pensez à l'interdiction de tuer son prochain. Néanmoins, nul degré d'acceptation générale ne peut rendre ces systèmes «absolus» ou «suprêmement valides» pour tous, dans toutes les circonstances.

Une grande part de l'irritabilité quotidienne résulte de la confusion entre nos propres désirs et les codes moraux qui s'appliquent à tout le monde. Lorsque vous vous emportez contre quelqu'un sous prétexte que cette personne a agi «injustement», il se trouve en réalité que le coupable a agi «avec justice» en fonction d'un ensemble de normes et d'un cadre de référence qui diffère du vôtre. Vous jugez qu'il a agi injustement envers vous parce que vous présumez que votre vision des choses est universellement acceptée. Pour que cela soit le cas, il faudrait que nous soyons tous identiques. Lorsque vous oubliez ce détail en blâmant l'autre, vous envenimez inutilement votre relation car votre adversaire se sentira insulté et voudra se défendre. Vous serez alors tous deux prisonniers d'un conflit stérile, chacun cherchant à avoir raison. Tout le problème repose sur l'illusion de justice absolue.

Votre conception de la justice est un sophisme qui régit le déclenchement de votre colère. Bien que vous soyez convaincu que l'autre agit injustement, vous devez bien vous rendre compte qu'il n'agit qu'en fonction de son propre système de valeurs, non du vôtre. Il est probable que son attitude contestable lui paraît tout à fait équitable et raisonnable. Par conséquent, son point de vue, qui est sa seule source de référence, est que ce qu'il fait n'a rien d'injuste. Ne désirez-vous pas que les autres agissent avec justice? Dans ce cas, vous devez désirer que cette personne agisse comme il le fait, même si ses actes vous déplaisent, puisqu'ils sont justes, d'après son propre système de valeurs! Vous pouvez essayer de la convaincre de modifier son comportement, ses normes et ses actes mais, en attendant, vous devez prendre des mesures pour vous assurer que vous ne pâtirez pas de ses agissements. En revanche, lorsque vous vous dites : «Il est injuste», vous vous abusez et courez après des chimères.

Cela signifie-t-il que toute colère est inutile et que les notions de justice et de moralité le sont également parce qu'elles sont relatives? Certains auteurs populaires en donnent certainement l'impression. Le Dr Wayne Dyer écrit ce qui suit :

> «Nous sommes conditionnés à rechercher la justice dans l'existence et quand nous ne la trouvons pas nous nous indignons, nous sommes anxieux, nous nous sentons frustrés. En vérité, il serait tout aussi fructueux de se mettre en quête de la fontaine de Jouvence ou n'importe quel Graal mythique. La justice n'existe pas. Elle n'a jamais existé, elle n'existera jamais. Pour la bonne raison que le monde est ainsi. Les moineaux mangent les vers. Ce n'est pas juste pour les vers… Il suffit de regarder la nature pour se rendre compte que le monde ignore la justice. Les ouragans, les inondations, les raz-de-marée, les sécheresses sont injustes[2]… »

Cette position représente l'extrême inverse. C'est un exemple de pensée «tout-ou-rien». Exactement comme si vous vous disiez : «Jetons donc nos montres et horloges aux orties puisque Einstein a démontré que le temps absolu n'existe pas!» Les notions de temps et de justice ont une utilité sociale, même si elles n'existent pas dans l'absolu.

En sus d'affirmer que la notion de justice est une illusion, le Dr Dyer semble suggérer que toute colère est inutile :

> «Il se peut que vous considériez que la colère est inhérente à votre façon de vivre mais admettrez-vous qu'elle ne sert à rien?… Elle n'est pas un attribut fatal et, s'agissant de la conquête du bonheur

2. DYER, Wayne W. *Your Erroneous Zones*. Avon Books, New York, 1977. Traduction française de M. Deutsch, *Vos zones erronées*. Tchou, Paris, 1977.

et de l'accomplissement de soi, elle n'est d'aucun secours… Parce que, et c'est là toute l'ironie de la chose, la colère est impuissante à changer le comportement des autres[3]. »

De nouveau, ses arguments sont fondés sur des distorsions cognitives. Dire que la colère ne sert absolument à rien n'est qu'une manifestation de pensée «tout-ou-rien» et dire qu'elle n'atteint jamais son but est une généralisation excessive. En réalité, la colère peut être adaptative et productive dans certaines situations. Par conséquent, la question importante n'est pas «Devrais-je ou non ressentir de la colère?» mais plutôt «Jusqu'où faut-il aller?»

Les deux principes directeurs suivants vous aideront à déterminer si votre colère est productive ou non. Ils peuvent vous aider à synthétiser ce que vous pensez et vous permettre d'élaborer votre propre philosophie de la colère :

1° Ma colère est-elle dirigée vers quelqu'un qui a intentionnellement et inutilement voulu me blesser?

2° Ma colère est-elle utile? M'aidera-t-elle a atteindre mon but ou me détruira-t-elle?

Voici un exemple : Vous jouez au basket-ball et un joueur adverse vous donne intentionnellement un coup de coude dans l'estomac pour vous mettre hors jeu. Vous pouvez alors canaliser votre colère vers une voie productive qui vous incitera à jouer un jeu plus serré et vous permettra de remporter la victoire. Jusqu'ici, votre colère est adaptative[4]. Une fois la partie terminée, vous n'avez plus besoin de cette colère. Elle devient inadaptative. Supposons que votre enfant de trois ans se précipite dans la rue sans réfléchir. Il n'agit pas intentionnellement pour vous causer du souci. Néanmoins, votre colère est adaptative. Le ton irrité de

---

3. *Ibid.*
4. Adaptatif : signifie «utile et enrichissant». Inadaptatif signifie «inutile et destructeur». (Note de l'auteur).

votre voix lui transmet un message d'alarme qui ne lui parviendrait peut-être pas si vous régliez l'incident avec calme et objectivité. Dans ces deux situations, vous avez choisi de vous laisser aller à une colère entièrement contrôlée. Les effets adaptatifs et positifs de la colère la différencient de l'hostilité, qui est impulsive, incontrôlée et conduit à l'agression.

Admettons que vous soyez considérablement irrité par la violence gratuite qui est décrite dans les articles des journaux. En l'occurrence, l'acte de violence paraît clairement blessant et immoral. Néanmoins, votre colère n'est pas adaptative car, comme c'est généralement le cas, vous n'avez pas l'intention de faire quoi que ce soit pour remédier à la situation qui vous irrite. Si vous décidiez d'aider les victimes ou d'entreprendre une campagne de lutte contre la criminalité, votre colère serait adaptative.

En gardant à l'esprit les deux critères ci-dessus, passez maintenant à la série de méthodes que vous pouvez utiliser pour réduire votre colère dans les situations où elle va à l'encontre de votre intérêt.

Acquérez le désir de réduire votre colère. La colère est peut-être le sentiment le plus difficile à maîtriser car, lorsque vous y cédez, vous êtes comme un bouledogue furieux. Il devient alors extrêmement difficile de vous persuader de lâcher la jambe dans laquelle vous avez enfoncé vos canines. Vous n'avez pas véritablement envie de vous débarrasser de ces sentiments parce que le désir de vengeance vous dévore. Après tout, puisque la colère est provoquée par ce que vous percevez comme une injustice, c'est un sentiment moral dont vous hésiterez longtemps à vous débarrasser. Vous ressentirez une envie quasi irrésistible de défendre et de justifier votre colère avec un zèle religieux. Vous aurez besoin d'une volonté puissante pour combattre cette attitude. Alors, à quoi bon?

Première étape : Utilisez la technique du tableau à deux colonnes pour dresser la liste des avantages et des inconvénients de la colère et des représailles. Prenez en considération les conséquences à longue et à brève échéance de votre colère. Relisez la liste et demandez-vous quels sont les plus importants : les avantages ou les inconvénients ? Cela vous aidera à déterminer si votre ressentiment coïncide réellement avec votre intérêt. Puisqu'en définitive c'est notre intérêt personnel qui est notre guide le plus fiable, vous aurez peut-être ouvert la voie à une attitude plus pacifique et plus productive.

Voici comment cela se passe. Sue, âgée de 31 ans, a 2 enfants d'un premier mariage. Son mari, John, est un avocat très travailleur. Il a une fille adolescente d'un premier mariage également. Le temps libre de John étant compté, Sue se sent fréquemment délaissée, irritée. Elle m'a dit qu'elle avait l'impression de ne pas profiter équitablement de son mariage parce que John ne lui accordait pas assez de temps et d'attention. Elle a dressé la liste des avantages et des inconvénients de son irritabilité (tableau 7-2). Elle a également dressé la liste des conséquences éventuelles de la disparition de sa colère :

1° Les gens m'aimeront davantage, ils rechercheront ma compagnie.

2° Mon comportement sera plus prévisible.

3° Je me maîtriserai mieux.

4° Je serai plus détendue.

5° Je me sentirai mieux dans ma peau.

6° Je serai considérée comme une personne positive, impartiale, pratique.

7° Je me conduirai plus souvent comme une adulte que comme une enfant gâtée.

8° Mon influence sur les gens sera plus grande et j'obtiendrai plus facilement ce que je désire grâce à des négociations affirmatives, calmes et rationnelles qu'à des caprices et des exigences stupides.

9° Mes enfants, mon mari et mes parents me respecteront plus.

TABLEAU 7-2

Analyse coût-bénéfices de la colère.

Les avantages de ma colère	Les inconvénients de ma colère
1. Je me sens bien.	1. J'empoisonnerai davantage mes relations avec John.
2. John comprendra que je n'apprécie guère son comportement.	2. Il aura envie de me rejeter.
3. J'ai le droit de me mettre en colère si j'en ai envie.	3. Je me sentirai souvent coupable après un accès de colère.
4. Il saura que je ne suis pas une chiffe molle.	4. Il me rendra probablement la monnaie de ma pièce par une flambée de colère car il n'aime pas plus que moi être pris pour une chiffe molle.
5. Je lui montrerai que je ne me laisse pas marcher dessus.	5. Ma colère nous empêche tous deux de régler le problème qui est à l'origine de mes ennuis. Elle nous écarte de ce vrai problème et donc nous éloigne d'une solution.
6. Même si je n'obtiens pas ce que je veux, j'aurai au moins la satisfaction de la vengeance. Il devra se mettre au pli !	6. J'ai un tempérament en dents de scie. Mon irritabilité me rend imprévisible aux yeux des autres et de John. Je serai qualifiée de lunatique, de folle, d'enfant gâtée, sans maturité. Ils me considéreront comme une gamine.
	7. Je risque de faire de mes enfants des névrosés. En grandissant, ils m'en voudront de mes crises de colère et me considéreront comme quelqu'un qu'il vaut mieux tenir à distance et non comme quelqu'un qui est là pour les aider.
	8. John risque de me quitter s'il s'écœure de mes caprices et de ma mesquinerie.
	9. Les sentiments déplaisants que je crée me rendent malheureuse. La vie est devenue amère et la joie et la créativité qui étaient autrefois si importantes pour moi me manquent.

À la suite de cette évaluation, Sue me confia qu'elle était persuadée que le prix de sa colère dépassait de beaucoup ses avantages.

Il est capital que vous entrepreniez ce type d'analyse comme première étape. Après avoir énuméré les avantages et les inconvénients de votre colère, mettez-vous à l'épreuve. Demandez-vous : « Si la situation provocatrice ne disparaît pas immédiatement, accepterai-je d'essayer de résoudre le problème plutôt que de céder à la colère ? » Si vous répondez par l'affirmative, c'est que vous êtes sur la voie du changement. Vous acquerrez probablement une plus grand sérénité, votre amour-propre en sera rehaussé et vous accroîtrez votre efficacité personnelle. C'est à vous de choisir.

Tenez en respect vos pensées irascibles. Une fois que vous aurez décidé de retrouver votre sang-froid, une méthode inappréciable consiste à énumérer les diverses « pensées bouillantes » qui vous ont traversé l'esprit pendant vos accès de colère. Puis remplacez-les par des « pensées raisonnables », plus objectives, moins irritantes, en utilisant un autre tableau à deux colonnes (tableau 7-3). Écoutez ces « pensées bouillantes » à l'aide de votre « troisième oreille », de manière à être réceptif aux affirmations contradictoires qui vous parcourent l'esprit. Inscrivez ce dialogue intime sans aucune censure. Je suis sûr que vous constaterez la présence d'un langage très coloré et de fantasmes de vengeance. Inscrivez tout. Puis remplacez ces pensées par les pensées raisonnables, plus objectives. Ce petit travail contribuera à vous apaiser.

Sue a utilisé cette technique pour éliminer la frustration que lui causait la manière dont la fille de John, Sandy, manipulait son père et le faisait manger dans sa main. Sue répétait souvent à son époux d'être plus sévère avec sa fille mais il réagissait fréquemment de manière négative à ses suggestions. Il avait l'impression que Sue le harcelait pour qu'il fît ses quatre volontés. Par conséquent,

TABLEAU 7-3

Sue a inscrit les pensées bouillantes qui surgissaient lorsque son mari cédait à la manipulation égoïste de sa fille. Après les avoir remplacées par des pensées raisonnables, elle s'est aperçue que sa jalousie et sa rancune s'en trouvaient diminuées.

Pensées irascibles	Pensées flegmatiques
1. Comment ose-t-il ne pas m'écouter?	1. Facilement. Il n'est pas obligé de m'obéir au doigt et à l'œil. Il m'écoute mais il est sur la défensive car je présente mon cas de manière autoritaire.
2. Sandy ment. Elle raconte qu'elle étudie mais c'est faux. Elle attend que John l'aide.	2. C'est dans sa nature de mentir et d'être paresseuse. Elle utilise les autres pour faire faire ses devoirs à l'école. Elle hait les études. C'est son problème.
3. John ne dispose pas de beaucoup de temps libre et s'il le passe à aider Sandy je me retrouverai seule pour m'occuper des enfants.	3. Et puis après? J'aime bien être seule. Je suis capable de me débrouiller avec les enfants. Je ne suis pas sans défense. Peut-être acceptera-t-il plus facilement ma compagnie si j'apprends à être moins coléreuse.
4. Sandy me vole du temps avec John.	4. C'est vrai. Mais je suis une adulte. Je peux rester seule. Je ne serais pas si irritée s'il consacrait ce temps à mes enfants.
5. John est un paillasson. Sandy profite des gens.	5. John est adulte. S'il veut l'aider, c'est son affaire. Je ne dois pas m'en mêler. Ça ne me regarde pas.
6. C'est insupportable!	6. Mais non, c'est un mauvais moment à passer. J'ai connu pire.
7. Je suis un vrai bébé. J'ai bien mérité de me sentir coupable.	7. J'ai le droit de manquer de maturité de temps en temps. Je ne suis pas parfaite et n'ai nul besoin de l'être. Le sentiment de culpabilité est inutile. Il ne m'aidera pas.

il avait de moins en moins envie de passer son temps libre en sa compagnie. Un cercle vicieux, en somme.

Sue a décidé d'inscrire les pensées bouillantes qui faisaient naître chez elle un sentiment de culpabilité. En les remplaçant par des pensées raisonnables, elle s'est sentie mieux et a pu résister à son envie de dominer John. Bien qu'elle eût encore l'impression qu'il avait tort de laisser Sandy le manipuler, elle a décidé qu'il avait « raison » d'avoir « tort ».

En conséquence, Sue a cessé de harceler John, qui s'est senti rapidement plus détendu. Leur relation a mûri au sein d'une atmosphère de liberté et de respect mutuels. Le simple démenti des pensées bouillantes de Sue n'a évidemment pas suffi à faire de leur deuxième mariage une expérience réussie mais il leur a permis de faire un pas de géant en avant, sans lequel leur relation se serait achevée par une impasse.

Vous pouvez utiliser aussi le tableau plus complexe « Inscription des pensées dysfonctionnelles » (tableau 7-4). Vous pouvez décrire la provocation et évaluer votre degré d'irritabilité avant et après l'exercice. Le tableau 7-4 montre comment une jeune femme a surmonté sa frustration après qu'un employeur éventuel l'eut reçue froidement au téléphone. Elle a déclaré que sa capacité de cerner ses pensées bouillantes avant de les réfuter l'avait déjà aidée à tuer un accès de colère dans l'œuf. Elle s'est ainsi épargné la fureur qui l'aurait harcelée toute la journée. « Avant de faire l'exercice, dit-elle, je croyais que mon ennemi était l'homme à qui j'avais parlé au téléphone, mais j'ai compris qu'en réalité je me traitais dix fois plus durement qu'il ne m'avait traitée. Ensuite, il a été relativement facile de remplacer ces pensées bouillantes par des pensées raisonnables et j'ai constaté avec surprise que je me sentais déjà mieux. »

Techniques faisant appel à l'imagination. Les pensées bouillantes si négatives qui vous traversent l'esprit pendant un accès de colère sont le scénario d'un film privé (coté généralement « X ») que

TABLEAU 7-4

Inscription quotidienne des pensées dysfonctionnelles.

Situation provocante	Sentiments	Pensées bouillantes	Pensées raisonnables	Résultat
Appelé au numéro fourni dans l'annonce qui offrait un poste de transcripteur médical. L'annonce disait : « personne expérimentée ». Le type n'a d'abord pas voulu me dire de quel type d'entreprise il s'agissait. Ensuite, il a refusé de me rencontrer sous prétexte que je n'avais pas assez d'expérience.	Colère Haine Frustration 98 %	1. Le salaud ! Pour qui se prend-il ? J'ai plus que l'expérience suffisante. 2. C'était l'annonce la plus intéressante du journal. J'ai laissé passer ma chance. 3. Mes parents me tueront. 4. Je vais me mettre à pleurer.	1. Pourquoi m'énerver autant ? Sa voix ne m'a pas plu de toute façon. Il ne m'a pas laissé lui parler de mon expérience. Je sais que je suis compétente. Ce n'est pas ma faute si je n'ai pas eu cet emploi. C'est la sienne. En outre, pourquoi aurai-je envie de travailler pour un pareil individu ? 2. J'amplifie trop la situation. Il y a beaucoup d'autres emplois. 3. Bien sûr que non. Ils verront que je fais des efforts au moins. 4. N'est-ce pas ridicule ? Pourquoi pleurerais-je ? Cette affaire n'en vaut vraiment pas la peine. Je sais ce que je vaux et c'est seulement ça qui est important.	Colère Haine 15 %

vous projetez dans votre esprit. Avez-vous jamais remarqué l'image sur l'écran? Les images, rêveries, fantasmes de vengeance peuvent être particulièrement colorés.

Vous risquez de ne pas vous apercevoir de la présence de ces images mentales si vous ne les recherchez pas. Laissez-moi vous expliquer cela. Admettons que je vous demande d'imaginer une pomme rouge dans un panier marron. Vous pouvez le faire en fermant les yeux ou en les tenant ouverts. Bon, y êtes-vous? C'est ce que je veux dire. La plupart d'entre nous recevons ces images toutes la journée, car elle font partie du fonctionnement d'un état conscient ordinaire. Elles sont l'illustration de nos pensées. Par exemple, les souvenirs nous apparaissent parfois sous la forme d'images mentales. Faites maintenant apparaître une image appartenant à une situation passée, mais vivace dans votre mémoire : la remise des diplômes à l'école secondaire, votre premier baiser (vous en souvenez-vous?), une longue randonnée, etc. La voyez-vous?

L'influence considérable de ces images peut être positivement ou négativement excitante, exactement comme des rêves érotiques ou des cauchemars. L'effet euphorisant d'une image positive peut être très intense. Par exemple, en vous rendant à un parc d'attractions, vous recevrez l'image de votre première descente spectaculaire sur les montagnes russes. Cette image provoquera une sensation d'excitation au creux de votre estomac. La rêverie crée le plaisir anticipé. Parallèlement, les images négatives jouent un rôle puissant quant au degré d'excitation affective. Imaginez maintenant quelqu'un contre qui vous vous êtes emporté à un moment donné. Quelles images vous traversent l'esprit? Vous voyez-vous en train de lui envoyer votre poing dans le nez ou de le faire rôtir dans un chaudron d'huile bouillante?

Ces rêveries permettent à votre colère de demeurer intacte longtemps après que l'insulte initiale s'est produite. Votre sentiment de fureur peut vous dévorer pendant des heures, des jours, des mois, voire des années après que l'événement irritant a eu lieu. Vos fantasmes vous aident à conserver la douleur tout aussi aiguë. Chaque fois que vous avez un fantasme qui se rapporte à l'événement, vous injectez dans votre organisme une nouvelle dose d'irritation. On peut vous comparer à une vache qui ruminerait de l'herbe empoisonnée.

Qui crée la colère ? Vous, parce que vous avez choisi de placer ces images dans votre esprit. Il est possible que l'objet de votre courroux ait déménagé à Tombouctou ou soit mort et enterré à l'heure qu'il est. Il peut donc difficilement être responsable de la colère qui vous étouffe. C'est vous le réalisateur et le producteur du film aujourd'hui. Malheureusement, vous en êtes aussi le spectateur. Qui doit vous regarder ressentir ces tortures mentales ? VOUS. C'est vous qui vous obligez à contracter les mâchoires, à durcir les muscles de votre dos, à laisser l'adrénaline se déverser dans votre sang. C'est vous qui faites monter votre tension artérielle. En quatre mots : Vous vous faites mal. Avez-vous vraiment envie de continuer ?

Dans le cas contraire, vous devrez faire quelque chose pour éliminer les images créatrices de colère. Une technique utile consiste à les transformer en images positives afin qu'elles perdent leur caractère agaçant. L'humour est un outil particulièrement efficace. Par exemple, au lieu de vous imaginer en train de tordre le cou d'un individu, imaginez que votre ennemi déambule dans un grand magasin vêtu seulement d'une couche. Ne manquez pas un détail : sa bedaine, les épingles de sûreté, ses jambes velues. Qu'est devenue votre colère ? N'est-ce pas un large sourire que je vois s'épanouir sur votre visage ?

Une deuxième méthode fait appel à la suppression de certaines pensées. Tandis que vous remarquez les images qui vous traversent l'esprit chaque jour, souvenez-vous que vous avez le droit d'éteindre le projecteur. Pensez à autre chose. Trouvez un interlocuteur et engagez la conversation. Lisez un bon livre. Confectionnez votre pain ou faites du jogging. Lorsque vous ne récompensez pas les images irritantes par une colère subséquente, elles reviennent de plus en plus rarement. Au lieu de retourner le couteau dans la plaie, pensez à un événement prochain qui vous procure de la joie ou évoquez un fantasme érotique. Si le souvenir gênant persiste, adonnez-vous à des exercices physiques épuisants, tels que des relèvements assis, la course à pied ou la natation. Ces activités ont l'avantage supplémentaire de canaliser votre excitation potentiellement dangereuse vers une voie entièrement bénéfique.

Récrivez les règles : Il est possible que votre frustration et votre irritation soient inutilement provoquées par une règle dépourvue de réalisme que vous avez vous-même élaborée. C'est cette règle qui vous donne l'impression d'être constamment lésé. La clé de la colère de Sue était sa croyance qu'elle avait *droit* à l'amour de John conformément à la règle suivante : «Si je suis une bonne et fidèle épouse, je mérite d'être aimée.»

En raison de cette théorie, innocente en apparence, Sue avait constamment l'impression que son mariage frisait la catastrophe car, chaque fois que John ne lui accordait pas suffisamment d'amour et d'attention, elle se sentait confirmée dans son incapacité d'être une bonne épouse. Elle s'efforçait alors de le manœuvrer, exigeant son attention et son respect tout en luttant continuellement pour sauvegarder son amour-propre. L'intimité avec son mari équivalait à glisser lentement vers le rebord d'une crevasse gelée. Rien d'étonnant qu'elle s'agrippât désespérément à John et rien d'étonnant qu'elle explosât chaque fois qu'elle percevait son indifférence. Ne réalisait-il donc pas que la vie de sa femme était en jeu?

Sa règle de «l'amour mérité» non seulement la rendait intensément malheureuse mais encore ne pouvait même pas être efficace à longue échéance. Pendant un certain temps, les manœuvres de Sue lui ont effectivement procuré un peu de l'attention dont elle avait soif. Après tout, elle était capable d'intimider John par ses explosions affectives, le punir par un retrait glacial, le manipuler en éveillant son sentiment de culpabilité.

Mais le prix que Sue paie est que l'amour qu'elle reçoit dans ces conditions n'est pas – ne peut pas être – donné librement et spontanément. John finira par se sentir prisonnier, épuisé, dominé par son épouse. La rancune qu'il a accumulée doit se libérer un jour ou l'autre. Dès qu'il cessera de croire qu'il doit absolument satisfaire les exigences de sa femme, son désir de liberté sera plus fort que lui. Les effets destructeurs de ce qui passe pour être de l'amour ne cesseront jamais de m'ébahir.

Si vos relations sont caractérisées par cette tension et cette tyrannie cycliques, vous feriez mieux de récrire vos règles. L'adoption d'une attitude plus réaliste vous permettra d'éliminer votre frustration. Sue a décidé de récrire sa règle de « l'amour mérité » de la manière suivante : « Si je me conduis de manière positive avec John, il réagira avec affection. Je n'aurai pas perdu tout respect pour moi-même et continuerai à vivre normalement même lorsqu'il ne m'accordera pas toute son attention. » Cette formulation de ce qu'elle devait attendre de sa relation avec John était certainement plus réaliste que la première. D'autre part, elle lui permettait de ne pas placer son humeur et son amour-propre à la merci de son mari.

Les règles qui vous entraînent dans des problèmes personnels douloureux paraissent fréquemment inoffensives. J'irai même jusqu'à dire qu'elles semblent surtout caractérisées par une grande moralité et un instinct humanitaire remarquable. J'ai récemment soigné une dame prénommée Margaret qui avait l'impression que dans un mariage tout devait être partagé également. Pour elle, chaque conjoint devait apporter au couple une part absolument égale de sentiments. Elle appliquait cette règle à toutes les relations humaines. « Si j'aide les gens, ils *doivent* me le rendre. »

Qu'est-ce qui ne va pas ? C'est un principe qui paraît « raisonnable et juste ». Une espèce de retombée de la règle d'or. Voici ce qui ne va pas : Il est incontestable que les relations humaines, le mariage compris, sont rarement caractérisées par une réciprocité spontanée, parce que les gens diffèrent les uns des autres. La réciprocité est un idéal éphémère et d'essence instable qui ne peut survivre que grâce à un effort perpétuel. Il fait appel à l'accord mutuel, au compromis, à la communication et à l'autovalorisation. Il exige la négociation et beaucoup, beaucoup de travail.

Margaret, malheureusement, n'était pas d'accord. Elle vivait dans un conte de fées dans lequel la réciprocité était une réalité bien ferme. Elle passait le plus clair de son temps à rendre des services à son mari et aux autres, puis attendait qu'ils paient leur dette. Hélas, ces contrats unilatéraux étaient constamment violés puisque les autres ne se rendaient en général même pas compte. que Margaret s'attendait à être payée de retour.

Voici un exemple : Un organisme de charité local fit passer une annonce par laquelle il cherchait un directeur adjoint, salarié, qui devait entrer en fonction quelques mois plus tard. Margaret, très intéressée par le poste, envoya une demande. Elle consacra ensuite beaucoup de temps à travailler comme bénévole pour l'organisme, persuadée que les autres employés lui retourneraient le compliment en lui accordant leur amitié et leur respect, tandis que le directeur lui offrirait le poste. En réalité, les employés ne l'aimaient pas particulièrement. Peut-être percevaient-ils qu'elle s'efforçait de les dominer par sa «gentillesse» et son honorabilité et lui en voulaient-ils. Lorsque le directeur nomma quelqu'un d'autre comme titulaire du poste, Margaret en conçut une immense amertume et perdit ses illusions car sa règle de la réciprocité venait d'être transgressée.

En raison des ennuis et de la déception que cette règle avait causés, elle décida de la récrire, considérant la réciprocité non comme automatique mais comme un but qu'elle pouvait s'efforcer d'atteindre tout en recherchant son intérêt personnel. Parallèlement, elle cessa d'exiger des autres qu'ils lisent ses pensées et réagissent comme elle le désirait. Elle constata avec surprise que moins elle attendait des gens plus elle recevait d'eux.

Si vous êtes prisonnier d'une règle qui comporte un «devrait» ou un «ne devrait pas» qui vous cause des déceptions et de la frustration, récrivez-la en termes plus réalistes. Vous trouverez un certain nombre d'exemples en 7-5. Remarquez que la substitution d'un «devrait» par «Ce serait agréable si» peut être une première étape positive.

TABLEAU 7-5

Amendements des règles comportant des «devrait»

Règles	Versions amendées
1. Si je suis gentil envers les autres, ils doivent se montrer reconnaissants.	1. Il serait bien agréable que les gens se montrent toujours reconnaissants mais ce n'est pas réaliste. Ils se montrent parfois reconnaissants mais ce n'est pas automatique.
2. Les étrangers devraient me traiter avec courtoisie.	2. La plupart des étrangers me traiteront avec courtoisie si je n'agis pas comme si j'en voulais au monde entier. Il arrive qu'un grincheux soit désagréable mais pourquoi cela m'ennuierait-il? La vie est trop courte pour que je perde mon temps à me concentrer sur des détails aussi négligeables.
3. Si je travaille dur pour obtenir quelque chose, je dois l'avoir.	3. C'est absurde. Rien ne me garantit que je réussirai toujours à obtenir ce que je désire. Je ne suis pas parfait et rien ne m'oblige à l'être.
4. Si quelqu'un me traite injustement, je dois me mettre en colère parce que j'ai raison et que la colère est un réflexe humain.	4. Tous les êtres humains ont effectivement le droit de céder à la colère, qu'ils soient ou non traités injustement. La véritable question est : «Ai-je avantage à me mettre en colère? Ai-je envie de me mettre en colère? Quels sont les coûts et les bénéfices de ma colère?»
5. Les gens ne doivent pas nécessairement me traiter comme je les traite.	5. Tout le monde ne respecte pas les mêmes principes que moi. Alors, pourquoi m'attendre à les voir agir comme si c'était le cas? Ils me traiteront souvent comme j'aimerais les traiter mais il ne s'agit pas d'une règle absolue.

Préparez-vous à l'absurdité des autres. Tandis que la colère de Sue faiblissait, sa relation avec John devint plus étroite et plus affectueuse. Cependant, la fille de John, Sandy, répondit à leur intimité retrouvée par des manœuvres encore plus insensées. Elle se mit à mentir, à emprunter de l'argent qu'elle ne rendait pas, à se glisser dans la chambre de Sue pour fouiller dans ses tiroirs et lui voler des effets personnels, à laisser la cuisine dans un état déplorable, etc. Tous ces actes jetaient Sue hors de ses gonds car elle se disait : « Sandy ne devrait pas être si sournoise. Elle est folle. C'est injuste. » La frustration de Sue était provoquée par la combinaison des deux ingrédients suivants :

1. le comportement odieux de Sandy ;
2. la croyance que Sandy devait se conduire de manière plus adulte.

Cependant, tout prouvait qu'elle était incapable de faire preuve de plus de maturité. Sue n'avait pas le choix : Il lui fallait cesser d'attendre que Sandy se conduisît en adulte bien élevée. Elle décida de rédiger pour elle-même la petite dissertation suivante :

« Pourquoi Sandy a-t-elle un comportement odieux ?

Il est dans sa nature de manœuvrer les gens car elle croit qu'elle a droit à leur amour et à leur attention. Elle croit qu'obtenir cet amour et cette affection est une question de vie ou de mort. Elle pense qu'elle a besoin d'être le centre de l'attention pour survivre. Par conséquent, elle considère toute absence d'amour comme injuste et comme une menace pour son amour-propre.

Étant donné qu'elle croit qu'il lui faut manipuler les gens pour obtenir leur attention, elle se sent obligée de le faire. Par conséquent, il est fort probable qu'elle continuera de se comporter ainsi jusqu'à ce que son tempérament change. Cet espoir étant vain, du moins pour le moment, nous continuerons d'être victimes de sa conduite désagréable. Je n'ai donc aucune raison de me sentir frustrée pas plus que d'être surprise lorsque je constate qu'elle agit de la manière dont elle croit devoir agir pour parvenir à ses fins.

En outre, je désire que tous les humains, Sandy comprise, agissent d'une manière qu'ils croient juste. Sandy croit qu'il est juste qu'elle reçoive plus d'attention. Son comportement détestable reposant sur la conscience de son droit, il faut que je me souvienne que ce qu'elle fait n'est que justice, de son point de vue.

Enfin, c'est mon humeur que je désire pouvoir maîtriser et non la sienne. Ai-je vraiment envie de me mettre en colère à cause d'elle et de son comportement, ignoble selon moi, juste selon elle? Non. Je dois donc commencer à modifier mes réactions :

1. Je dois la remercier d'avoir volé puisqu'elle a fait ce qu'elle croyait devoir faire;
2. Je peux choisir de ne pas m'emporter puisque j'ai décidé de n'avoir recours à la colère que dans un but précis;
3. Si les manœuvres de Sandy ont une influence néfaste sur mon amour-propre, je dois me demander : « Ai-je vraiment envie de laisser à une enfant un tel pouvoir sur moi?»

Quel était l'effet désiré de ce mémorandum? Les actes provocateurs de Sandy sont sans doute intentionnellement malicieux. Elle vise consciemment Sue, en raison de la haine et de la rancune irrésistibles qu'elle ressent. Lorsque Sue se met en colère, elle donne à Sandy exactement ce que désire l'adolescente. Sue peut réduire considérablement sa frustration si elle apprend à modifier ce qu'elle attend des gens.

Les manœuvres éclairées. Vous craignez peut-être de devenir une chiffe molle si vous modifiez ce que vous attendez des autres et abandonnez votre colère. Vous pensez peut-être que les autres profiteront de vous. Cette appréhension reflète votre sentiment d'insuffisance tout autant que votre ignorance des méthodes plus éclairées qui sont destinées à vous permettre de parvenir à vos fins. Vous pensez sans doute que si vous ne faites pas part de vos exigences aux autres vous vous retrouverez les mains vides.

Mais avez-vous le choix? Pour commencer, étudions un peu les travaux du Dr Mark K. Goldstein, psychologue, qui est l'auteur de certaines recherches cliniques particulièrement brillantes et innovatrices sur le conditionnement du comportement des maris par leur femme. Au cours de ces travaux, qui lui ont permis de collaborer avec des épouses délaissées et irritées, il a appris quelles étaient les méthodes destructrices qu'elles utilisaient pour obtenir de leur mari ce qu'elles désiraient. Il s'est alors demandé : « Qu'avons-nous appris en laboratoire sur les méthodes scientifiques les plus efficaces pour influencer le comportement de tous les organismes vivants, qu'il s'agisse de bactéries, de plantes ou de rats? Ne pourrions-nous appliquer ces principes aux maris brutaux, rétifs? »

La réponse à ces questions s'est révélée fort simple : Il faut récompenser le comportement désirable au lieu de punir le comportement indésirable. La punition provoque l'aversion, la rancune. Elle est à l'origine de l'aliénation et de l'évitement. La plupart des épouses délaissées qu'il a traitées s'efforçaient à tort de punir leur mari pour le forcer à obéir. En les persuadant de jouer le jeu de la récompense, dans lequel le comportement désirable reçoit une généreuse attention, il a pu constater des renversements spectaculaires de situation.

Les épouses traitées par le Dr Goldstein n'étaient pas uniques en leur genre. Elles étaient engluées dans des conflits conjugaux ordinaires, le genre de conflits auxquels la plupart d'entre nous nous sommes heurtés. Dans le passé, elles avaient accordé à leur mari une attention soit spontanée, soit subordonnée au comportement désirable de celui-ci. Il fallait donc considérablement modifier leur état d'esprit afin de leur permettre d'obtenir le type de réaction qu'elles désiraient en vain de leur mari. En rédigeant le rapport méticuleux de toutes leurs entrevues avec le conjoint, ces femmes purent enfin acquérir le contrôle des réactions dudit conjoint.

Voici ce qui s'est passé pour l'une des patientes du Dr Goldstein : Après des années de lutte, Mme X perdit son mari, qui alla vivre avec sa maîtresse. Les relations du mari et de la femme étaient, à ce moment-là, caractérisées par l'indifférence ou l'hostilité. En surface, il ne semblait pas avoir vraiment d'affection pour elle. Néanmoins, il lui téléphonait épisodiquement, ce qui prouvait qu'il s'intéressait encore à son sort, même dans une mesure infime. Deux voies s'ouvraient devant elle : cultiver cette attention ou la faire avorter par des réactions perpétuellement hostiles.

Mme X définit ses fins : Elle décida de tenter l'expérience de la reconquête de M. X. Premier objectif à atteindre : Serait-elle capable d'accroître la fréquence de leurs contacts occasionnels ? Méticuleusement, elle chronométra la durée de chaque communication téléphonique, de chaque visite, ainsi que leur fréquence, inscrivant ces données sur une feuille de papier millimétrique fixée à la porte du réfrigérateur. Elle évalua soigneusement le rapport entre son comportement (stimulus) et la fréquence des contacts (réaction). Elle ne chercha pas à le contacter de sa propre initiative mais répondit positivement et affectueusement à ses appels téléphoniques. Sa stratégie était simple. Plutôt que se laisser influencer par ce qu'elle n'aimait pas chez lui, elle commença à renforcer systématiquement tous les aspects de son tempérament qui lui plaisaient. Elle utilisa comme récompense tout ce qu'elle savait qu'il appréciait : les louanges, les bons petits plats, les relations sexuelles, l'affection, etc.

Elle commença par répondre à ses rares appels téléphoniques de manière optimiste, positive, gracieuse, sans ménager la flatterie. Elle évita toute critique, dispute, exigence, hostilité et découvrit le moyen d'acquiescer à tout ce qu'il disait, en utilisant la technique du désarmement décrite dans le chapitre 7. Au début, elle prit l'habitude d'interrompre la conversation au bout de 5 ou de 10 minutes afin d'éviter que le ton monte ou que le mari commence à s'ennuyer. Ainsi, elle s'assura que l'effet de la communication demeurerait entièrement agréable et que la réaction positive de son mari ne serait pas gommée par une dispute subséquente.

Après quelque temps, elle remarqua que M. X appelait plus souvent et parlait plus longtemps parce que ces conversations étaient des expériences positives et enrichissantes pour lui. Elle inscrivit la fréquence accrue des appels sur sa feuille de papier, exactement comme un scientifique observe et inscrit toutes les réactions d'un rat dans un laboratoire. Au fur et à mesure que le rythme des appels s'accélérait, elle se sentit encouragée dans ses efforts et une partie de son irritation et de sa rancune disparut.

Un jour, il se présenta à la maison. Conformément à sa stratégie, elle s'écria : « Oh ! je suis si contente de te voir ! J'ai justement un merveilleux cigare cubain dans le congélateur ! C'est la marque si chère que tu aimes tant ! ». En réalité, elle en avait une boîte entière qu'elle conservait pour une occasion semblable, quel que fût le motif ou l'heure de la visite. Elle remarqua que la fréquence des visites s'accroissait sensiblement.

Elle continua ainsi à « modeler » le comportement de son mari selon la méthode de la récompense et non de la coercition. Elle s'aperçut à quel point cette méthode était efficace lorsque son mari décida de quitter sa maîtresse et demanda à son épouse la permission de rentrer à la maison.

Est-ce la seule et unique manière d'influencer les gens ? Non, il serait absurde de ma part de le prétendre. Cette méthode n'est qu'un agréable hors-d'œuvre, pas même le plat principal, encore moins le repas tout entier. Mais c'est une gourmandise fréquemment oubliée, à laquelle peu d'appétits savent résister. Rien ne garantit son efficacité car certaines situations sont irréversibles. Que voulez-vous, on ne parvient pas toujours à ses fins.

Quoi qu'il en soit, essayez le système de la récompense. Vous serez peut-être agréablement surpris par l'efficacité de votre stratégie secrète. Non seulement vous inciterez les gens que vous aimez à demeurer près de vous mais vous pourrez aussi éclaircir votre humeur en apprenant à concentrer votre attention sur les qualités d'autrui plutôt que sur les défauts.

TABLEAU 7-6

Amendements des règles comportant des « ne devrait pas ».

Raisons pour lesquelles il devrait faire preuve d'une plus grande conscience professionnelle.	*Démentis*
1. Parce que j'ai payé le prix fort.	1. Il reçoit les mêmes honoraires, qu'il fasse ou non preuve de conscience professionnelle.
2. Parce qu'il est normal de vouloir faire du bon travail.	2. Il a probablement l'impression que son travail est correct. Les lambris qu'il a posés sont tout à fait acceptables.
3. Parce qu'il aurait dû s'assurer que le travail était bien fait.	3. Pourquoi s'en soucierait-il?
4. Parce que c'est ce que je ferais si j'étais menuisier.	4. Mais je ne suis pas menuisier. Il n'a pas à satisfaire mes propres normes.
5. Parce qu'il devrait se soucier un peu plus des résultats de son travail.	5. Il n'a aucune raison de s'en soucier. Certains menuisiers se soucient de leur travail. D'autres le considèrent simplement comme un gagne-pain.
6. Pourquoi est-ce moi qui me fais toujours escroquer par les fournisseurs?	6. Tous les fournisseurs n'ont pas bâclé le travail. Il est ridicule de vouloir prétendre engager seulement des artisans de premier ordre. Ce n'est pas réaliste.

Élimination des «devrait». Parce que beaucoup de pensées qui provoquent la colère naissent des «devrait» moralisateurs, il serait utile que vous maîtrisiez certaines méthodes d'élimination de ces «devrait». Tout d'abord, dressez des listes, à l'aide d'un tableau à double colonne, de toutes les raisons pour lesquelles vous croyez que les autres «ne devraient pas» agir comme ils le font. Puis remettez ces raisons en question l'une après l'autre, jusqu'à ce que vous compreniez clairement qu'elles ne sont pas réalistes et défient le bon sens. (Tableau 7-6).

Exemple : Vous êtes mécontent des placards de cuisine que le menuisier vient de poser dans votre nouvelle maison. Les portes ne sont pas vis-à-vis les unes des autres et ne se ferment pas correctement. Vous êtes en colère parce que vous avez l'impression que c'est injuste. Après tout, vous avez payé le plein tarif fixé par le syndicat et vous avez donc droit à un travail irréprochable de la part d'un artisan de premier ordre. Vous enragez. «Ce fainéant devrait avoir de la conscience professionnelle ! Où va le monde ?»

La raison d'être de l'élimination de vos «devrait» est simple : Il n'est pas vrai que vous avez droit à ce que vous voulez simplement parce que vous le voulez. Vous devez négocier. Appelez le menuisier, plaignez-vous, insistez pour qu'il vienne retoucher son travail, mais ne doublez pas les proportions du problème en vous irritant outre mesure. Il est probable que le menuisier ne cherchait pas intentionnellement à vous déplaire et vous risquez de le dresser contre vous. Après tout, la moitié des menuisiers du monde (des psychiatres, des secrétaires, des écrivains et des dentistes…) sont d'une compétence inférieure à la moyenne. C'est vrai par définition car moyen signifie «à mi-chemin». Il est ridicule d'enrager et de vous plaindre que le talent de ce menuisier moyen «devrait» être différent de ce qu'il est.

Les stratégies de négociation. À ce stade, vous vous hérissez parce que vous pensez sans doute : «Elle est bien bonne, celle-là !

Le Dr Burns semble me dire que je trouverai le bonheur en m'imaginant que des menuisiers paresseux et incompétents devraient faire un travail médiocre? Après tout, c'est dans leur tempérament, affirme le bon docteur. Quel tissu d'inepties! Je ne vais tout de même pas me laisser dépouiller de ma dignité humaine pour laisser les gens me piétiner! Pour les laisser m'extorquer une fortune pour un travail minable!»

Calmez-vous! Personne ne vous demande de laisser le menuisier vous escroquer. Si vous voulez utiliser votre influence de manière positive au lieu de vous apitoyer sur votre sort et de provoquer une tempête intérieure, vous constaterez qu'une démarche calme, ferme, affirmative est généralement fructueuse. En revanche, si vous vous vautrez dans les «devrait» moralisateurs, vous ne ferez qu'envenimer votre relation avec le menuisier, qui se placera sur la défensive et voudra contre-attaquer. Souvenez-vous, la bagarre est une forme d'intimité. Avez-vous réellement envie de devenir intime avec votre menuisier? Ne préféreriez-vous pas plutôt obtenir de lui ce que vous désirez?

Si vous cessez de consacrer votre énergie à la colère, vous trouverez le moyen de concentrer vos efforts afin d'obtenir ce que vous désirez. Les principes de négociation suivants sont en général efficaces dans ce genre de situation:

1. Au lieu de l'insulter, complimentez-le sur ce qu'il a fait de bien. Peu d'humains savent résister à la flatterie même si elle est d'un manque de sincérité flagrant. Cependant, puisque vous avez tout de même découvert quelque chose de bien fait dans la maison, vous ne serez pas hypocrite en le complimentant à ce propos. Puis mentionnez avec tact le problème posé par les portes des placards et expliquez calmement pourquoi vous désirez qu'il revienne afin de rectifier leur alignement.

2. S'il objecte, désarmez-le en trouvant le moyen d'acquiescer avec lui, même si ses arguments sont totalement absurdes.

Cette manœuvre lui «clouera le bec» et le privera de munitions. Puis, immédiatement…
3. Clarifiez votre point de vue, avec calme et fermeté.

Reprenez les techniques ci-dessus à maintes reprises dans
diverses combinaisons jusqu'à ce que le menuisier cède ou que
vous parveniez à un compromis acceptable. N'utilisez les ultima-
tums et les menaces qu'en dernier recours et assurez-vous que
vous êtes en mesure de les mettre à exécution, le moment venu.
En principe, exprimez avec diplomatie votre mécontentement.
Évitez de l'insulter ou de laisser entendre que vous le considérez
comme un être négatif. Si vous décidez de lui faire part de vos
griefs, faites-le avec objectivité, sans amplification, sans utiliser de
langage insultant. Par exemple : «Je n'aime pas le travail bâclé et
je sais très bien que vous êtes capable de fournir un service de
professionnel» est extrêmement préférable à «Espèce d'escroc,
votre travail est absolument exécrable!»

Dans le dialogue suivant, j'identifierai chacune des techniques
utilisées :

VOUS : J'ai été très content de certaines parties du travail
et j'espère pouvoir dire autour de moi à quel point je suis satisfait de l'ensemble. Le lambris est particulièrement réussi. Néanmoins, je suis un peu ennuyé à propos des placards de la cuisine
(compliment).

MENUISIER : Ah! oui? Qu'est-ce qui vous ennuie?

VOUS : Les portes ne sont pas parallèles et plusieurs poignées
sont de travers.

MENUISIER : Ma foi, je ne peux rien faire de plus! Ces
placards sont fabriqués en série et ils ne sont pas de très bonne
qualité.

VOUS : Bien sûr, vous avez raison. Ils ne sont sûrement pas
aussi bien faits que des placards plus chers (désarmement). Néanmoins, ils ne peuvent pas demeurer ainsi. J'aimerais bien que
vous veniez les arranger. (Clarification, tact).

MENUISIER : C'est au fabricant ou à l'entrepreneur qu'il faut vous adresser. Moi, je ne peux rien pour vous.

VOUS : Je comprends votre frustration (désarmement), mais vous êtes responsable de la pose correcte des placards. Dans l'état actuel des choses, ils sont inacceptables. Ils ont l'air mal finis et les portes ne ferment pas correctement. Je sais que c'est très ennuyeux mais, voyez-vous, il m'est impossible de considérer le travail comme terminé et je ne réglerai votre facture que lorsque vous serez venu les arranger (ultimatum). Le reste de votre travail me persuade que vous êtes assez compétent pour cela, en dépit du temps supplémentaire qu'il faudra y consacrer. Ainsi, nous serons entièrement satisfaits de votre travail et ne manquerons pas de vous recommander à nos amis (compliments).

Essayez ces techniques de négociation lorsque vous êtes à couteaux tirés avec quelqu'un. Je crois que vous découvrirez qu'elles sont plus efficaces qu'un accès de colère et vous vous sentirez mieux ensuite car, en définitive, vous obtiendrez probablement une bonne part de ce que vous désirez.

L'empathie bien placée. L'empathie est l'antidote suprême de la colère. C'est la forme de magie la plus puissante de celles qui sont décrites dans ce livre. Ses effets spectaculaires sont fermement ancrés dans la réalité. Aucun tour de passe-passe n'est nécessaire.

Définissons le mot : Par « empathie » je ne désigne pas la capacité de ressentir la même chose que l'autre. Cela, c'est la sympathie. La sympathie est très favorablement cotée mais peut-être légèrement surestimée, je crois. Par empathie, je ne fais pas non plus allusion à un comportement plein de tendresse et de compréhension. Cela, c'est le soutien. Le soutien est également très bien coté et quelque peu surestimé.

Qu'est donc l'empathie ? C'est la capacité de comprendre très exactement les pensées et motivations précises de l'autre, de manière qu'il se dise ensuite : « Oui, c'est exactement cela que j'ai ressenti ! » Lorsque vous détenez cette connaissance extraordinaire, vous comprenez et acceptez les autres sans colère. Vous savez pourquoi ils agissent comme ils le font même si leurs actes ne sont pas toujours de votre goût.

Souvenez-vous que ce sont en réalité vos pensées qui créent votre colère et non le comportement des autres. Mais, aussi incroyable que cela paraisse, dès que vous saisissez la raison pour laquelle la personne en question a agi ainsi, vous parvenez à démentir vos pensées productrices de colère.

Vous vous demandez peut-être : Puisqu'il est si facile d'éliminer la colère grâce à l'empathie, pourquoi les gens s'en prennent-ils les uns aux autres à longueur de journée ? La réponse est que l'empathie est difficile à acquérir. En tant qu'humains, nous sommes prisonniers de nos propres perceptions et nous réagissons automatiquement à la signification que nous attachons aux actes des autres. Il est difficile de se faufiler à l'intérieur du crâne d'autrui et la plupart des gens ignorent comment s'y prendre. Est-ce votre cas ? Vous apprendrez cette technique dans les pages qui suivent.

Commençons par un exemple. Un homme d'affaires vint chercher de l'aide en raison d'un comportement souvent insultant et de ses fréquents accès de colère. Lorsque sa famille ou ses employés ne faisaient pas ses quatre volontés, il les traitait de tous les noms. Il réussissait en général à intimider les gens, jouissant de la domination qu'il exerçait sur eux et de l'humiliation à laquelle il les soumettait. Pourtant, il s'aperçut peu à peu que ses colères impulsives finissaient par lui causer des problèmes parce qu'il avait acquis une réputation de râleur sadique.

Il me raconta qu'au cours d'un dîner le serveur oublia de lui remplir son verre de vin. Il sentit alors la fureur l'envahir, provoquée par la pensée suivante : « Le garçon me tient pour quantité négligeable. Mais pour qui se prend-il lui-même ? J'aimerais tordre le cou à ce petit merdeux ! »

J'utilisai alors la méthode de l'empathie pour lui démontrer à quel point ses pensées bouillantes étaient illogiques et dépourvues de réalisme. Il accepta de jouer le rôle du serveur, tandis que je jouerais le rôle de l'un de ses amis. Il devrait s'efforcer de répondre le plus sincèrement possible à mes questions. Le dialogue suivant eut lieu entre nous :

DAVID (jouant le rôle du collègue) : J'ai remarqué que tu n'avais pas rempli le verre de cet invité, là-bas.

PATIENT (jouant le rôle du serveur) : Oh ! je vois ! Je n'ai pas rempli son verre, tu as raison.

DAVID : Mais pourquoi ? Crois-tu qu'il n'a aucune importance ?

PATIENT (après une pause) : Non, ce n'est pas pour cela. En réalité, je ne sais pas grand-chose de lui.

DAVID : Mais n'as-tu pas refusé de le servir parce que tu as pensé qu'il était sans importance ?

PATIENT (en riant) : Non, ce n'est certainement pas pour cette raison.

DAVID : Mais pourquoi, alors ?

PATIENT (après réflexion) : Vois-tu, je rêvais à la fille avec laquelle j'ai rendez-vous ce soir. En outre, j'ai été distrait par le décolleté de cette jolie fille de l'autre côté de la table et j'ai complètement oublié de remplir le verre de ce type.

Cette petite comédie soulagea considérablement le patient parce qu'en se mettant à la place du serveur il constata à quel point sa propre interprétation était peu réaliste. Une distorsion cognitive s'était manifestée : la conclusion hâtive (lecture des pensées d'autrui). Il conclut automatiquement que le serveur était « injuste », ce qui lui donna envie de lui rendre la pareille afin de sauvegarder son amour-propre. Après avoir acquis une certaine empathie, il se rendit compte que son indignation était exclusivement et entièrement causée par ses propres pensées faussées et non par les actes du serveur. Il est parfois extrêmement difficile pour les individus colériques d'accepter cela au départ car ils sont la proie d'une envie quasi irrésistible d'exercer des représailles et de blâmer les autres. Et vous? L'idée que beaucoup de vos pensées bouillantes sont sans valeur vous paraît-elle horrifiante et inacceptable?

La technique de l'empathie peut être également utile lorsque les actes d'autrui paraissent beaucoup plus intentionnellement blessants. Une jeune femme de 28 ans nommée Melissa rechercha de l'aide alors qu'elle s'apprêtait à se séparer de son mari, Howard. Cinq ans auparavant, elle avait découvert qu'Howard avait une liaison avec Ann, une jolie secrétaire qui travaillait dans le même édifice que lui. Cette révélation porta un coup terrible à Melissa et, pour aggraver encore la situation, Howard hésita longtemps à rompre définitivement avec Ann. Leur liaison dura huit mois supplémentaires. L'humiliation et la fureur que Melissa ressentit pendant cette période furent des facteurs majeurs qui conduisirent finalement à sa décision de quitter Howard. Melissa avait suivi ce raisonnement : 1° «Il n'avait pas le droit d'agir ainsi»; 2° «Il s'est montré égoïste»; 3° «C'est injuste»; 4° «Howard est mauvais, pourri»; 5° «J'ai raté mon mariage».

Au cours de la séance de thérapie, je demandai à Melissa de jouer le rôle d'Howard, tandis que je l'interrogeai pour déterminer si elle était capable d'expliquer avec précision pourquoi il avait eu une liaison avec Ann et agi comme il l'avait fait. Elle déclara que pendant la petite comédie elle avait soudain compris ce qu'Howard avait pensé et qu'à ce moment-là sa colère s'était évanouie. Après la séance, elle écrivit le récit de la disparition spectaculaire de la colère qu'elle avait refoulée en elle pendant des années :

> «Après la rupture présumée d'Howard et d'Ann, il insista pour continuer à la voir et demeura très lié avec elle. J'en souffris beaucoup. J'eus l'impression qu'il ne me respectait pas et se considérait comme plus important que moi. Je croyais que s'il m'aimait il ne m'aurait pas soumise à cette épreuve. Comment

pouvait-il continuer à voir Ann alors qu'il savait à quel point cela me rendait malheureuse? J'étais très en colère contre lui et très déprimée. Mais lorsque je tentai l'expérience de l'empathie, je vis les choses sous un angle entièrement différent. Lorsque j'imaginai que j'étais Howard, je compris exactement ce qu'il avait pensé. Je me rendis compte du problème que posait le fait d'aimer en même temps Melissa, sa femme, et Ann, sa maîtresse. Je compris qu'Howard était tombé dans le piège créé par ses pensées et ses sentiments et qu'il ne pourrait jamais s'en sortir vainqueur. Il m'aimait toujours mais était désespérément attiré par Ann. Il avait beau désirer rompre tout lien avec elle, il ne le pouvait pas. Il se sentait terriblement coupable. Il croyait qu'il serait perdant s'il quittait Ann et qu'il serait perdant s'il me quittait. Il était incapable de se résoudre à l'une ou l'autre perte. C'est son indécision plutôt qu'une insuffisance quelconque de ma part qui l'éloignait d'une rupture définitive avec Ann. L'expérience de l'empathie a été une révélation pour moi. J'ai vu ce qui s'était passé d'un œil neuf. J'ai enfin compris qu'Howard n'avait pas cherché délibérément à me blesser. Il avait été incapable d'agir autrement. Je me suis sentie beaucoup mieux après avoir compris cela.

Je le révélai à Howard ensuite. Nous nous sentîmes beaucoup mieux tous les deux. L'expérience de l'empathie m'a laissée une impression vraiment positive. Exaltant! Plus réel que tout ce que j'avais connu auparavant.»

La clé de la colère de Melissa était la peur de perdre son amour-propre. Bien qu'Howard se fût conduit de manière véritablement négative, c'est la signification que Melissa avait attachée au comportement de son mari qui avait provoqué son chagrin et sa fureur. Elle présumait qu'une «bonne épouse» méritait un «bon mariage». C'est cette logique qui est responsable de tous ces problèmes.

Hypothèse : «Je suis une bonne épouse, donc mon mari m'aimera et me sera fidèle.»

Remarque : «Mon mari ne me montre aucune affection et m'est infidèle.»

Conclusion : « Par conséquent, je ne suis pas une bonne épouse ou Howard est un individu ignoble et immoral car il a violé mes principes. »

La colère de Melissa représentait donc une faible tentative de sauvegarde de son amour-propre car, dans le cadre de son système de valeurs personnel, c'était la seule solution pour éviter de perdre la face. Les inconvénients de cette solution étaient les suivants : a) Elle n'était pas réellement convaincue que son mari était un individu ignoble; b) Elle n'avait pas envie de se séparer de lui parce qu'elle l'aimait; c) Son amertume chronique n'était pas agréable à ressentir, ne faisait pas d'elle une personne agréable à fréquenter, éloignait son mari.

L'hypothèse qu'il l'aimerait tant qu'elle serait une bonne épouse tient du conte de fées. Pourtant, elle n'avait pas pensé à la remettre en question. La méthode de l'empathie transforma son mode de pensée de manière particulièrement bénéfique, lui permettant de rejeter le perfectionnisme inhérent de ses principes. Le comportement fautif de son mari était causé par ses propres distorsions cognitives et non par les défauts de son épouse. Par conséquent, il était seul responsable de la situation embarrassante dans laquelle il se trouvait.

Cette pensée la frappa comme l'éclair! Dès qu'elle vit le monde extérieur à travers les yeux de son mari, sa colère s'évanouit. Sa personnalité « rapetissa », c'est-à-dire qu'elle ne se considéra plus comme responsable des actes de son mari et de son entourage. Cependant, elle sentit simultanément son amour-propre grandir.

Au cours de la séance suivante, je décidai de soumettre à l'épreuve de l'acide cette nouvelle connaissance. Je la confrontai avec les pensées négatives qui l'avaient accablée au départ afin de déterminer si elle pouvait les contrer avec efficacité.

DAVID : Howard aurait dû cesser de rencontrer Ann bien plus tôt. Il vous a ridiculisée.

MELISSA : Mais non, il ne le pouvait pas. Il était pris au piège. Ann l'obsédait, l'attirait désespérément.

DAVID : Mais alors, il aurait dû aller vivre avec elle et vous laisser en paix, ne plus vous torturer, prendre la seule décision correcte qui s'imposait.

MELISSA : Il ne pouvait se résoudre à rompre avec moi parce qu'il m'aimait encore et il ne voulait pas abandonner non plus nos enfants.

DAVID : Mais c'était injuste de vous laisser si longtemps dans l'indécision !

MELISSA : Il n'avait pas l'intention d'être injuste. Les choses se sont simplement passées comme ça.

DAVID : «Comme ça», simplement ! Quelles sornettes ! En réalité, il aurait simplement dû éviter de se laisser aller dans ce guêpier dès le départ.

MELISSA : Justement, c'était son problème. Ann représentait l'excitation de la nouveauté. Il trouvait sa vie ennuyeuse à l'époque. Un jour, il n'a pu résister à ses avances. Il a fait un tout petit pas en avant dans un moment de faiblesse et toute la liaison a commencé.

DAVID : Dans ce cas, c'est vous qui êtes fautive s'il ne vous a pas été fidèle.

MELISSA : Tout cela n'a rien à voir avec moi, avec ce que je suis. Je n'ai pas à parvenir constamment à mes fins pour être une personne à part entière.

DAVID : Mais il n'aurait jamais recherché l'aventure d'une liaison si vous aviez été une bonne épouse. Vous ne pouvez guère intéresser un homme et c'est pour cette raison que votre mari a eu une liaison.

MELISSA : Lorsqu'il a dû choisir entre Ann et moi, c'est moi qu'il a choisie mais cela ne fait pas de moi quelqu'un de supérieur à Ann, n'est-ce pas ? D'autre part, le fait qu'il ait choisi de régler

ses problèmes par l'évasion ne signifie pas que je suis moins désirable ou que je ne mérite pas d'être aimée.

Je pus constater que Melissa était absolument inébranlable
face à mes vigoureuses provocations, ce qui prouvait qu'elle avait
transcendé cette période douloureuse de sa vie. Elle avait échangé
sa colère contre le bonheur et la stimulation de son amour-propre.
L'empathie était la clé qui l'avait délivrée du piège de l'hostilité,
du désespoir, du doute.

*Une technique qui vous permet de mettre toutes les méthodes en
pratique : la répétition cognitive.* Lorsque vous cédez à la colère,
vous avez peut-être l'impression que vos réactions sont trop rapides
pour vous permettre de vous tenir tranquille un moment afin
d'évaluer objectivement la situation et d'appliquer les diverses
techniques décrites dans ce livre. C'est l'une des caractéristiques
de la colère. Contrairement à la dépression, qui est statique et
chronique, la colère est explosive et épisodique. Lorsque vous
vous rendez enfin compte de votre irritation, vous risquez d'avoir
déjà perdu toute maîtrise de vous-même.

La répétition de scènes en utilisant la méthode cognitive est
efficace pour résoudre ce problème. Elle vous permet d'utiliser
tous les outils dont vous avez appris l'efficacité dans les pages
précédentes. La technique vous aidera à surmonter votre colère à
l'avance, dans le cadre d'une situation imaginaire. Ainsi, lorsque
la réalité viendra vous assaillir, vous serez prêt à l'affronter.

Commencez par dresser la liste d'une hiérarchie de la colère
en imaginant les situations qui vous hérissent le plus fréquemment
le poil. Affectez-leur une note, de 1 à 10, comme le montre le
tableau 7-7. Choisissez des situations que vous aimeriez dépouiller
de leur caractère provocateur car vous pensez que votre colère est
inadaptative et indésirable.

Commencez par la première situation de la liste, soit la moins
irritante. Imaginez le plus réalistement possible que vous vous trouvez dans cette situation. Puis exprimez vos pensées bouillantes

et écrivez-les. Dans l'exemple analysé en 7-7, vous êtes irrité parce que vous vous dites : «Ces abrutis de serveurs sont des incapables ! Pourquoi ne remuent-ils pas un peu leur graisse ? Pour qui se prennent-ils donc ? Suis-je censé mourir de faim et de soif avant qu'on vienne m'apporter le menu et un verre d'eau ?»

TABLEAU 7-7

Hiérarchie de la colère.

+1	Je suis assis dans un restaurant depuis 15 minutes et le garçon ne vient pas.
+2	J'appelle un ami qui oublie de me rappeler.
+3	Un client annule un rendez-vous à la dernière minute sans explication.
+4	Un client ne vient pas à un rendez-vous sans m'avoir prévenu à l'avance de son absence.
+5	Quelqu'un me critique méchamment.
+6	Un groupe d'adolescents impolis passe devant moi alors que nous faisons la queue à l'entrée d'un cinéma.
+7	Je lis dans les journaux des articles qui relatent des actes de violence insensée, tels que des viols.
+8	Un client refuse de payer la facture relative à des marchandises que je lui ai livrées.
+9	Des délinquants du quartier ont pris, depuis plusieurs mois, l'habitude de décrocher ma boîte aux lettres au milieu de la nuit. Je ne peux ni les capturer ni les empêcher de nuire.
+10	Je regarde la télévision et j'apprends que quelqu'un, sans doute une bande de petits voyous, est entré par effraction dans le zoo pendant la nuit pour lapider ou mutiler de nombreux oiseaux et animaux de petite taille.

Imaginez ensuite que vous explosez, réprimandez le maître d'hôtel, sortez en fulminant, sans oublier de claquer la porte du restaurant. Puis donnez une note au degré d'irritation que vous ressentez, entre 0 et 100.

Ensuite, repassez mentalement ce scénario en substituant les pensées plus raisonnables. Imaginez que vous vous sentez détendu et serein. Imaginez que vous réglez le problème avec tact, efficacité et fermeté. Par exemple, vous vous dites : «Les serveurs ne semblent pas m'avoir remarqué. Peut-être sont-ils très occupés aujourd'hui et ont-ils oublié que je n'avais pas encore de menu. Il n'y a aucune raison de m'énerver.»

Puis obligez-vous à vous approcher du maître d'hôtel pour lui expliquer fermement votre situation, selon ces principes : Faites remarquer avec tact que vous attendez depuis un bon moment. S'il explique qu'ils sont occupés, désarmez-le en acquiesçant et en le complimentant sur leur belle clientèle. Réitérez votre demande, fermement mais courtoisement. Enfin, imaginez qu'il envoie alors à votre table un serveur qui se confond en excuses et vous traite ensuite comme si vous étiez un grand personnage. Vous vous sentez à l'aise et appréciez fort votre repas.

Maintenant, entraînez-vous chaque soir à cette petite comédie jusqu'à ce que vous maîtrisiez le scénario. Imaginez que vous réglez le problème avec tact et efficacité. Cette répétition cognitive vous permettra de vous conditionner à réagir de manière plus affirmative tout en demeurant détendu, lorsque la réalité vous fera de nouveau face.

Il est possible que vous ayez une critique à formuler à l'égard de cette méthode : Peut-être pensez-vous qu'il n'est pas réaliste d'imaginer un dénouement positif puisque rien ne garantit que le personnel du restaurant réagira à votre réclamation par la courtoisie, en satisfaisant vos besoins. La réponse est simple : Rien ne garantit non plus qu'il réagira par l'irritation, mais si vous vous attendez à une réponse hostile de sa part, vous accroissez fortement les probabilités d'en recevoir une car la colère est contagieuse. En revanche, si vous utilisez une approche optimiste parce que vous avez imaginé un dénouement agréable, il y a de fortes chances que les événements se déroulent comme dans votre scénario.

Vous pouvez, évidemment, vous préparer à un dénouement négatif en utilisant la même méthode. Imaginez que vous vous approchez du serveur et qu'il vous regarde de haut avant de vous accorder un service médiocre. Inscrivez ensuite vos pensées bouillantes, remplacez-les par des pensées raisonnables et élaborez une nouvelle stratégie de résolution du problème comme vous l'avez fait auparavant.

Prenez ensuite chaque situation énumérée dans votre hiérarchie de la colère, par ordre croissant, jusqu'à ce que vous ayez appris à penser, ressentir et agir de manière plus pacifique face à toutes les situations provocatrices dans lesquelles vous risquez de vous trouver. Votre démarche doit être souple, car l'application de différentes techniques peut être requise pour régler les divers problèmes de votre liste. L'empathie peut être la clé de l'une d'elles, la fermeté verbale peut permettre d'en régler une autre, tandis que vous devrez sans doute modifier ce que vous attendez des autres pour faire face à la troisième.

Il est important de ne pas évaluer les progrès accomplis dans le cadre de votre programme selon des critères excessivement sévères ou extrêmes car la maturité affective ne s'acquiert pas du jour au lendemain, surtout en ce qui concerne la colère. Si vous réagissez habituellement à une situation provocatrice donnée par 99 % de colère, la diminution du degré de colère jusqu'à 70 % représente un effort louable.

Persévérez et efforcez-vous de descendre jusqu'à 50 % d'abord, puis jusqu'à 30 %. Un jour ou l'autre, vous constaterez que votre colère a soit disparu complètement, soit atteint un minimum acceptable.

Souvenez-vous que la sagesse de vos amis et de vos collègues est une mine d'or dont vous pouvez profiter lorsque la situation paraît sans issue. Il est possible que vos relations connaissent parfaitement vos points faibles. Demandez-leur comment elles croient qu'elles réagiraient dans une situation donnée qui vous frustre, vous paralyse ou vous hérisse. Que se disent-elles dans ce cas? Que font-elles? Vous seriez surpris de tout ce que vous pourriez apprendre si vous vous décidiez simplement à leur poser quelques questions.

Dix choses que vous devez savoir à propos de votre colère

1. Les événements extérieurs ne vous mettent pas en colère. Ce sont vos pensées bouillantes qui créent votre colère. Même lorsqu'un événement réellement négatif se produit, c'est la signification que vous lui attribuez qui détermine votre réaction émotive.

L'idée que vous êtes responsable de votre colère joue en définitive en votre faveur car elle vous permet d'apprendre à vous maîtriser et à choisir entièrement les sentiments que vous voulez ressentir. Dans le cas contraire, vous seriez incapable de maîtriser vos sentiments. Ils seraient irréversiblement liés aux événements extérieurs, qui, pour la plupart, échappent totalement à votre contrôle.

2. En général, la colère n'agit pas en votre faveur. Elle vous immobilise. Vous vous paralysez dans votre hostilité, sans résultats productifs. Vous vous sentiriez mieux si vous mettiez plutôt l'accent sur la recherche de solutions créatrices. Que faire pour remédier à la situation ou, tout au moins, réduire vos chances de souffrir autant à l'avenir? Cette attitude éliminera dans une certaine mesure le sentiment d'impuissance et de frustration qui vous consume lorsque vous constatez que la situation est sans issue.

Lorsque nulle solution n'est applicable parce que la situation provocatrice échappe totalement à votre contrôle, votre rancune vous rendra malheureux. Alors, pourquoi ne pas vous en débarrasser? Il est difficile mais pas impossible de ressentir simultanément joie et colère. Si vous estimez que votre colère est particulièrement précieuse, pensez alors à l'un des plus heureux moments de votre vie. Puis, demandez-vous : «Combien de minutes de ce moment de paix ou d'euphorie suis-je prêt à échanger contre ma frustration et ma colère?»

3. Les pensées qui engendrent la colère contiennent en général des distorsions. Éliminez ces distorsions et vous affaiblirez vôtre colère.

4. Votre colère est en définitive provoquée par l'idée que quelqu'un s'est conduit injustement envers vous ou que quelque chose d'injuste vous est arrivé. L'intensité de la colère croît proportionnellement à la gravité de l'insulte perçue. Elle est d'autant plus grande que vous estimez avoir été délibérément lésé ou insulté.

5. Si vous apprenez à vous placer derrière les yeux des autres, vous serez surpris de constater à quel point leurs actes sont «justes», selon leur point de vue. L'injustice n'est alors qu'une illusion qui n'existe que dans votre esprit. Si vous acceptez d'abandonner l'idée peu réaliste que vos notions de justice et de vérité sont partagées par le reste de l'Univers, vous vous débarrasserez d'une grande part de votre frustration et de votre rancune.

6. Les autres n'estiment pas, en général, qu'ils ont mérité d'être punis par vous. Par conséquent, il est peu probable que vos représailles aient un effet positif. Votre fureur ne fera qu'envenimer vos relations avec les autres. C'est à ce moment-là que vos impressions négatives d'autrui se révéleront fondées. Même si vous parvenez passagèrement à vos fins, tout ce que vous aurez gagné à brève échéance par ces manœuvres hostiles sera plus que contrebalancé par la rancune tenace que vous éveillerez chez vos victimes, les incitant à leur tour à exercer des représailles. Personne

n'aime être contraint. C'est pourquoi le système de la récompense est infiniment plus efficace.

7. Votre colère représente, pour une large part, un moyen de défense contre la perte de votre amour-propre. Lorsque les autres vous critiquent, ou expriment leur désaccord, ou ne se conduisent pas comme vous l'aimeriez, vous avez peur de perdre la face. Par conséquent, votre colère est toujours inutile car seules vos propres pensées faussées ont la faculté de vous faire croire que votre amour-propre est en danger. Lorsque vous blâmez autrui pour le sentiment d'incapacité que vous ressentez, vous vous abusez.

8. La frustration résulte d'une attente déçue. L'événement qui a provoqué cette déception étant un élément de la réalité, il est réaliste. En revanche, votre frustration découle toujours d'une attente qui, elle, ne l'est pas. Vous avez, certes, le droit d'essayer d'influencer la réalité pour la modeler à votre goût mais cette démarche n'est pas toujours pratique, notamment lorsque votre attente représente un idéal qui ne correspond pas à la conception universelle. La solution la plus simple consiste à modifier votre attente. Par exemple, voici certains principes dépourvus de réalisme qui conduisent à la frustration :

a) Si je désire quelque chose (l'amour, le bonheur, une promotion, etc.), je mérite cette chose ;

b) Si je travaille d'arrache-pied pour obtenir quelque chose, je dois réussir ;

c) Les autres doivent essayer d'être à la hauteur de mes principes et partager ma conception de la justice ;

d) Je dois être capable de résoudre rapidement et facilement tous les problèmes ;

e) Si je suis une bonne épouse, mon mari doit m'aimer ;

f) Les gens doivent agir et penser à ma manière;

g) Si je suis gentille envers quelqu'un, je devrai être payée de retour.

9. Vous vous conduisez en enfant gâté lorsque vous insistez pour affirmer votre droit de vous mettre en colère. Bien sûr que vous avez le droit de vous mettre en colère! La colère est légalement autorisée. La question cruciale est plutôt : Est-il plus avantageux pour vous de vous mettre en colère? Votre colère vous apportera-t-elle quelque chose? Apportera-t-elle quelque chose aux autres?

10. Vous avez rarement besoin de votre colère pour prouver que vous êtes un être humain. Il est faux d'affirmer que sans elle vous seriez seulement un robot insensible. En réalité, une fois libéré de votre irritation, de votre rancune, vous ressentirez plus intensément les joies de la vie, le bonheur, la paix. Vous serez plus productif. Vous vous sentirez délivré et lucide.

Chapitre 8

Comment se débarrasser
du sentiment de culpabilité?

Nul livre sur la dépression ne serait complet sans un chapitre consacré au sentiment de culpabilité. Quelle est sa fonction? Les écrivains, les directeurs de conscience, les psychologues et les philosophes se sont tous penchés sur cette question. Quelle est la base du sentiment de culpabilité? Est-il né avec la notion de «péché originel»? Est-il un produit des fantasmes incestueux et œdipiens ou d'autres tabous évoqués par Freud? Est-ce un sentiment inutile dont l'humanité se passerait volontiers, comme le suggèrent certains auteurs d'ouvrages de psychologie populaire?

Lorsque les arcanes de l'arithmétique furent révélés aux savants, ceux-ci s'aperçurent qu'ils pouvaient facilement résoudre des problèmes de mouvement et d'accélération qui se révélaient d'une complexité extrême lorsqu'on essayait de les résoudre par d'autres méthodes. La théorie cognitive nous a fourni une sorte d'arithmétique émotive qui rend certaines questions épineuses de psychologie et de philosophie beaucoup plus simples à résoudre.

Voyons ce que peut nous apprendre la démarche cognitive. Le sentiment de culpabilité est ce que vous ressentez lorsque vous pensez ainsi :

1. J'ai fait quelque chose que je n'aurais pas dû faire (ou j'ai omis de faire quelque chose que j'aurais dû faire). Mes actes violent mes règles de moralité et de justice ;
2. Mon mauvais comportement prouve que je suis un être mauvais (ou que j'ai une propension à faire le mal, que j'ai une personnalité déplaisante, que je suis pourri jusqu'au cœur, etc.).

Cette perception de soi comme un être « mauvais » est la clé de voûte du sentiment de culpabilité. En son absence, votre acte répréhensible conduirait à un remords tout à fait sain et non à un sentiment de culpabilité. Le remords naît de la perception entièrement réaliste d'avoir délibérément et inutilement agi envers soi ou envers autrui d'une manière blessante qui viole nos normes d'éthique personnelle. Le remords est différent du sentiment de culpabilité parce que la transgression de nos principes ne signifie pas que nous sommes des êtres mauvais ou immoraux. En bref, le remords est dirigé vers notre comportement tandis que le sentiment de culpabilité est dirigé vers notre « être ».

Non content de vous sentir coupable, vous êtes déprimé, anxieux, honteux. Dans ce cas, il est probable que vous êtes victime de l'une des théories suivantes :

1. En raison de mon mauvais comportement, je suis inférieur, je ne vaux rien (interprétation qui conduit à la dépression) ;
2. Si les autres découvraient ce que j'ai fait, ils me mépriseraient (cognition qui conduit à la honte) ;
3. Je risque d'être victime des représailles des autres ou d'être puni (pensée qui provoque l'anxiété).

Pour déterminer si les sentiments engendrés par de telles pensées sont utiles ou destructeurs, la méthode la plus simple consiste à rechercher les distorsions cognitives qu'elles peuvent contenir (Voir chapitre 3). Leur présence suggère que votre sentiment de culpabilité, votre anxiété, votre honte ou votre dépression ne sont ni valides ni réalistes. Je soupçonne que vous découvrirez qu'un grand nombre de vos sentiments négatifs reposent en fait sur de telles erreurs de pensée.

La première distorsion que vous risquez de cerner est l'hypothèse que vous avez fait quelque chose de mal, que cela soit ou non le cas. Le comportement que vous condamnez est-il réellement si horrible, si immoral, si mauvais? N'êtes-vous pas en train d'amplifier le problème? Une charmante technicienne médicale m'apporta récemment une enveloppe cachetée qui contenait une feuille de papier sur laquelle elle avait écrit une chose si affreuse qu'elle ne pouvait se résoudre à me la révéler tout haut. Tout en me tendant l'enveloppe, elle me fit promettre, toute tremblante, de ne pas la lire à haute voix et de ne pas me gausser d'elle. Le message contenu dans l'enveloppe était le suivant : « Je mange les croûtes de mon nez. » L'appréhension et l'horreur que je pouvais lire sur son visage contrastaient tellement avec la banalité de son message que je perdis tout sérieux professionnel et éclatai de rire. Heureusement, elle m'imita rapidement et exprima ensuite son soulagement.

Cela signifie-t-il que vous ne pouvez pas vous conduire mal? Certes non! Voici qui serait extrêmement peu réaliste! J'affirme seulement que, dans la mesure où la perception de vos fautes est amplifiée dans des proportions qui ne sont pas réalistes, votre angoisse et votre autopersécution sont absolument inutiles.

Une deuxième distorsion très importante qui conduit au sentiment de culpabilité consiste à vous doter de l'étiquette «être mauvais» en raison de vos actes. Il s'agit ici du type de pensée destructeur qui engendrait autrefois la superstition et provoquait la chasse aux sorcières à l'ère médiévale. Peut-être avez-vous réellement commis un acte de colère, blessé quelqu'un, mais il est inutile de vous qualifier ensuite de «mauvais» ou de «pourri» car votre énergie est alors consacrée à ruminer vos pensées, à vous persécuter et non à rechercher un moyen constructif de résoudre le problème.

Une autre distorsion créatrice du sentiment de culpabilité est la «personnalisation». Vous assumez à tort la responsabilité de quelque chose que vous n'avez pas provoqué. Admettons que vous fassiez une critique constructive à votre petit ami, qui réagit de manière blessante en se plaçant sur la défensive. Vous vous tiendrez alors pour responsable de son irritation en concluant que votre commentaire était méchant. En réalité, ce sont ses propres pensées négatives qui l'ont irrité, non ledit commentaire. En outre, il s'agit probablement d'une distorsion cognitive. Il pense peut-être que votre critique signifie qu'il est un imbécile et que vous ne le respectez pas. Pourtant, est-ce vous qui avez voulu introduire cette idée dans sa tête? Pas le moins du monde. C'est lui. Par conséquent, vous n'êtes absolument pas responsable de sa réaction.

Étant donné que selon la thérapie cognitive seules vos pensées créent vos sentiments, vous parviendrez peut-être à la conviction nihiliste que vous ne pouvez faire de mal à quiconque, quoi que vous fassiez. Ce qui implique que vous avez le droit de tout faire. Après tout, pourquoi ne pas abandonner votre famille, tromper votre femme, escroquer votre associé? S'ils le prennent mal, c'est de leur faute puisque la colère est créée par leurs propres pensées, n'est-ce pas?

Certainement pas! Nous en arrivons de nouveau à l'importance de la notion de distorsion cognitive. Dans la mesure où le tourment d'une personne est causé par des pensées faussées, vous pouvez affirmer qu'elle est responsable de sa souffrance. Si vous vous blâmez à sa place, vous commettez l'erreur de la personnalisation. En revanche, lorsque les souffrances de cette personne sont provoquées par des pensées valides, réalistes, elles peuvent avoir une cause externe. Par exemple, si vous me donnez un coup de pied dans l'estomac, je penserai sans doute : « J'ai reçu un coup de pied! Ça fait mal!» Dans ce cas, c'est vous qui êtes responsable de ma douleur et votre perception de cette douleur que vous m'avez infligée n'est absolument pas faussée. Votre remords et ma douleur sont parfaitement ancrés dans la réalité.

Les «devrait» mal à propos représentent la dernière distorsion cognitive qui conduit au sentiment de culpabilité. Ils signifient que vous attendez de vous-même que vous soyez parfait, omniscient, tout-puissant. Les «devrait» perfectionnistes se rapportent à des règles de vie qui vous détruisent en vous imposant des idéaux impossibles à atteindre et des principes trop rigides. Admettons que vous vous disiez: «Je devrais être heureux à tout moment.» Chaque fois que vous ne vous sentirez pas heureux, vous penserez que vous êtes un raté. Étant donné qu'il est impossible qu'un être humain connaisse un bonheur perpétuel, cette règle est destructrice et témoigne d'un manque de maturité.

Un «devrait» qui repose sur l'hypothèse que vous êtes omniscient vous fait présumer que vous détenez la totalité des connaissances universelles et que vous pouvez prédire l'avenir sans risque de vous tromper. Par exemple, vous vous direz: «Je n'aurais pas dû aller à la plage cette fin de semaine parce que je sentais venir la grippe. Quel imbécile je suis! Maintenant, je suis si malade que j'en ai pour une semaine à rester au lit!» Vous tancer de la sorte n'est pas réaliste car vous ignoriez si votre journée sur la plage risquait ou non d'aggraver votre indisposition. Si vous l'aviez su, vous auriez agi différemment. Étant humain, vous avez pris une décision et l'avenir vous a donné tort.

Les «devrait» qui reposent sur l'hypothèse que vous êtes tout-puissant tiennent pour acquis qu'à l'instar de Dieu vous êtes le maître suprême sur Terre et dans les cieux, vous avez la faculté de vous dominer et de dominer les autres afin de parvenir à vos fins. Par exemple, vous manquez votre service au tennis et vous vous dites: «Je n'aurais jamais dû manquer ce service!» Et pourquoi pas? Votre jeu est-il donc si parfait que vous ne pouvez absolument pas manquer un service?

Il est évident que ces trois sortes de « devrait » provoquent un sentiment de culpabilité mal à propos car ils ne sont pas représentatifs de normes d'éthique sensées.

En sus des distorsions, plusieurs autres critères peuvent vous aider à distinguer le sentiment de culpabilité anormal d'un remords et d'un regret tout à fait sains. Ces critères sont les suivants : l'intensité, la durée, les conséquences de votre sentiment négatif. Utilisons ces critères pour évaluer le sentiment paralysant de culpabilité d'une professeure d'école secondaire nommée Janice. Janice, âgée de 52 ans, mariée, était gravement dépressive depuis de nombreuses années. Son problème était une obsession relative à deux épisodes de vol à l'étalage qui avaient eu lieu alors qu'elle avait 15 ans. Bien qu'elle eût mené une vie scrupuleusement honnête depuis, elle ne pouvait se débarrasser du souvenir de ces deux incidents. Les pensées créatrices d'un sentiment de culpabilité l'assaillaient constamment : « Je suis une voleuse. Je suis une menteuse. Je suis une bonne à rien. Je suis une ratée. » La douleur était si intense que chaque soir elle priait Dieu de la faire mourir pendant son sommeil. Chaque matin, elle se réveillait amèrement déçue. « Je suis si mauvaise que même Dieu ne veut pas de moi. » Rendue malade par la frustration, elle finit par charger le pistolet de son mari, le pointa en direction de son cœur et appuya sur la gâchette. L'arme s'enraya, la balle ne partit pas. Elle n'avait pas correctement chargé le pistolet. Ce fut la défaite suprême; elle n'était même pas capable de se tuer. Elle posa l'arme et fondit en larmes.

Le sentiment de culpabilité de Janice est anormal, non seulement en raison des évidentes distorsions qui l'animent mais aussi à cause de son intensité, de sa durée, des conséquences de ce qu'elle ressentait et pensait. Elle ne ressentait ni remords ni regret parfaitement sains, mais une dégradation irrésistible de son amour-propre qui la rendait aveugle à la réalité quotidienne tellement elle était disproportionnée. Les conséquences de son sentiment de culpabilité ont fait naître l'ironie suprême : Persuadée qu'elle était un «être mauvais», elle a essayé de mettre fin à ses jours, acte destructeur et insensé par définition.

Le cycle de la culpabilité

Même si votre sentiment de culpabilité est malsain et repose sur des distorsions, dès que vous commencez à vous sentir coupable, vous êtes pris au piège d'une illusion qui fait apparaître votre sentiment comme valide. Ces illusions peuvent être puissantes et très convaincantes. Vous raisonnez ainsi :

1. Je me sens coupable et mérite la condamnation d'autrui, ce qui signifie que je suis un «être mauvais»;
2. Puisque je suis un «être mauvais», je mérite de souffrir.

Donc, votre sentiment de culpabilité vous convainc de votre caractère néfaste et alimente un autre sentiment de culpabilité. Cette jonction entre le cognitif et l'émotif unit vos pensées à vos sentiments. Vous êtes alors prisonnier d'un système circulaire que j'appelle «le cycle de la culpabilité».

Les raisonnements affectifs alimentent le cycle. Vous estimez automatiquement que parce que vous vous sentez coupable vous avez fait quelque chose de mal à un moment donné et méritez de souffrir. Vous raisonnez ainsi : « Je sens que je suis un "être mauvais", donc je suis un "être mauvais". » C'est irrationnel parce que votre haine de vous-même ne prouve pas que vous avez automatiquement commis un acte répréhensible. C'est peut-être le cas, mais rien n'est moins sûr. Par exemple, les enfants sont fréquemment punis mal à propos lorsque les parents sont fatigués et irritables, ce qui les conduit à mal interpréter leur comportement. Dans ces conditions, le sentiment de culpabilité des pauvres enfants ne prouve certainement pas qu'ils ont vraiment fait quelque chose de mal.

Les punitions que vous vous infligez renforcent le cycle. Les pensées génératrices du sentiment de culpabilité conduisent à des actes improductifs qui fortifient votre conviction que vous êtes un être immonde. Par exemple, une neurologue très portée au sentiment de culpabilité essayait de se préparer à l'examen du Conseil médical. Elle avait du mal à étudier régulièrement et se sentait coupable lorsqu'elle n'étudiait pas. Elle perdait chaque soir du temps à regarder la télévision tandis que ses pensées vagabondaient de la façon suivante : «Je ne devrais pas regarder la télévision. Je devrais me préparer à mes examens. Je suis une paresseuse, je ne mérite pas d'être médecin. Je suis trop égocentrique. Je mériterais d'être punie.» Ces pensées provoquaient un sentiment intense de culpabilité. Puis elle se dit : «Ce sentiment de culpabilité prouve à quel point je suis paresseuse et nulle.» Par conséquent, à ce stade, les pensées punitives et les sentiments de culpabilité se sont rejoints.

À l'instar de beaucoup de personnes portées au sentiment de culpabilité, elle se disait que si elle se punissait suffisamment elle finirait par se corriger. Malheureusement, c'est le contraire qui est vrai, en général. Son sentiment de culpabilité ne fit que drainer son énergie, la renforçant dans sa conviction qu'elle était «paresseuse et nulle». Les seuls actes qui résultèrent de cette haine d'elle-même furent les visites nocturnes dans la cuisine qui lui permirent de satisfaire son besoin compulsif de crème glacée ou de beurre d'arachide.

Le cercle vicieux dans lequel elle s'est enfermée est illustré au tableau 8-1. Ses pensées, sentiments, actes négatifs ont eu partie liée pour créer l'illusion destructrice qu'elle était un «être mauvais» et irrécupérable.

Si vous avez réellement commis un acte blessant ou mal à propos, méritez-vous réellement, automatiquement, de souffrir? Si vous avez l'impression que la réponse à cette question est «Oui», demandez-vous ensuite : Combien de temps dois-je souffrir? Un jour? Un an? Le restant de mes jours? Quelle peine vous infligerez-vous? Serez-vous prêt à cesser de souffrir et de vous rendre malheureux lorsque vous aurez purgé cette peine? Ce serait une manière responsable de vous punir puisqu'elle serait limitée dans le temps. À quoi bon vous accabler ainsi? Si vous avez réellement commis une erreur ou un acte blessant, votre sentiment de culpabilité ne vous fera pas miraculeusement retourner dans le temps, avant le moment de l'acte fatidique. Il ne vous permettra pas non plus de comprendre plus rapidement quelle a été votre erreur. Personne ne vous aimera ou ne vous respectera plus parce que vous vous sentez coupable et vous vous dénigrez ainsi. Votre sentiment de culpabilité ne rendra pas votre vie plus productive. Alors, à quoi bon?

TABLEAU 8-1

Les pensées d'autocritique d'une neurologue provoquèrent en elle un tel sentiment de culpabilité qu'elle eut beaucoup de mal à se préparer pour son examen de validation. Sa procrastination renforça sa conviction qu'elle était «mauvaise» et méritait un châtiment, conviction qui, à son tour, rongea encore davantage son désir de résoudre le problème.

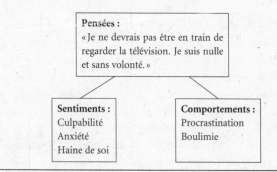

Beaucoup de gens se demandent : « Mais comment vivre de manière morale, comment maîtriser mes impulsions si je ne me sens pas coupable lorsque j'ai fait quelque chose de mal ? » C'est la démarche utilisée par les agents de libération conditionnelle. Apparemment, vous vous considérez comme tellement obstiné, tellement irrécupérable que vous devez constamment vous châtier pour vous empêcher de vous transformer en un Jack l'Éventreur. Il est évident que si votre comportement a un effet inutilement déplaisant sur les autres une petite dose de remords vous aidera mieux à vous reprendre en main qu'une prise de conscience froide et stérile de vos erreurs.

Cependant, personne n'a jamais découvert qu'il est profitable de se qualifier en permanence d'« être mauvais ». La plupart du temps, ce sentiment négatif entraîne un comportement tout aussi négatif. Votre changement et l'apprentissage de vos erreurs deviennent plus faciles si vous reconnaissez que vous avez justement commis une erreur et mettez au point une stratégie de rectification. Si vous laissez parler votre amour-propre, si vous demeurez détendu, vous accélérerez le processus que le sentiment de culpabilité risque fort de ralentir.

Par exemple, il arrive que mes patients critiquent l'un de mes commentaires qu'ils ont reçu à rebrousse-poil. En général, ces critiques me vexent et réveillent mon sentiment de culpabilité lorsqu'elles contiennent une parcelle de vérité. Lorsque je me sens coupable, je me qualifie d'incompétent et réagis en me plaçant sur la défensive. J'éprouve une envie dévorante de réfuter l'attaque, de justifier mon erreur ou de contre-attaquer, parce que ces sentiments sont particulièrement odieux. Il m'est ensuite d'autant plus difficile d'admettre mon erreur et de modifier mon comportement. Si, en revanche, je ne me sermonne pas, si je n'ai pas l'impression d'avoir perdu mon amour-propre, il devient facile d'admettre mon erreur. Je suis alors en mesure de rectifier rapidement la situation et de profiter de cette erreur. Moins je me sens coupable, plus il m'est facile de m'améliorer.

Par conséquent, ce dont vous avez besoin lorsque vous vous sentez coupable, c'est d'un mécanisme de constatation de votre erreur et de changement de votre comportement. Votre sentiment de culpabilité facilite-t-il le mouvement de ces rouages? Je ne le crois pas. Plutôt que faciliter la constatation de votre erreur, le sentiment de culpabilité vous entraîne dans une opération de camouflage. Vous devenez sourd à toute critique. Vous ne pouvez supporter d'avoir tort car votre douleur est trop intense. C'est pourquoi le sentiment de culpabilité est si stérile.

Vous allez peut-être protester: «Mais comment savoir que j'ai fait quelque chose de mal si je ne me sens pas coupable? Mon sentiment de culpabilité ne m'empêche-t-il pas de me vautrer dans un égoïsme aveugle, incontrôlé, destructeur?»

Bien sûr, tout est possible, mais je doute que cela se produise. Vous pouvez remplacer votre sentiment de culpabilité par un comportement plus éclairé: l'empathie. L'empathie est la faculté de visualiser les conséquences positives ou négatives de vos actes. L'empathie est la capacité de cerner l'impact de ce que vous vous faites et de ce que vous faites aux autres, la capacité de ressentir un chagrin et un remords authentiques et sains sans vous apposer une étiquette négative. L'empathie vous place dans le contexte moral et affectif qui vous permet de guider votre comportement vers une voie morale et enrichissante sans le fouet que constitue le sentiment de culpabilité.

À l'aide de ces critères, vous pouvez maintenant déterminer facilement si vos sentiments sont constitués d'un remords normal et sain ou d'un sentiment de culpabilité destructeur et faussé. Posez-vous les questions suivantes:

1. Ai-je consciemment et délibérément fait quelque chose de «mal», d'«injuste» ou d'inutilement blessant, ou est-ce que je m'attends à être parfait, omniscient, tout-puissant?

2. Est-ce que je me qualifie de «mauvais», de «pourri» en raison de cet acte? Mes pensées contiennent-elles d'autres distorsions cognitives telles que l'amplification, la généralisation excessive, etc.?

3. Est-ce que je ressens un remords ou un regret normal, qui résulte de ma connaissance empathique de l'impact négatif de mon acte? L'intensité et la durée de ma réaction douloureuse sont-elles proportionnées à mon acte?

4. Suis-je en train de tirer profit de mon erreur et d'élaborer une stratégie pour changer mon comportement ou suis-je en train de m'apitoyer sur mon sort, de ruminer mes pensées négatives ou de me punir?

Maintenant, passons aux méthodes qui vous permettront de vous débarrasser des sentiments de culpabilité inutiles et de hausser votre dignité personnelle.

1. Inscription quotidienne des pensées dysfonctionnelles. Dans les chapitres précédents, je vous ai expliqué quelle était l'utilité de cette méthode pour surmonter la faiblesse de votre amour-propre et le sentiment d'incapacité. Elle est particulièrement efficace pour se débarrasser de tout un éventail de sentiments, le sentiment de culpabilité compris. Inscrivez les événements qui provoquent la montée de ce sentiment dans la colonne intitulée «situation». Par exemple, «J'ai parlé sèchement à un collègue» ou «Au lieu de donner 10 $ à l'association des anciens élèves, j'ai jeté le formulaire de donation dans la corbeille à papier». Puis placez-vous sur la même longueur d'onde que ce haut-parleur tyrannique qui beugle dans votre tête et identifiez les accusations qui engendrent le sentiment de culpabilité. Enfin, cernez les distorsions cognitives et inscrivez à leur place des pensées plus objectives. Le soulagement ne devrait pas se faire attendre.

Un exemple est illustré en 8-2. Shirley, jeune femme très nerveuse, décida de déménager à New York pour les besoins de sa carrière d'actrice. Après que sa mère et elle eurent passé une journée harassante là-bas afin de trouver un appartement pour Shirley, toutes deux reprirent le train pour Philadelphie. Une fois en route, elles constatèrent qu'elles avaient pris par erreur un train qui ne comportait pas de voiture-restaurant. La mère de Shirley se plaignit de l'absence de bar et Shirley se sentit envahie par un sentiment de culpabilité très puissant. L'autocritique la submergea. Après avoir inscrit et réfuté les pensées créatrices du sentiment de culpabilité, elle se sentit fort soulagée. Elle m'affirma qu'en surmontant ce sentiment de culpabilité elle avait évité l'accès de colère auquel elle aurait normalement cédé dans une situation aussi frustrante (tableau 8-2).

2. *Technique d'élimination des «devrait».* Voici quelques méthodes pour éliminer ces «devrait» irrationnels avec lesquels vous vous lapidez. Tout d'abord, demandez-vous : «Qui dit que je "devrais" faire ceci ou cela? Où est-ce écrit?» Cette méthode a pour but de vous faire comprendre que vous vous critiquez inutilement. Puisque, en définitive, c'est vous qui rédigez vos propres règles de conduite, une fois que vous avez décidé qu'une règle a perdu son utilité, vous pouvez soit la modifier, soit vous en débarrasser. Admettons que vous pensiez que vous êtes capable de rendre votre conjoint heureux en permanence. Si votre expérience vous apprend que cette règle n'est ni réaliste ni utile, vous la récrirez pour la rendre plus valide. Vous vous direz, par exemple : «Je peux rendre mon conjoint heureux la plupart du temps, mais certainement pas en permanence car son bonheur dépend en fin de compte de lui (ou d'elle) et je ne suis pas plus parfait(e) que lui (ou qu'elle). Par conséquent, je ne peux prévoir que tout ce que je ferai sera toujours bien accueilli.»

En décidant de l'utilité de telle ou telle règle, vous devrez vous demander : «Quels sont les avantages et les inconvénients que présente l'application de cette règle? Comment peut-elle m'aider à croire que je devrai constamment être capable de rendre mon

TABLEAU 8-2

Situation	Sentiments	Pensées créatrices du sentiment de culpabilité	Distorsions cognitives	Pensées rationnelles	Résultat
Ma mère est très lasse et parce qu'elle a mal compris mes explications sur l'horaire des trains nous avons pris un train sans wagon-restaurant.	Sentiment de culpabilité. Frustration. Colère. Apitoiement sur mon sort.	1. Maman a marché toute la journée à New York avec moi et elle ne peut même pas prendre un verre à cause de mes explications embrouillées. J'aurais dû expliquer que « pas de voiture-restaurant » ne voulait pas dire qu'il y avait une buvette.	Personnalisation. Filtre mental « devrait ».	1. Je suis ennuyée pour maman mais le trajet ne dure qu'une heure et demie. Je croyais avoir bien expliqué l'horaire des trains. Je suppose que tout le monde commet des erreurs.	Soulagement sensible.
		2. Je me sens horrible. Je suis si égoïste.	Raisonnement émotif.	2. Je suis plus ennuyée qu'elle ! Ce qui est fait est fait. C'est inutile de se lamenter.	
		3. Pourquoi est-ce que je gâche toujours tout ?	Généralisation excessive et personnalisation.	3. Je ne gâche pas tout. Ce n'est pas de ma faute, si elle a mal compris.	
		4. Elle est si gentille pour moi. Je ne suis bonne à rien.	Étiquetage. Pensée « tout-ou-rien ».	4. Un petit incident ne fait pas de moi une bonne à rien.	

250

conjoint heureux? Quel prix devrai-je payer pour en être convaincu?» Étudiez le rapport coûts-bénéfices à l'aide du tableau à deux colonnes en 8-3.

Une autre méthode simple mais efficace consiste à remplacer les devrait par d'autres mots, à l'aide de ce même tableau. «Il serait bien agréable…», «J'aimerais pouvoir…» sont efficaces et paraissent souvent plus réalistes et moins tyranniques. Par exemple, ne dites plus: «Je devrais être capable de rendre ma femme heureuse», mais: «Il serait bien agréable que je puisse rendre ma femme heureuse car aujourd'hui elle a l'air préoccupée. Je pourrais toujours l'interroger sur les causes de sa préoccupation et voir si je ne peux lui être d'aucune aide». À la place de «Je n'aurais pas dû manger de la crème glacée», dites: «Il aurait mieux valu que je ne la mange pas, mais ce n'est pas la fin du monde si je l'ai mangée».

TABLEAU 8-3

Les avantages et les inconvénients du principe
«Je devrais être capable de rendre ma femme heureuse en permanence».

Avantages	Inconvénients
1. Lorsqu'elle est heureuse, je ressens la satisfaction du devoir accompli.	1. Lorsqu'elle est malheureuse, je me sens coupable et je me blâme.
2. Je déploie des efforts considérables pour être un bon époux.	2. Elle sera capable de me manipuler en jouant de ce sentiment de culpabilité.
	3. Puisqu'elle est souvent malheureuse, j'ai l'impression d'avoir raté mon mariage, mais son état d'âme n'a en réalité rien à voir avec moi. Me lamenter est un gaspillage d'énergie.
	4. Je finirai par lui en vouloir d'avoir acquis un tel pouvoir sur mon humeur.

Une autre méthode antisentiment de culpabilité consiste à démontrer que tel ou tel «devrait» ne correspond pas à la réalité. Par exemple, lorsque vous vous dites : «Je ne devrais pas avoir fait X», vous présumez que : 1) il est de fait que vous n'auriez pas dû; et 2) que vous vous sentirez mieux après vous l'être avoué. Or, la méthode révèle qu'en général c'est l'inverse qui est vrai : 1) Si vous vous en tenez aux faits, vous auriez dû faire X et 2) reconnaître que vous n'auriez pas dû le faire risque de vous faire du mal.

Vous êtes incrédule? Laissez-moi vous démontrer cela. Admettons que vous mangiez une crème glacée pendant que vous suivez un régime amaigrissant. Vous pensez : «Je n'aurais pas dû manger cette crème glacée.» Dans notre dialogue, je veux que vous affirmiez qu'il est tout à fait vrai que vous n'auriez pas dû la manger tandis que j'essaierai de réfuter vos arguments. Le dialogue qui suit a été adapté d'une conversation qui s'est réellement déroulée. J'espère que vous le trouverez aussi plaisant et aussi utile que moi.

DAVID : Vous êtes au régime mais vous avez mangé une crème glacée. Je crois que vous auriez dû manger la crème glacée.

VOUS : Oh! non! Impossible! Je n'aurais pas dû. Je suis au régime car j'essaie de maigrir.

DAVID : Eh bien, je crois que vous auriez dû manger cette crème glacée.

VOUS : Burns! seriez-vous obtus? Je n'aurais pas dû parce que j'essaie de maigrir. Je me tue à vous le répéter! Comment puis-je perdre du poids en mangeant de la crème glacée?

DAVID : Mais, en réalité, vous l'avez mangée.

VOUS : Oui, c'est là mon problème. Je n'aurais pas dû. Comprenez-vous?

DAVID : Et, apparemment, vous affirmez que les choses devraient être différentes de ce qu'elles sont. Et les choses sont en général comme elles sont pour une excellente raison. Pourquoi pensez-vous que vous avez mangé la crème glacée?

VOUS : J'étais préoccupé, nerveux, et de toute façon je suis un goinfre.

DAVID : D'accord. Vous étiez irrité, nerveux. Avez-vous pris l'habitude de manger lorsque vous n'étiez pas dans votre assiette?

VOUS : Oui, c'est ça. Je n'ai jamais su me maîtriser.

DAVID : Donc, n'était-il pas naturel de prévoir que puisque vous étiez préoccupé la semaine dernière vous réagiriez comme à l'accoutumée dans ces circonstances?

VOUS : Oui.

DAVID : Par conséquent, n'est-il pas logique de conclure que vous auriez dû faire ce que vous avez fait parce que vous avez depuis longtemps l'habitude de le faire?

VOUS : Si je vous écoutais, je continuerais à manger et je finirais obèse.

DAVID : Heureusement que la plupart de mes clients ne sont pas aussi obstinés que vous! Non, je ne vous dis pas de continuer à vous goinfrer lorsque vous êtes préoccupé. Ce que je veux dire, c'est que vous vous offrez deux problèmes pour le prix d'un seul. Le premier est que vous avez transgressé votre régime. Votre perte de poids en sera probablement ralentie. Le deuxième problème est que vous vous punissez à cause de cela. C'est entièrement inutile. Vous n'avez pas besoin de ce deuxième casse-tête.

VOUS : Vous voulez dire que parce que j'ai l'habitude de manger lorsque je suis nerveux, il est probable que tant que je ne perdrai pas cette habitude, je continuerai à le faire?

DAVID : J'aurais aimé l'exprimer aussi succinctement moi-même!

VOUS : Par conséquent, j'aurais dû manger de la crème glacée parce que je ne suis pas encore débarrassé de mon habitude. Tant que je la garderai, je continuerai à trop manger lorsque je serai préoccupé. Je comprends et je suis soulagé, docteur. Une chose, cependant : Comment perdre cette habitude ? Comment établir des stratégies qui me permettront de modifier mon comportement de manière plus productive ?

DAVID : Utilisez le système de la carotte et du bâton. Lorsque vous vous dites : « Je devrais faire ou ne pas faire cela » à longueur de journée, vous demeurez prisonnier de vos « devrais ». Et vous savez à quoi ils vont vous mener : à la constipation psychologique. Si vous voulez vous en sortir, je vous conseille d'appliquer le système de la récompense plutôt que celui de la punition. Vous trouverez sûrement la récompense plus efficace.

En ce qui me concerne, j'avais mis au point mon « régime B et B » (soit Bonbons et Beignets). Les Mason Dots (boules de gomme) et les beignets glacés étaient mes deux gourmandises préférées. J'avais découvert que le moment le plus délicat de mon régime était le soir, lorsque j'étudiais ou que je regardais la télévision. Je ressentais une envie irrésistible de crème glacée. Aussi me suis-je dit que si je parvenais à la maîtriser je me récompenserais par un gros beignet glacé tout frais le lendemain matin et une boîte de Mason Dots dans la soirée. En concentrant mes pensées sur le goût de ces friandises, je finissais par oublier mon envie de crème glacée. De toute façon, j'avais décidé que même si je cédais à la tentation je me récompenserais tout de même avec des bonbons et un beignet le lendemain puisque j'avais tout de même fait un effort et parce que je méritais une consolation en raison de mon manque de volonté. La méthode semble avoir été efficace puisque j'ai maigri de 25 kilos.

J'avais aussi établi le syllogisme suivant :

a) Les êtres humains qui sont au régime cèdent parfois à la tentation ;
b) Je suis un être humain ;
c) Donc, je devrais céder parfois à la tentation.

Cette petite philosophie me fut très utile car elle me permit de m'empiffrer pendant les fins de semaine en toute bonne conscience.

Je perdais généralement plus de poids pendant la semaine que je n'en reprenais pendant la fin de semaine. Par conséquent, je maigrissais dans la bonne humeur. Chaque fois que je cédais à la tentation, je m'interdisais la moindre autocritique, le moindre sentiment de culpabilité. Je commençais à penser que j'avais découvert le régime «Vivez pour manger et maigrissez dans la joie». Je dois avouer que c'était si amusant que je me sentis légèrement déçu lorsque j'atteignis mon poids idéal. Je crois même que je perdis cinq kilos de plus, simplement pour le plaisir de poursuivre un régime si amusant. Je suis persuadé que tout dépend de la manière dont nous acceptons les événements et de ce que nous ressentons. Attitude et sentiments peuvent déplacer des montagnes… même s'il s'agit de montagnes de matière adipeuse.

Ce qui vous retient en général, lorsque vous vous efforcez de perdre une mauvaise habitude telle que la suralimentation, l'excès de tabac ou d'alcool, c'est que vous êtes persuadé que vous ne saurez pas vous maîtriser. Vos «devrais» sont responsables de cette absence de maîtrise. Ils vous vainquent. Vous regardez la télévision en vous disant : «Oh! je devrais vraiment me mettre à étudier», ou : «Oh! je ne devrais pas manger de crème glacée». Maintenant, demandez-vous : «Comment est-ce que je me sens lorsque je pense cela?» La réponse est évidente. Vous vous sentez coupable et nerveux. Alors, que faites-vous? Vous mangez. C'est là le problème. Vous mangez parce que vous vous répétez que vous ne devriez pas manger. Vous essayez d'enterrer votre sentiment de culpabilité sous des montagnes de friandises.

Une autre technique simple d'élimination des «devrais» fait appel au compteur-bracelet. Dès que vous êtes convaincu que les «devrais» ne sont pas à votre avantage, commencez à les compter. Chaque fois que vous en proférez un, mettez le compteur en route. Mais assurez-vous d'établir un système de récompense fondé sur le total journalier de «devrais». Plus vous en détectez, plus la récompense doit être substantielle. Au bout de quelques semaines, le total quotidien devrait commencer à diminuer et vous constaterez que vous vous sentez moins coupable.

Une autre technique d'élimination des «devrais» repose sur l'idée que vous ne vous faites pas confiance. Vous croyez que sans ces «devrais» vos pires instincts se trouveraient totalement débridés, vous incitant à vous livrer à une orgie de destruction et de meurtre, voire de crème glacée. Demandez-vous donc si, à un moment quelconque de votre vie, vous avez été particulièrement heureux et vous vous êtes senti raisonnablement épanoui, productif, apaisé. Réfléchissez avant de continuer votre lecture et attendez de recevoir l'image mentale de ce moment. Maintenant, demandez-vous : «Pendant cette période de ma vie, est-ce que je me flagellais constamment avec des "devrais"?» Je crois que votre réponse sera négative. Maintenant, dites-moi un peu, vous adonniez-vous aux activités ignobles mentionnées plus haut? Je crois que vous vous apercevrez que vous pouvez vous libérer des «devrais» tout en conservant votre maîtrise de vous-même. C'est la preuve que vous pouvez mener une vie heureuse et productive sans eux.

Mettons cette hypothèse à l'épreuve en tentant une expérience au cours des semaines qui viennent. Essayez de réduire le nombre de «devrais» qui vous traversent l'esprit, à l'aide de diverses techniques que vous avez apprises, afin de déterminer comment se comporte votre humeur et dans quelle mesure vous êtes capable de vous maîtriser. Je crois que vous serez satisfait.

Une autre méthode sur laquelle vous pourrez vous rabattre est la technique de l'«obstructionniste obsessionnel» décrite au chapitre 4. Consacrez deux minutes, trois fois par jour, à réciter tout haut tous vos «devrais» et tous vos refrains démoralisants : «J'aurais dû aller au marché avant l'heure de fermeture» – «Je n'aurais pas dû me curer le nez au club champêtre» – «Je suis un fichu crétin», etc. Proférez les unes après les autres les autocritiques les plus insultantes que vous puissiez trouver. Il serait particulièrement efficace de les écrire ou de les enregistrer sur bande magnétique. Ensuite, lisez ce que vous avez écrit ou écoutez l'enregistrement. Je crois que cela vous aidera à comprendre à quel point ces affirmations sont grotesques. Essayez de limiter vos «devrais» à ces six minutes quotidiennes, de manière à ne pas être harcelé le reste du temps.

Une autre technique consiste à accepter les limites de votre connaissance. Lorsque j'étais enfant, j'entendais souvent les gens me dire : «Apprends à accepter tes limites et tu seras plus heureux.» Cependant, personne ne prenait la peine de m'expliquer ce que cela signifiait et encore moins de me montrer comment m'y prendre. En outre, je trouvais ce conseil légèrement insultant, un peu comme si l'on m'avait dit : «Tu ne seras jamais qu'un petit abruti de second ordre et il est temps que tu t'y habitues».

En réalité, il n'y a pas de quoi s'alarmer. Supposons que vous ayez tendance à vous apitoyer sur les erreurs que vous avez commises. Par exemple, en lisant la page financière du journal, vous vous dites : «Je n'aurais jamais dû acheter ces actions. Elles ont perdu deux points.» Pour vous libérer de ce piège, demandez-vous : «À l'époque où j'ai acheté ces actions, pouvais-je savoir que leur cote allait baisser?» Je crois que vous répondrez par la négative. Maintenant, demandez-vous : «Si j'avais su qu'elle baisserait, aurais-je acheté les actions?» De nouveau, vous répondrez que non. Par conséquent, ce que vous vous dites en réalité, c'est que si vous aviez su cela au départ vous auriez agi différemment, ce qui revient à dire que vous auriez dû être capable de prédire l'avenir avec certitude. Êtes-vous capable de prédire l'avenir avec certitude? De nouveau, vous répondrez par la négative. Vous avez le choix : décider, enfin, de vous accepter en tant qu'humain imparfait, doté d'une connaissance limitée, et vous rendre compte que vous commettrez fatalement des erreurs de temps à autre, ou vous haïr pour les erreurs commises.

Une autre méthode efficace consiste à vous demander : « Pourquoi devrais-je me haïr ? » Vous pourrez ensuite contester tous les arguments qui se présenteront à votre esprit, afin de bien mettre en évidence leur douteuse logique. Ainsi, vos « devrais » ne seront plus qu'absurdes. Supposons, par exemple, que vous engagiez un ouvrier pour un travail quelconque : tondre la pelouse, peindre, etc. Lorsqu'il vous présente sa facture, elle est plus élevée que vous le pensiez mais vous finissez par la régler après que l'ouvrier vous a manipulé par de belles paroles. Vous savez qu'on a profité de vous. Vous commencez par vous réprimander pour votre mollesse. Reprenons notre dialogue et jouez le rôle du pauvre client escroqué.

VOUS : Hier, j'aurais dû dire à ce type que sa facture était trop élevée.

DAVID : Vous auriez dû lui faire remarquer que son devis était plus bas ?

VOUS : Oui, j'aurais dû être plus ferme.

DAVID : Pourquoi ? Je reconnais qu'il aurait été plus profitable pour vous de demeurer sur vos positions, mais vous pouvez toujours essayer d'accroître votre fermeté afin que des situations semblables ne se reproduisent plus. Essayez de vous entraîner à vous montrer plus assuré. Mais pourquoi dites-vous que vous auriez dû être plus ferme hier ?

VOUS : Eh bien, je laisse toujours les gens me marcher dessus.

DAVID : Très bien, poursuivons votre raisonnement : « Parce que je laisse toujours les gens me marcher dessus, j'aurais dû être plus ferme hier. » Rien ne vous paraît illogique dans ce raisonnement ?

VOUS : Voyons… Réfléchissons… D'abord, au départ, il n'est pas tout à fait exact que je laisse toujours les gens me marcher dessus. C'est une généralisation excessive. Il m'arrive de parvenir à mes fins. D'ailleurs, je peux même me montrer très exigeant. S'il est vrai que les gens me marchent toujours dessus, il est évident que je n'aurais pas pu agir autrement. Jusqu'à ce que je maîtrise une technique pour avoir le dessus dans mes relations avec les autres, je continuerai d'avoir ce problème.

DAVID : C'est exactement ce que je voulais dire. Je vois que vous avez parfaitement assimilé tout ce que je vous ai dit à propos de vos «devrais». J'espère aussi que tous les lecteurs sont aussi intelligents et aussi assidus que vous. Y a-t-il d'autres raisons pour lesquelles vous pensez que vous auriez dû vous conduire différemment?

VOUS : Euh… Voyons… Que dites-vous de : «J'aurais dû être plus ferme, ainsi je n'aurais pas eu à payer plus que ce que je devais.»

DAVID : Bon, quelle est la réaction rationnelle? Qu'est-ce que cet argument a d'illogique?

VOUS : Exactement. D'ailleurs, le syllogisme suivant vous sera peut-être utile. Première hypothèse : Tous les humains commettent des erreurs (payer trop cher quelque chose, par exemple). Vous êtes d'accord?

VOUS : Oui.

DAVID. Et qu'êtes-vous?

VOUS : Un être humain.

DAVID : Donc?

VOUS : Je devrais commettre des erreurs.

DAVID : Exact.

Vous venez d'apprendre un certain nombre de techniques d'élimination des «devrais». Cela devrait suffire. Tiens, j'ai moi-même gaffé! Quoi qu'il en soit, j'espère que vous trouverez ces méthodes utiles. Il est possible qu'en réduisant cette tyrannie mentale vous vous sentiez davantage bien dans votre peau, parce que vous ne serez pas constamment en train de vous gourmander. Au lieu de vous sentir coupable, vous pourrez consacrer votre énergie à modifier votre état d'esprit, à accroître votre maîtrise de vous-même, à devenir plus productif.

3. Demeurez sur vos positions. L'un des inconvénients d'être porté au sentiment de culpabilité est que les autres peuvent l'utiliser pour vous manipuler. Si vous vous sentez obligé de plaire à tout le monde, votre famille et vos amis pourront vous contraindre efficacement à faire une quantité de choses qui ne servent guère votre intérêt personnel. Pour vous donner un exemple banal, combien d'invitations avez-vous acceptées sans enthousiasme pour ne pas blesser quelqu'un? Dans ce cas, le prix que vous payez pour avoir dit «oui» alors que vous auriez préféré dire «non» n'est pas élevé : une soirée perdue, c'est tout. Et il y a une consolation : Vous ne vous sentez pas coupable et pouvez vous complaire dans l'idée que vous êtes vraiment quelqu'un de gentil. En outre, si vous essayez de décliner l'invitation, votre hôte risque de s'exclamer : «Mais nous comptons absolument sur toi, mon vieux! Veux-tu dire que tu nous laisserais tomber? Allons, viens!». Que répliquer? Comment vous sentirez-vous ensuite, si vous refusez?

L'obsession de plaire aux autres devient plus dramatique lorsque vos décisions sont tellement régies par le sentiment de culpabilité que vous finissez par être pris au piège et par vous sentir malheureux. Ironiquement, lorsque vous laissez quelqu'un vous manipuler ainsi, les conséquences sont, la plupart du temps, aussi désastreuses pour cette personne que pour vous. Bien que les actes motivés par le sentiment de culpabilité reposent en général sur votre idéalisme, les inévitables retombées de votre manque de volonté personnelle risquent d'être vraiment négatives.

Par exemple, prenons le cas de Margaret, une jeune femme de 27 ans heureuse en ménage. Son frère, un joueur obèse, profitait d'elle. Il empruntait de l'argent qu'il perdait ensuite et ne remboursait jamais. Lorsqu'il était en ville (parfois durant plusieurs mois), il jugeait normal de dîner chaque soir chez sa sœur, de boire tout l'alcool de la maison et d'utiliser la nouvelle voiture de Margaret lorsque bon lui semblait. Elle cédait à ses exigences en suivant ce raisonnement : «Si je lui demandais une faveur ou si j'avais besoin de son aide, il me l'accorderait. Après tout, un frère et une sœur qui s'aiment devraient s'entraider. En outre, si je lui refusais ce qu'il demande, il se mettrait en colère et je ne le reverrais plus. À ce moment-là, je me sentirais vraiment coupable...»

Elle ne manquait cependant pas de distinguer les conséquences négatives de son attitude : Elle favorisait son manque d'indépendance et encourageait son goût du jeu; elle se sentait prise au piège et se rendait compte qu'il profitait d'elle; le fondement de leur relation n'était pas l'affection mais le chantage, car elle cédait constamment pour éviter de réveiller la colère de son frère et son propre sentiment de culpabilité.

Margaret et moi jouâmes une petite comédie afin qu'elle apprenne à dire «non» et à demeurer sur ses positions, avec tact mais fermement. Je jouai le rôle de Margaret tandis qu'elle jouait celui de son frère.

LE FRÈRE (joué par Margaret) : Utilises-tu la voiture, ce soir?

MARGARET (joué par moi) : Pour le moment, je n'ai rien prévu.

LE FRÈRE : Cela t'ennuierait-il si je te l'empruntais?

MARGARET : J'aimerais mieux que tu ne le fasses pas.

LE FRÈRE : Pourquoi pas? Puisque tu n'en auras pas besoin? Elle est là, dans le garage.

MARGARET : Crois-tu que je suis obligée de te la prêter?

LE FRÈRE : Mais je ferais la même chose pour toi si j'avais une voiture et si tu en avais besoin!

MARGARET : Je suis enchantée de l'apprendre. Cependant, même si je n'ai pas prévu d'utiliser ma voiture, je préfère qu'elle reste dans le garage au cas où j'aurais envie de sortir plus tard.

LE FRÈRE : Mais tu n'as pas l'intention de l'utiliser! Ne nous a-t-on pas appris à nous entraider?

MARGARET : C'est vrai. Cela signifie-t-il que je dois céder chaque fois à tes exigences? Nous nous entraidons. Tu as très souvent utilisé ma voiture. Mais à partir d'aujourd'hui, j'aimerais mieux que tu trouves un autre moyen de locomotion.

LE FRÈRE : Mais c'est juste pour une heure. Je serai de retour avant que tu sortes. C'est très important et je ne vais qu'à un kilomètre d'ici.

MARGARET : Ça a effectivement l'air important pour toi. Peut-être pourrais-tu te débrouiller autrement. Ne peux-tu pas marcher jusque-là ?

LE FRÈRE : Bon, bon, c'est très bien. Puisque c'est comme ça, ne t'avise pas de venir me demander une faveur !

MARGARET : Tu as l'air très en colère simplement parce que je ne fais pas tes quatre volontés. Crois-tu que je suis toujours obligée de céder ?

LE FRÈRE : Toi et ta philosophie ! Va te faire voir ailleurs ! Je me refuse à écouter ces balivernes. (Il s'en va en claquant la porte).

MARGARET : Très bien, n'en parlons plus. Peut-être que nous devrions en discuter lorsque tu te sentiras mieux.

Après ce dialogue, j'inversai les rôles de manière que Margaret puisse s'entraîner à faire preuve d'une grande fermeté. Jouant le rôle de son frère, je lui menai la vie aussi dure que possible et elle apprit à me manœuvrer. Ces répétitions stimulèrent son courage. Elle déclara qu'il lui serait utile de garder certains principes à l'esprit lorsqu'elle se trouverait face à son frère :

1° Elle pourrait lui rappeler qu'elle avait le droit de ne pas céder à toutes ses exigences ;

2° Elle pourrait rechercher une parcelle de vérité dans les arguments du frère (désarmement) de manière à le priver de ses munitions mais en restant sur ses positions et en lui faisant comprendre que l'on peut avoir de l'affection pour quelqu'un sans être obligé de céder à tous ses caprices ;

3° Elle devrait se montrer forte, assurée, inflexible tout en faisant preuve d'un maximum de tact;

4° Elle ne devrait pas se laisser abuser par son comportement de petit garçon faible et sans défense;

5° Elle devrait éviter de répondre à la colère par la colère car il serait renforcé dans sa conviction d'être injustement martyrisé par une affreuse mégère;

6° Il fallait qu'elle prenne le risque de le voir temporairement rentrer dans sa coquille en évitant toute occasion de discuter avec elle et en refusant de prendre son point de vue en considération, auquel cas elle pourrait le laisser déverser sa colère en lui faisant simplement savoir qu'elle aimerait ultérieurement mettre les choses au point avec lui, lorsqu'il serait en état de discuter froidement.

Lorsque Margaret affronta son frère, elle s'aperçut qu'il était bien moins volontaire qu'elle le croyait. Il parut même soulagé et commença à adopter un comportement plus mûr lorsqu'elle mit une certaine distance entre eux.

Si vous décidez d'adopter cette technique, vous devrez apprendre à demeurer sur vos positions parce que votre adversaire risque d'essayer de vous abuser en vous faisant croire que vous lui infligez une blessure mortelle en ne cédant pas à son caprice. Souvenez-vous qu'à long terme le tort que vous vous faites en dédaignant vos intérêts personnels est généralement bien plus grave.

Pour réussir, répétez la scène à l'avance. Vous trouverez certainement un ami qui sera heureux de vous prêter son concours et de vous dire ensuite ce qu'il pense de votre tactique. Si personne n'est disponible dans votre entourage, ou si vous êtes trop timide pour poser la question à quelqu'un, rédigez un dialogue imaginaire du même type que ci-dessus. Ce petit travail sera très utile pour mettre en service les circuits appropriés de votre cerveau, de manière que vous puissiez trouver le courage et l'habilité nécessaires pour dire « non » de manière diplomate mais ferme et pour ne pas en démordre par la suite.

4. *La technique antigeignard.* Voici l'une des méthodes les plus surprenantes, les plus délicieusement efficaces de ce livre. Elle agit comme par enchantement chaque fois que quelqu'un, en général un proche, crée en vous un sentiment de culpabilité, de frustration et d'impuissance en pleurnichant, en se plaignant, en vous harcelant continuellement. Voici le processus habituel : Le geignard se plaint de quelque chose ou de quelqu'un. Vous ressentez le désir sincère de l'aider, aussi vous faites une suggestion. Immédiatement, votre interlocuteur dénigre votre suggestion et se replonge dans ses gémissements. Vous êtes tendu, vous vous sentez incapable, aussi vous réitérez par une autre suggestion qui subit le même sort que la première. Chaque fois que vous tentez de détourner la conversation, le geignard vous laisse entendre qu'il est abandonné de tous et vous voici submergé par le sentiment de culpabilité.

Shiba vivait avec sa mère tout en achevant ses études supérieures. Elle aimait sa mère, dont les plaintes incessantes à propos de son divorce, de son manque d'argent, etc., devinrent cependant si intolérables que Shiba dut rechercher l'aide d'un conseiller. Je lui enseignai la méthode antigeignard au cours de la première séance, comme suit : Quoi que sa mère pût dire, il fallait que Shiba trouve le moyen d'acquiescer (technique du désarmement) puis, au lieu d'offrir un conseil, de décerner un compliment sincère. Shiba trouva au départ cette démarche plutôt surprenante et très bizarre parce qu'elle s'écartait radicalement de son comportement habituel. Dans le dialogue suivant, je lui demandai de jouer le rôle de sa mère, tandis que je jouerais son propre rôle afin de démontrer l'application de la technique.

SHIBA (jouant le rôle de sa mère) : Sais-tu que pendant la procédure de divorce on a découvert que ton père avait vendu sa part de l'entreprise et que j'ai été la dernière personne à l'apprendre?

DAVID (jouant le rôle de Shiba) : C'est tout à fait exact. Tu n'en avais pas entendu parler avant le divorce. Tu ne méritais vraiment pas ça.

SHIBA : Je ne sais vraiment pas comment nous allons nous débrouiller, maintenant. Comment pourrais-je envoyer tes frères à l'université?

DAVID : Oui, c'est un problème. Nous sommes à court d'argent.

SHIBA : C'est bien le genre de ton père de se conduire aussi stupidement! Il n'a jamais eu la tête sur les épaules.

DAVID : Il n'a jamais été très fort pour établir un budget. Tu t'es toujours tellement mieux débrouillée que lui!

SHIBA : C'est un bon à rien. Nous sommes à la limite de la pauvreté. Que se passera-t-il si je tombe malade? Nous devrons finir dans un hospice!

DAVID : Tu as entièrement raison. Ce n'est certainement pas amusant du tout de vivre dans un hospice. Je suis tout à fait d'accord.

Shiba déclara qu'en jouant le rôle de sa mère elle s'était aperçue qu'il n'était «vraiment pas drôle» de se plaindre parce que j'acquiesçais continuellement. Nous inversâmes ensuite les rôles pour lui permettre de maîtriser la technique.

Voyez-vous, c'est votre désir d'aider les geignards qui alimente cette interaction monotone. Paradoxalement, lorsque vous exprimez votre accord, leurs plaintes pessimistes s'essoufflent rapidement. Une petite explication de ce mécanisme s'impose : Lorsque les gens geignent et se plaignent, ils se sentent en général irrités, dépassés et victimes d'un sentiment d'insécurité. Lorsque vous essayez de les aider, votre suggestion revêt une allure de critique parce qu'elle signifie qu'ils ne sont pas capables de prendre correctement la situation en main. En revanche, lorsque vous abondez dans leur sens, en les complimentant par-dessus le marché, ils ont l'impression que leur comportement est tout à fait raisonnable. Alors, ils se détendent et se calment.

5. *La méthode antigeignard de Moorey.* Une variante utile de cette technique a été proposée par Stirling Moorey, un brillant étudiant en médecine originaire de Grande-Bretagne qui vint étudier avec notre groupe à Philadelphie, avant d'assister en ma compagnie à des séances de thérapie, à l'été 1979. Il travailla avec une patiente sculpteure prénommée Harriet qui souffrait d'une dépression profonde et chronique. Harriet, âgée de 52 ans, avait un cœur d'or. Son problème était que ses amis lui confiaient constamment leurs difficultés personnelles et venaient commérer dans son oreille. Elle était perturbée par cette attitude en raison d'une faculté d'empathie excessivement développée. Ne sachant comment aider ses amis, elle se sentait prise au piège et rancunière. Un jour, elle apprit «la méthode antigeignard de Moorey». Stirling lui demanda simplement de trouver un moyen d'acquiescer avec l'inter-locuteur puis de le distraire de ses préoccupations en recherchant puis en commentant un éventuel aspect positif de la plainte. Voici quelques exemples:

1. LE PLEURNICHARD: Oh! que puis-je donc faire au sujet de ma fille! Je crains qu'elle n'ait recommencé à fumer du haschisch.

   RÉPONSE: Je dois dire que le haschisch est devenu monnaie courante par ici depuis quelque temps. Ta fille est-elle toujours aussi artiste? J'ai entendu dire qu'elle avait récem-ment reçu une belle récompense!

2. LE PLEURNICHARD: Mon patron ne m'a pas augmenté depuis près d'un an. Pourtant, je travaille dans la boîte depuis 20 ans! Je crois que je mérite mieux!

   RÉPONSE: Il est évident que ton ancienneté devrait compter. Tu as beaucoup apporté à l'entreprise. Dis-moi, comment

était-ce lorsque tu as commencé à travailler il y a 20 ans ?
J'imagine que c'était drôlement différent !

3. LE PLEURNICHARD : Mon mari ne reste jamais longtemps
à la maison. Tous les soirs, il faut qu'il sorte avec cette fichue
équipe de quilles !

RÉPONSE : Mais ne joues-tu pas toi-même aux quilles ? J'ai
entendu dire que tu avais marqué pas mal de points !

Harriet maîtrisa rapidement la technique et un changement
spectaculaire de son humeur et de sa conception de la vie s'ensuivit.
La méthode lui fournit une manière simple mais efficace de
résoudre un problème très réel et très envahissant. Lorsqu'elle
arriva à la deuxième séance, sa dépression, qui la handicapait
depuis plus de 10 ans, avait entièrement disparu. Joyeuse et
excitée, elle submergea Stirling de louanges tout à fait méritées. Si
votre mère, votre belle-mère ou vos amis vous posent un problème de ce type, essayez la méthode de Stirling. Comme Harriet,
vous ne tarderez pas à retrouver le sourire.

6. *Replacez la situation dans sa véritable perspective.* L'une des
distorsions les plus courantes qui conduisent au sens de culpabilité
est la personnalisation, soit l'idée préconçue que vous êtes responsable des sentiments et des actes d'autrui ou d'événements qui se
produisent naturellement. Un exemple évident est le sentiment
de culpabilité qui nous accable lorsqu'il se met à pleuvoir pendant
le grand pique-nique que nous avons organisé en l'honneur du
président sortant de notre club. En l'occurrence, cette réaction
absurde peut s'évanouir rapidement car il est bien évident que
nul n'est maître des conditions météorologiques.

Le sentiment de culpabilité devient plus difficile à surmonter
lorsque quelqu'un souffre profondément et affirme avec insistance
que sa douleur provient de votre interaction avec lui, auquel cas
il serait peut-être utile que vous recherchiez dans quelle mesure
vous pouvez raisonnablement assumer la responsabilité de l'état
de l'autre. Où se termine votre responsabilité et où commence

celle de l'autre? Il convient alors de replacer la situation dans sa véritable perspective.

Voici un exemple : Jed était un étudiant légèrement dépressif dont le jumeau, Ted, était si gravement dépressif qu'il avait abandonné ses études pour mener une vie de reclus chez ses parents. Jed se sentait coupable à cause de la dépression de son frère. Pourquoi? Il m'expliqua qu'il avait toujours été plus extraverti et plus travailleur que son frère. Par conséquent, dès l'enfance, il obtint de meilleures notes et eut plus d'amis que Ted. Jed se disait que ses réussites scolaires et sociales incitaient son frère à se sentir inférieur et laissé-pour-compte. Par conséquent, il conclut qu'il était responsable de la dépression de Ted.

Il conduisit son raisonnement à un extrême illogique et imagina que s'il devenait lui-même déprimé il aiderait Ted à se débarrasser dans une certaine mesure de son sentiment d'infériorité. Respectant donc cette psychologie saugrenue, Jed évita toute activité sociale lorsqu'il revint chez ses parents pour les vacances et mit l'accent sur le vague à l'âme qu'il ressentait. Il prit toutes les mesures nécessaires pour transmettre à son frère le message clair et net qu'il était en aussi piteux état que lui.

Jed prenait son plan tellement au sérieux qu'il hésita longtemps avant d'appliquer les techniques de maîtrise de l'humeur que j'essayais de lui enseigner. Il se montra même carrément rebelle au départ parce qu'il se sentait coupable d'aller mieux et craignait que sa guérison eût un impact catastrophique sur l'état de Ted.

Comme dans la plupart des cas de personnalisation, l'illusion douloureuse que Jed était la cause de la dépression contenait suffisamment de demi-vérités pour être persuasive. Après tout, Ted se sentait certainement inférieur depuis leur petite enfance et était indéniablement jaloux des succès et du bonheur de Jed. Mais les questions cruciales étaient celles-ci : Jed a-t-il causé la dépression de son frère? Pouvait-il renverser la situation en se rendant lui-même malheureux?

Afin de l'aider à évaluer son rôle de manière plus objective, je lui suggérai d'utiliser la méthode du tableau à trois colonnes (en 8-4). À la suite de l'exercice, il put constater que ses pensées culpabilisantes étaient illogiques et destructrices. Il comprit que la dépression et le sentiment d'infériorité de Ted étaient en définitive causés par les propres distorsions cognitives de Ted et non par son bonheur à lui. Essayer de remédier à la dépression de Ted en se rendant lui-même malheureux était aussi logique que verser de l'essence sur des flammes pour les éteindre. Lorsque Jed eut compris cela, son sentiment de culpabilité et sa dépression disparurent et il put rapidement reprendre une existence normale.

TABLEAU 8-4

Réactions spontanées	Distorsions cognitives	Réactions rationnelles
1. Je suis en partie responsable de la dépression de Ted en raison de notre relation depuis notre enfance. J'ai toujours travaillé plus dur que lui et mieux réussi.	Conclusions hâtives (lecture des pensées d'autrui).	1. Je ne suis pas la cause de la dépression de Ted. Ce sont ses pensées et son comportement illogiques qui causent sa dépression. Ma seule responsabilité est de faire partie de l'environnement que Ted interprète de manière négative et faussée.
2. Je crois que Ted serait malheureux si je lui racontais mes bons moments passés en classe alors qu'il demeure solitaire à la maison, sans rien faire.	Conclusions hâtives (erreur du diseur de bonne aventure).	2. Ted serait plus gai et moins désespéré s'il savait que je vais mieux et que je suis heureux. En fait, si j'ai l'air aussi malheureux que lui, il se sentira encore plus désespéré.
3. Si Ted reste à la maison à ne rien faire, c'est mon devoir de remédier à la situation.	Personnalisation.	3. Je peux l'encourager à sortir un peu mais je ne peux pas l'y forcer. C'est lui qui est responsable de lui-même, en définitive.
4. Je ferai quelque chose pour lui en ne faisant rien pour moi. Il se sentira mieux s'il voit que je suis déprimé aussi.	Conclusions hâtives (lecture des pensées d'autrui).	4. Mes actes sont totalement indépendants des siens. Rien ne prouve que ma propre dépression l'aidera à se débarrasser de la sienne. Il a même dit qu'il ne voulait pas que je sois déprimé. Il se sentira encouragé s'il voit que je vais mieux. Je pourrai peut-être lui servir de modèle en lui montrant que je sais être heureux. Je n'éliminerai de toute manière jamais son sentiment d'infériorité en gâchant ma vie.

Troisième partie

Prévention de la dépression
et rehaussement de votre
image personnelle

Chapitre 9

La cause de tout

Une fois que votre dépression s'est évanouie, vous êtes tenté de jouir de votre guérison et de vous détendre. C'est très naturel. Vers la fin de la thérapie, beaucoup de patients affirment qu'ils ne se sont jamais sentis aussi bien de leur vie. Il semble parfois que plus la dépression était désespérée, profonde, irréductible, plus le goût du bonheur et de l'amour-propre retrouvés paraît délicieux. Au fur et à mesure que vous vous sentirez mieux, vos modes de pensée pessimistes perdront rapidement du terrain, aussi sûrement que la neige fond lorsque le printemps arrive. Vous vous demanderez comment vous avez pu vous laisser abuser par des pensées aussi peu réalistes que celles qui vous torturaient. Cette profonde transformation de l'âme humaine ne cesse pas de m'étonner. Chaque jour j'ai l'occasion d'observer cette métamorphose magique.

Votre perspective s'étant modifiée de manière spectaculaire, vous vous sentirez convaincu que la dépression a disparu à tout jamais. Pourtant, un résidu invisible du trouble demeurera, s'il n'est pas éliminé. Vous risquez d'être la proie d'autres accès de dépression à l'avenir.

Il existe plusieurs différences entre « se sentir mieux » et « aller mieux ». « Se sentir mieux » signifie simplement que les symptômes douloureux ont provisoirement disparu. «Aller mieux» entraîne ce qui suit :

1. Vous devez avoir compris pourquoi vous étiez dépressif.
2. Vous devez savoir pourquoi et comment votre dépression s'est envolée. Cela implique une maîtrise des techniques d'effort personnel qui vous ont aidé, car vous devez pouvoir les appliquer de nouveau le cas échéant.
3. Vous devez avoir acquis de l'amour-propre et de la confiance en vous. La confiance en soi repose sur l'idée que vous savez parfaitement que vous avez de bonnes chances de réussir dans les domaines des relations humaines et de la vie professionnelle. L'amour-propre est la capacité de ressentir de la joie et de la fierté personnelle, que vous réussissiez ou non ce que vous entreprenez dans la vie de tous les jours.
4. Vous devez identifier les causes profondes de votre dépression.

Les trois premières parties de ce livre avaient pour objet de vous aider à atteindre les deux premiers objectifs. Les chapitres qui suivent sont consacrés à la réalisation des deux derniers.

Bien que vos pensées négatives aient été sensiblement rognées ou même éliminées après votre guérison, il est probable que quelques «suppositions silencieuses» rôdent encore au fond de vous. Ces «suppositions silencieuses» expliquent pour une large part pourquoi vous êtes devenu dépressif et peuvent vous aider à prévoir à quel moment vous risquez d'être de nouveau vulnérable. Par conséquent, elles contiennent la clé de la prévention des rechutes. Qu'est-ce qu'une «supposition silencieuse»? C'est une équation grâce à laquelle vous évaluez votre valeur personnelle. Elle représente votre système de valeurs, votre philosophie personnelle, le fondement de votre amour-propre. Voici quelques exemples :

1. Si quelqu'un me critique, je me sens malheureux parce que cela signifie que quelque chose ne va pas chez moi.

2. Pour être épanoui, je dois être aimé. Si je suis seul, je me sentirai abandonné et malheureux.

3. Ma valeur personnelle est proportionnelle à mes réalisations.

4. Si je ne me montre pas toujours parfait, c'est que je suis un raté.

Vous apprendrez à quel point ces suppositions illogiques sont destructrices. Elles créent une vulnérabilité qui vous prédispose à des changements d'humeur inconfortables. Elles représentent votre talon d'Achille psychologique.

Dans les chapitres suivants, vous apprendrez à identifier et à évaluer ces suppositions silencieuses. Vous découvrirez peut-être que votre asservissement à l'approbation, à l'amour, à la réussite ou à la perfection est le fondement de vos changements d'humeur. En apprenant à mettre en évidence puis à réfuter ce système de croyances, vous jetterez les bases d'une philosophie personnelle valide et stimulante. Vous serez sur la voie du bonheur et de la lucidité émotive.

Afin d'exhumer les origines de vos changements d'humeur, la plupart des psychiatres (ainsi que le public) jugent qu'un processus thérapeutique long et douloureusement lent (il peut s'étendre sur des années) s'impose, après quoi les patients peuvent difficilement expliquer les causes de leur dépression. L'une des principales contributions de la thérapie cognitive a été de court-circuiter ce processus.

Dans ce chapitre, vous apprendrez deux méthodes différentes d'identification des suppositions silencieuses. La première est une méthode étonnamment efficace qui s'appelle la «technique de la flèche verticale». Elle vous permet de sonder votre psyché.

La technique de la flèche verticale est dérivée de la méthode du tableau à deux colonnes, présentée au chapitre 4, qui vous permet d'inscrire vos réactions spontanées (colonnes de gauche) avant de les remplacer par des réactions rationnelles plus objectives. Cette méthode vous aide à vous sentir soulagé parce qu'elle permet de déprogrammer les distorsions cognitives. Le tableau 9-1 vous présente un bref exemple de cette méthode. Le tableau a été élaboré par Art, le résident en psychiatrie dont je vous avais parlé au chapitre 7. Il avait été fort troublé par une critique constructive formulée par son supérieur.

TABLEAU 9-1

Réactions spontanées	*Réactions rationnelles*
1. Le Dr B. a dit que le patient avait trouvé que mon commentaire était mordant. Il pense probablement que je suis un thérapeute minable.	1. Lecture des pensées d'autrui, filtre mental, étiquetage. Simplement parce que le Dr B. m'a fait remarquer une erreur, je ne suis pas un thérapeute minable. Je lui demanderai ce qu'il pense vraiment de moi. À maintes reprises, il m'a complimenté pour mon travail et a dit que j'étais exceptionnellement doué.

La réfutation de ses pensées négatives permit à Art de réduire son sentiment de culpabilité et son anxiété mais il était désireux de savoir pourquoi il avait attaché une interprétation si illogique à la critique. Peut-être avez-vous commencé à vous poser certaines questions : « Mes pensées négatives suivent-elles un processus inhérent ? Sont-elles ancrées au plus profond de mon esprit ? »

Art utilisa la technique de la flèche verticale pour répondre à ces questions. Tout d'abord, il traça une courte flèche pointée vers le bas, directement en dessous de la réaction spontanée (tableau 9-2).

Cette flèche est un symbole qui permit à Art de se demander : « Si la réaction spontanée était vraie, qu'est-ce que cela signifierait pour moi ? Pourquoi cela m'ennuierait-il ? » Il inscrivit alors la réaction spontanée qui lui vint immédiatement à l'esprit. « Le Dr B. pense que je suis un thérapeute médiocre parce qu'il est bien placé pour juger. » Ensuite, il traça une deuxième flèche verticale pointée vers le bas et, selon le même procédé, créa une autre réaction spontanée. Chaque fois qu'une pensée se présentait à son esprit, il traçait immédiatement une flèche verticale. Il put ainsi créer une chaîne de réactions spontanées qui remontèrent à la supposition silencieuse qui était à l'origine de ses problèmes. La méthode de la flèche verticale est comparable à l'épluchage d'un oignon que vous dépouillez successivement de toutes ses pelures. Elle est très simple, très directe, comme vous pouvez le constater en examinant le tableau 9-2.

Vous remarquerez qu'elle est à l'opposé de la stratégie que vous utilisez habituellement pour inscrire vos réactions spontanées. En général, vous remplacez une réaction négative par une réaction rationnelle qui explique pourquoi votre pensée automatique est faussée et invalide (tableau 9-2). Ainsi, vous modifiez vos modes de pensée de manière à pouvoir penser plus objectivement et à ressentir un soulagement. En revanche, la méthode de la flèche verticale suppose que vos distorsions cognitives sont absolument valides car vous recherchez la parcelle de vérité qu'elles contiennent. Ainsi, vous pénétrez au cœur de vos problèmes.

Regardez maintenant les réactions spontanées d'Art et demandez-vous quelles sont les suppositions silencieuses qui le prédisposent à l'anxiété, au sentiment de culpabilité, à la dépression. Il y en a plusieurs :

1. Si quelqu'un me critique, il a toujours raison ;
2. Ma valeur est fonction de mes réalisations ;
3. Une erreur et tout est gâché. Si je ne réussis pas tout, tout le temps, je suis un zéro ;
4. Les autres ne toléreront pas mes imperfections. Je dois être parfait pour que les gens me respectent et m'aiment. Lorsque je commettrai des gaffes, on me regardera de travers et je serai puni ;
5. La désapprobation des autres signifie que je suis un être mauvais, sans valeur.

TABLEAU 9-2

Identifiez les suppositions silencieuses qui provoquent vos réactions spontanées à l'aide de la méthode de la flèche verticale. La flèche est un symbole qui signifie : «Si c'est vrai, pourquoi cela me trouble-t-il? Que signifie cette pensée?» La question représentée par chaque flèche pointée vers le bas apparaît entre guillemets près de la flèche. C'est ce que vous pourriez vous demander vous-même si vous aviez inscrit la réaction spontanée. Ce processus crée une chaîne de réactions spontanées qui révèlent la racine de votre mal.

Réactions spontanées	Réactions rationnelles

1. Le Dr B. pense sûrement que je suis un thérapeute médiocre.

   ⟶ «Si c'est vrai, pourquoi cela m'ennuie-t-il?»

2. Cela signifie que je suis un thérapeute médiocre parce qu'il est bien placé pour juger.

   ⟶ «Si c'était vrai, pourquoi cela m'ennuierait-il?»

3. Cela signifie que je suis un raté total, que je ne suis bon à rien.

   ⟶ «S'il est vrai que je ne suis bon à rien, où est le problème? Qu'est-ce que cela signifie pour moi?»

4. Alors on finirait par le savoir autour de moi et tout le monde saurait à quel point je suis une nullité. Plus personne ne me respecterait. Je serais expulsé de la communauté médicale et je devrais déménager dans un autre État.

   ⟶ «Si c'était vrai, qu'est-ce que cela signifie pour moi?»

5. Cela signifie que je suis inutile et sans valeur. Je me sentirais si malheureux que je voudrais mourir.

TABLEAU 9-3

Après avoir constitué sa chaîne de réactions spontanées à l'aide de la méthode de la flèche verticale, Art identifia les distorsions cognitives et les remplaça par des pensées plus objectives.

Réactions spontanées	*Réactions rationnelles*
1. Le Dr B. pense sûrement que je suis un thérapeute médiocre. ⟶ « Si c'est vrai, pourquoi cela m'ennuie-t-il ? »	1. Que le Dr B. ait fait remarquer une erreur ne signifie pas que je suis un thérapeute médiocre. Je devrais lui demander ce qu'il pense réellement. À maintes reprises, il m'a complimenté et m'a dit que j'étais exceptionnellement doué.
2. Cela signifie que je suis un thérapeute médiocre parce qu'il est bien placé pour juger. ⟶ « Si c'était vrai, pourquoi cela m'ennuierait-il ? »	2. Un expert ne peut que me faire remarquer mes points forts et mes points faibles en tant que thérapeute. Lorsqu'on me qualifie de « médiocre », il s'agit d'un qualificatif global, destructeur, inutile. J'ai réussi de belles cures, aussi il est impossible que je sois « médiocre », quelle que soit la personne « bien placée pour juger » qui l'ait dit.
3. Cela signifie que je suis un raté total, que je ne suis bon à rien. ⟶ « S'il est vrai que je ne suis bon à rien, où est le problème ? Qu'est-ce que cela signifie pour moi ? »	3. Généralisation excessive. Même si j'étais un thérapeute peu compétent et inefficace, cela ne signifierait pas que je suis un raté total, un bon à rien. J'ai d'autres intérêts, d'autres points forts et des qualités qui n'ont aucun rapport avec l'exercice de ma profession.

TABLEAU 9-3 (suite)

Après avoir constitué sa chaîne de réactions spontanées à l'aide de la méthode de la flèche verticale, Art identifia les distorsions cognitives et les remplaça par des pensées plus objectives.

Réactions spontanées	*Réactions rationnelles*
4. Alors on finirait par le savoir autour de moi et tout le monde saurait à quel point je suis une nullité. Plus personne ne me respecterait. Je serais expulsé de la communauté médicale et je devrais déménager dans un autre État. → «Si c'était vrai, qu'est-ce que cela signifie pour moi?»	4. Absurde. Toute erreur peut être corrigée. Ma triste réputation ne s'étendra pas comme un feu de paille parce que j'ai commis une erreur! Que vont-ils faire? Publier des manchettes dans les journaux: «UN PSYCHIATRE BIEN CONNU A COMMIS UNE ERREUR»?
5. Cela signifie que je suis inutile et sans valeur. Je me sentirais si malheureux que je voudrais mourir.	5. Même si le monde entier désapprouve mon comportement ou me critique, il ne réussira pas à faire de moi un être sans valeur parce que je n'en suis pas un. Au contraire. Alors, pourquoi me torturer ainsi?

Une fois votre propre chaîne de réactions spontanées établie, une fois vos suppositions silencieuses identifiées, il est crucial de cerner les distorsions et de les remplacer par des réactions rationnelles, comme vous le faites d'ordinaire (voir tableau 9-3).

Cette méthode de la flèche verticale est merveilleuse, car elle est inductive et «socratique»: Grâce à un processus de questions intérieures, l'origine de vos problèmes est exhumée. Il vous suffit simplement de vous répéter à plusieurs reprises: «Si cela était vrai, qu'est-ce que ça signifierait pour moi? Pourquoi cela m'ennuierait-il?» En l'absence de tout préjugé subjectif d'un thérapeute, de convictions personnelles ou de bases théoriques, vous pouvez systématiquement et objectivement remonter jusqu'à l'origine de vos problèmes. Cette méthode permet de contourner une difficulté qui a accablé la psychiatrie tout au long de son histoire. Il est bien connu que les thérapeutes de toutes les écoles de pensée interprétaient les expériences des patients sous l'angle de notions préconçues qui étaient difficilement vérifiables. Si vous n'adoptiez pas l'explication de votre psychiatre quant à l'origine de vos problèmes, cela était en général interprété comme une «résistance à la vérité». Ainsi, le thérapeute coulait subtilement vos problèmes dans un creuset tout fait, que vous le vouliez ou non.

Imaginez un peu la collection impressionnante d'explications de vos souffrances que vous entendiez si vous alliez voir un conseiller religieux («les facteurs spirituels»), un psychiatre dans un pays communiste («le milieu socio-politico-économique»), un psychanalyste freudien («colère refoulée»), un thérapeute du comportement («faible degré de renforcement positif»), un psychiatre partisan des facteurs chimiques («facteurs génétiques et déséquilibre de la chimie du cerveau) ou un thérapeute familial («relations interpersonnelles perturbées»), etc.!

Voici un avertissement concernant l'application de la méthode de la flèche verticale : Vous court-circuiterez le processus si vous inscrivez les pensées qui décrivent vos réactions affectives. Inscrivez plutôt la pensée négative qui provoque cette réaction. Voici un exemple de ce qu'il ne faut pas faire :

Première réaction spontanée. Mon petit ami ne m'a pas appelée cette fin de semaine malgré sa promesse. «Pourquoi cela m'ennuie-t-il? Qu'est-ce que cela signifie pour moi?»

Deuxième réaction spontanée. Oh! je me sens horriblement mal! Je ne pourrai pas le supporter!

Il est inutile d'inscrire cela. Nous savons très bien que vous vous sentez mal. La question est : Quelles pensées vous ont automatiquement traversé l'esprit en provoquant ce sentiment? Qu'est-ce que sa négligence signifie pour vous?

Voici un exemple de ce qu'il faut faire :

1. Mon petit ami ne m'a pas appelée cette fin de semaine malgré sa promesse.

   «Pourquoi cela m'ennuie-t-il? Qu'est-ce que cela signifie pour moi?»

2. Cela signifie qu'il me néglige. Cela signifie qu'il ne m'aime pas vraiment.

   «Et si c'était vrai, qu'est-ce que cela signifierait pour moi?»

3. Cela signifierait que j'ai quelque chose qui ne va pas. Sinon, il se montrerait plus attentionné.

   «Et si c'était vrai, qu'est-ce que cela signifierait pour moi?»

4. Cela signifierait que je suis sur le point d'être rejetée.

   «Et si j'étais rejetée, qu'est-ce que cela signifierait pour moi?»

5. Cela signifierait que je ne suis pas digne d'être aimée et que je ne peux qu'être rejetée par tous.

   «Et si cela m'arrivait, pourquoi cela m'ennuierait-il?»

6. Cela signifierait que je finirais mes jours solitaire et malheureuse.

Par conséquent, en poursuivant vos pensées plutôt que vos sentiments, vous mettrez en lumière vos «suppositions silencieuses» :

1. Si je ne suis pas aimée, c'est que je ne vaux rien.

2. Je serai forcément malheureuse si je reste seule.

Bien entendu, je ne veux pas dire que vos sentiments ne comptent pas puisque le but de l'expérience est d'effectuer une véritable transformation émotive.

L'échelle d'attitudes dysfonctionnelles. Étant donné qu'il est capital de cerner les suppositions silencieuses qui provoquent vos changements d'humeur, une deuxième méthode très simple, appelée «échelle d'attitudes dysfonctionnelles» (DAS), a été mise au point par un membre de notre équipe, la D^{re} Arlene Weissman, qui a compilé une liste d'une centaine d'attitudes défaitistes qui apparaissent chez les individus prédisposés aux troubles émotifs. Ses recherches ont révélé que les réactions spontanées négatives étaient considérablement atténuées pendant les intervalles qui séparaient les accès dépressifs sans toutefois que le système de convictions négatives profondes disparût totalement. Les études de la D^{re} Weissman confirmèrent que les suppositions silencieuses représentaient une prédisposition aux troubles émotifs que nous gardons en nous.

Bien qu'une présentation de l'échelle d'attitudes dysfonction-nelles dans son intégralité dépasse la portée de ce livre, j'ai choisi une certaine quantité d'attitudes parmi les plus fréquentes, auxquelles j'ai ajouté quelques-unes que vous trouverez peut-être utile de mettre à l'épreuve. Pour remplir le questionnaire, il suffit d'indiquer dans quelle mesure vous êtes ou non d'accord avec chaque attitude. Ensuite, un barème vous permettra de noter vos réponses et d'établir le «profil de votre système de valeurs per-sonnel». Cette épreuve mettra en lumière vos forces et vos faiblesses sur le plan psychologique.

L'épreuve est fort simple. Après avoir lu la question, placez une croix dans la colonne qui représente dans l'ensemble ce que vous pensez. Assurez-vous de ne choisir qu'une réponse par question. Étant donné que nous sommes tous différents, il n'existe ni réponse «fausse» ni réponse «juste». Pour décider si telle ou telle attitude est caractéristique de votre philosophie, essayez de vous souvenir comment vous réagissez, en général.

EXEMPLE :

	Accord total	Accord mitigé	Sans avis	Désaccord mitigé	Désaccord total
35. Les gens qui présentent les signes extérieurs du succès (beauté physique, position sociale, richesse ou célébrité) sont forcément plus heureux que les autres.					

Dans cet exemple, la croix placée dans la colonne « Accord mitigé » indique que l'affirmation est quelque peu caractéristique des attitudes de la personne qui subit le test. Maintenant, à vous.

L'échelle d'attitudes dysfonctionnelles[1]

	Accord total	Accord mitigé	Sans avis	Désaccord mitigé	Désaccord total
1. La critique ennuiera obligatoirement la personne qui la recevra.					
2. Il est préférable d'abandonner ses propres intérêts pour plaire aux autres.					
3. J'ai besoin de l'approbation des autres pour être heureux.					
4. Si quelqu'un d'important s'attend à ce que je fasse quelque chose, je dois absolument le faire.					
5. Ma valeur, en tant que personne, dépend largement de ce que les autres pensent de moi.					
6. Je ne peux pas être heureux si je ne suis pas aimé(e) de quelqu'un d'autre.					
7. Si les autres ne nous aiment pas, nous sommes forcément moins heureux.					
8. Si les gens que j'aime me rejettent, cela signifie que j'ai quelque chose qui ne va pas.					
9. Si quelqu'un que j'aime ne m'aime pas, cela signifie que je ne suis pas digne d'amour.					

---

1. Droits d'auteur : Arlene Weissman, 1978.

	Accord total	Accord mitigé	Sans avis	Désaccord mitigé	Désaccord total
10. L'isolement conduit automatiquement au malheur.					
11. Pour être une personne de valeur, je dois être véritablement exceptionnel(le) dans un domaine, au moins.					
12. Je dois être utile, productif(ve), créatif(ve) ou la vie ne vaut pas la peine d'être vécue.					
13. Les gens qui ont de bonnes idées ont plus de valeur que les autres.					
14. Si je ne réussis pas autant que les autres, cela signifie que je suis inférieur(e).					
15. Si j'échoue dans mon travail, cela signifie que je suis un(e) raté(e).					
16. Tout ce qui est fait mérite d'être bien fait.					
17. Il est honteux d'afficher sa faiblesse.					
18. Il faut essayer d'être le (la) meilleur(e) dans tout ce que nous entreprenons.					
19. Si je commets une erreur, je dois en être ennuyé(e).					
20. Si je ne fixe pas les normes les plus élevées en ce qui me concerne, je finirai probablement par être une personne de second ordre.					
21. Si je crois fermement que je mérite quelque chose, je dois m'attendre à l'obtenir.					
22. Il est nécessaire de se sentir frustré(e) lorsque les obstacles nous empêchent de parvenir à nos fins.					
23. Si je fais passer les besoins des autres avant les miens, ils devraient m'aider lorsque j'ai besoin d'eux.					
24. Si je suis un bon mari (ou une bonne épouse), ma conjointe (ou mon conjoint) doit m'aimer.					

	Accord total	Accord mitigé	Sans avis	Désaccord mitigé	Désaccord total
25. Si je rends des services aux gens, ils me respecteront et me traiteront aussi bien que je les traite.					
26. Je dois assumer la responsabilité des sentiments et du comportement de mes proches.					
27. Si je critique la manière dont quelqu'un fait quelque chose et que cette personne se met en colère ou a du chagrin, cela signifie que je l'ai blessée.					
28. Pour être quelqu'un de bon, de digne, de valable, je dois m'efforcer d'aider tous ceux qui en ont besoin.					
29. Si un enfant présente des troubles émotifs ou des troubles du comportement, cela prouve que ses parents ont échoué dans un domaine important.					
30. Je devrais être capable de plaire à tout le monde.					
31. Je ne peux m'attendre à pouvoir maîtriser mes sentiments lorsqu'un événement grave se produit.					
32. Il est inutile d'essayer de modifier les sentiments déplaisants car ils sont un élément normal et inévitable de la vie quotidienne.					
33. Mon humeur est tout d'abord produite par des facteurs qui échappent pour une large part à ma volonté, tels que le passé, la chimie du corps, les cycles hormonaux, les biorythmes, le hasard ou le destin.					
34. Mon bonheur dépend pour une large part de ce qui m'arrive.					
35. Les gens qui présentent les signes extérieurs du succès (beauté, position sociale, richesse ou célébrité) sont forcément plus heureux que les autres.					

Maintenant que vous avez répondu aux questions, vous pouvez noter chaque réponse en fonction du barème suivant :

Accord total	Accord mitigé	Sans avis	Désaccord mitigé	Désaccord total
-2	-1	0	+1	+2

Ensuite, faites la somme des notes que vous avez obtenues aux cinq premières questions. Elles vous permettront d'évaluer votre tendance à mesurer votre valeur en fonction de ce que pensent les autres et du degré d'approbation ou de critique que vous recevez d'eux. Admettons que vous affectiez aux cinq premières questions les notes suivantes : +2, +1, -1, +2, 0. Le total est de +4.

Procédez ainsi pour noter les questions 1 à 5 puis 6 à 10, puis 11 à 15, 16 à 20, 21 à 25, 26 à 30, 31 à 35. Inscrivez les notes obtenues comme suit :

EXEMPLE DE NOTES OBTENUES

Système de valeurs	Attitudes	Notes individuelles	Note globale
I. Approbation	1 à 5	+2, +1, -1, +2, 0	+4
II. Amour	6 à 10	-2, -1, -2, -2, 0	-7
III. Réalisations	11 à 15	+1, +1, 0, 0, -2	0
IV. Perfectionnisme	16 à 20	+2, +2, +1, +1, +1	+7
V. Conscience de son propre droit	21 à 35	+1, +1, -1, 0	+1
VI. Omnipotence	26 à 30	-2, -1, 0, -1, +1	-3
VII. Autonomie	31 à 35	-2, -2, -1, -2, -2	-9

INSCRIVEZ VOS PROPRES NOTES DANS LE TABLEAU SUIVANT

Système de valeurs	Attitudes	Notes individuelles	Note globale
I. Approbation	1 à 5		
II. Amour	6 à 10		
III. Réalisations	11 à 15		
IV. Perfectionnisme	16 à 20		
V. Conscience de son propre droit	21 à 35		
VI. Omnipotence	26 à 30		
VII. Autonomie	31 à 35		

Chaque groupe de cinq attitudes permet de mesurer dans quelle mesure vous dépendez de l'un des sept systèmes de valeurs. Votre note totale peut aller de -10 à + 10. Maintenant, tracez le schéma des notes que vous avez obtenues pour chaque variable de manière à élaborer votre propre «profil de philosophie personnelle», en vous servant du graphique 1 de la page 289.

Comme vous pouvez le constater, une note positive représente un domaine dans lequel vous êtes psychologiquement fort. Une note négative représente un domaine dans lequel vous êtes émotivement vulnérable.

Notre cas imaginaire possède des points forts dans les domaines de l'approbation, du perfectionnisme et de la conscience de son droit. En revanche, sa vulnérabilité est évidente dans les domaines de l'amour, de l'omnipotence et de l'autonomie. Nous verrons plus loin ce que ces notions englobent. Pour le moment, élaborez votre propre profil de philosophie personnelle à l'aide du graphique 2 de la page 290.

GRAPHIQUE 1

Exemple de notes obtenues

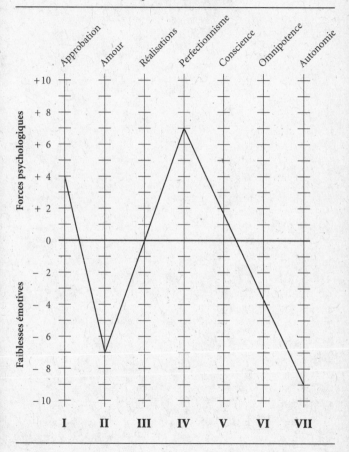

GRAPHIQUE 2

Exemple de notes obtenues

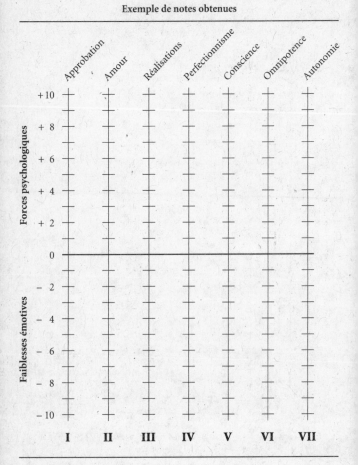

Interprétation des notes que vous avez obtenues au DAS

1. Approbation. Les cinq premières attitudes du test sondent votre tendance à mesurer votre amour-propre en fonction de la manière dont les gens se comportent envers vous et de ce qu'ils pensent de vous. Une note positive, entre 0 et +10, indique que vous êtes indépendant, doté d'un sentiment parfaitement sain de votre valeur personnelle, même lorsque vous faites face à la critique et à la désapprobation d'autrui. Une note négative, entre 0 et -10, indique que vous êtes excessivement dépendant parce que vous vous évaluez à travers les yeux des autres. Si quelqu'un vous insulte ou vous critique, vous commencez automatiquement à vous dénigrer. Votre équilibre émotif est très lié à ce que vous croyez que les autres pensent de vous. Vous êtes facilement manipulé et sujet à la dépression et à l'anxiété lorsque les autres vous critiquent et sont en colère contre vous.

II. L'amour. Les cinq attitudes suivantes évaluent votre tendance à faire reposer votre valeur personnelle sur l'amour que vous recevez. Un résultat positif révèle que vous considérez l'amour comme souhaitable mais que vous avez un large éventail d'intérêts divers qui vous paraissent enrichissants et épanouissants. Par conséquent, l'amour n'est pas une condition *sine qua non* de votre bonheur, pas plus qu'il n'exerce une influence sur votre amour-propre. Les gens vous considèrent comme une personne attrayante parce que vous dégagez une aura d'amour-propre satisfait et vous vous intéressez aux nombreux aspects de la vie.

Un total négatif indique que vous êtes « esclave » de l'amour d'autrui. L'amour est un besoin qui, s'il n'est pas satisfait, vous empêche d'être heureux, voire de survivre. Plus votre résultat se rapproche de -10, plus vous êtes esclave de l'amour d'autrui. Vous adoptez des rôles inférieurs, insultants, dans vos relations avec les autres, notamment ceux que vous aimez, de crainte de les perdre.

Malheureusement, cette attitude a l'effet inverse de l'effet désiré : Les gens n'ont pas de respect pour vous et vous considèrent comme un fardeau puisque votre comportement leur donne à penser que sans leur amour vous vous effondreriez. Au fur et à mesure que vous les sentez s'éloigner de vous, vous êtes la proie d'un syndrome de sevrage douloureux et terrifiant. Vous vous apercevez que vous ne pouvez plus vous «piquer» afin de recevoir votre dose quotidienne d'amour et d'attention. Vous êtes alors dévoré par le besoin compulsif d'obtenir cet amour à tout prix. Comme la plupart des *junkies*, vous risquez d'avoir recours à un comportement coercitif et sournois pour obtenir votre dose. Malheureusement, votre dépendance à l'égard de l'amour éloigne la majorité des gens, intensifiant encore votre solitude.

III. Les réalisations. Les attitudes 11 à 15 vous permettent d'évaluer un type différent d'asservissement. Un total négatif révèle que vous êtes un ergomane. Le sentiment de votre propre humanité est atrophié car vous vous considérez plutôt comme une marchandise lancée sur un marché. Plus votre résultat est négatif, plus le sentiment de votre valeur et de votre capacité est dépendant de votre productivité. Si vous prenez des vacances, si votre entreprise se trouve dans le creux de la vague, si vous prenez votre retraite ou tombez malade, vous risquez l'effondrement émotif total. Les termes *dépression économique* et *dépression émotive* sont, pour vous, des synonymes. En revanche, un total positif indique que vous appréciez la créativité et la productivité mais ne les considérez pas comme la voie exclusive de la satisfaction et de l'amour-propre.

IV. Le perfectionnisme. Il s'agit des attitudes 16 à 20. Un résultat négatif révèle que vous êtes en quête du Graal. Vous exigez la perfection, c'est-à-dire que les erreurs sont tabou, les échecs sont pires que la mort, les sentiments négatifs sont des catastrophes. Vous êtes censé paraître, sentir, penser et vous comporter en permanence comme un être absolument parfait. Pour vous, être moins que spectaculaire équivaut à griller dans les flammes de l'enfer. Cependant, bien que vous viviez à un rythme épuisant, vos satisfactions sont minces. Dès que vous avez atteint un but, un autre, encore plus lointain, le remplace. Vous n'êtes donc jamais capable de connaître le sentiment exaltant d'avoir atteint le sommet de la montagne. Votre vie est routinière, ennuyeuse, sans joie. Vous essayez d'appliquer des normes personnelles impossibles, dépourvues de réalisme. Il faut absolument les modifier. Votre problème n'est pas posé par ce que vous accomplissez mais par le paramètre que vous utilisez pour évaluer vos réalisations. Si vous rapprochez vos attentes de la réalité, vous serez plus régulièrement satisfait et récompensé, au lieu d'être frustré.

Un total positif suggère que vous avez la capacité d'établir des normes sensées, souples, adaptées à votre cas. Vous retirez une grande satisfaction de vos réalisations et de vos expériences mais vous ne vous sentez pas obsédé par le résultat. Vous ne vous croyez pas obligé d'être exceptionnel dans tous les domaines et d'essayer constamment de «faire mieux». Vous ne craignez pas les erreurs, que vous considérez plutôt comme des occasions de vous améliorer et d'assumer votre rôle d'être humain faillible. Paradoxalement, vous êtes sans doute beaucoup plus productif que vos collègues perfectionnistes parce que vous n'êtes pas obsédé par les détails. Votre vie ressemble à un torrent ou à un geyser, par comparaison avec l'existence rigide de vos semblables perfectionnistes, qui tient plutôt du glacier insensible.

V. La conscience de votre propre droit. Les attitudes 21 à 35 permettent d'évaluer dans quelle mesure vous avez l'impression d'avoir «droit» à certaines choses, telles que la réussite, le bonheur, l'amour, etc. Un total négatif indique que vous avez effectivement l'impression d'avoir droit à tout cela. Vous vous attendez à ce que vos besoins soient satisfaits par les autres et par l'Univers entier, en raison de votre bonté innée et de vos gros efforts. Lorsque tel n'est pas le cas, ce qui doit arriver souvent, vous êtes condamné à l'une de ces deux réactions : soit la dépression et le sentiment d'incapacité, soit la colère. Par conséquent, vous consommez d'énormes quantités d'énergie à être frustré, triste ou irrité. En général, vous considérez la vie comme «une vallée de larmes». Vous vous plaignez souvent et vigoureusement mais n'essayez guère de résoudre vos problèmes. Après tout, vous avez le «droit» de vous en débarrasser, pourquoi ne pas faire un effort? En raison de votre comportement exigeant et amer, vous obtenez invariablement beaucoup moins que ce que vous attendez de la vie.

Un résultat positif révèle que vous ne considérez pas automatiquement que vous avez droit à tout. Par conséquent, vous négociez pour parvenir à vos fins, souvent avec succès. Vous savez que les autres sont différents et que nous sommes tous uniques en notre genre. Vous ne voyez donc pas pourquoi tout le monde réagirait spontanément de manière à vous plaire. Un résultat négatif vous déçoit mais ne vous accable pas parce que vous savez donner aux événements leurs justes proportions et n'attendez des autres ni réciprocité ni «justice». Vous êtes patient, persistant, votre seuil de tolérance est très élevé. Par conséquent, vous vous trouvez souvent en tête de la meute.

VI. L'omnipotence. Les attitudes 26 à 30 permettent de mesurer votre tendance à vous considérer comme le centre de votre univers personnel et comme responsable de ce qui se passe autour de vous. Un total négatif indique que vous commettez souvent l'erreur de personnalisation, décrite dans les chapitres 3 et 6. Vous vous blâmez à tort pour les actes ou les comportements négatifs des autres, qui ne relèvent pourtant pas de votre autorité. Par conséquent, le sentiment de culpabilité vous accable et vous vous condamnez perpétuellement. Paradoxalement, l'idée que vous êtes tout-puissant est un handicap qui fait de vous un être anxieux et inefficace. Une note positive indique au contraire que vous connaissez le bonheur de n'être qu'un minuscule grain de sable dans les rouages de l'Univers. N'exerçant aucune autorité sur les autres adultes, vous n'êtes pas responsable de ce qui leur arrive.

Cette attitude ne vous isole pas, bien au contraire. Vos relations avec les autres sont amicales et courtoises, vous ne vous sentez pas menacé lorsqu'ils expriment leur désaccord ou négligent de suivre vos conseils. Étant donné que votre attitude donne aux autres un sentiment de liberté et de dignité, vous devenez paradoxalement un véritable aimant. Les autres veulent se rapprocher de vous parce que vous n'essayez pas de les dominer. Les gens vous écoutent et respectent vos idées parce que vous ne leur faites pas comprendre avec insistance qu'ils doivent absolument être d'accord avec vous. Si vous abandonnez votre besoin de puissance, les gens vous récompenseront en faisant de vous une personne d'influence. Vos relations avec les enfants, les amis, les collègues sont caractérisées par un échange et non une dépendance. Puisque vous n'essayez pas de les dominer, ils vous admirent, vous aiment et vous respectent.

VII. L'autonomie. Les attitudes 31 à 35 vous permettent de mesurer votre autonomie, soit votre capacité de trouver le bonheur en vous-même. Une note positive indique que votre humeur résulte, en fin de compte, de vos pensées et de votre comportement. Vous assumez la responsabilité de vos sentiments parce que vous reconnaissez que c'est vous qui les provoquez. Cette interprétation paraît peut-être suggérer que vous êtes solitaire et isolé puisque vous vous rendez compte que vos sentiments n'existent que dans votre tête. Cependant, cette autonomie vous libère des limites rapprochées de l'esprit et vous offre le monde entier, avec toutes les satisfactions, tout le mystère, toute l'aventure qu'il peut offrir.

Un total négatif suggère que vous êtes toujours prisonnier de l'idée que votre potentiel de bonheur et d'amour-propre dépend de l'extérieur. Cette conception de la vie vous place dans une situation de grande vulnérabilité puisque l'extérieur échappe à votre contrôle. Votre humeur est victime des facteurs externes. Est-ce vraiment ce que vous désirez? Sinon, vous pourriez vous libérer de cette attitude, aussi sûrement qu'un serpent se libère de sa mue, en vous efforçant de suivre les diverses méthodes décrites dans ce livre. Lorsque vous parviendrez enfin à connaître l'autonomie, la responsabilité personnelle, vous serez éberlué, épouvanté ou émerveillé. Cela vaut bien un effort personnel!

Dans les chapitres suivants, nous étudierons en détail quelques-uns de ces systèmes de valeurs. À chaque reprise, demandez vous : Est-il à mon avantage de conserver cette conviction particulière? Cette conviction est-elle valide? Quelles mesures précises puis-je prendre afin de me libérer d'attitudes destructrices, dépourvues de réalisme, pour les remplacer par d'autres, plus objectives, plus stimulantes?

Chapitre 10

La dépendance à l'égard de l'approbation

Prenons en considération votre conviction qu'il serait abominable que quelqu'un vous désapprouvât. Pourquoi la désapprobation représente-t-elle une pareille menace ? Peut-être raisonnez-vous ainsi : « Si une personne me désapprouve, cela signifie que le monde est prêt à me désapprouver, donc que j'ai quelque chose qui ne va pas. »

Si ce sont là vos pensées habituelles, il est possible que votre humeur s'éclaircisse dès que l'on vous flatte. Vous vous dites alors : « Les autres réagissent de manière positive à mon contact. Je puis donc être bien dans ma peau. »

Pourquoi ce raisonnement est-il illogique ? Parce que vous négligez le fait que ce sont seulement vos pensées et vos convictions qui ont le pouvoir d'éclaircir ou d'assombrir votre humeur. L'approbation d'autrui n'a aucune influence sur votre état d'âme à moins que vous ne soyez persuadé que ce que les autres disent de vous est parfaitement fondé. Mais si vous croyez que vous méritez les compliments que vous recevez, c'est votre conviction qui vous procure cette impression de bien-être. Vous devez valider l'approbation extérieure avant de ressentir un éclaircissement de votre humeur. Cette validation représente votre « auto-approbation ».

Supposons que vous visitiez le pavillon psychiatrique d'un hôpital. Un patient victime d'hallucinations s'approche de vous en s'écriant : « Vous êtes un être merveilleux ! J'ai eu une vision de Dieu. Il m'a dit que la treizième personne qui franchirait cette porte serait son messager. Vous êtes la treizième, donc je sais que c'est vous que Dieu a choisi, le prince de la paix, le plus sacré parmi les sacrés. Laissez-moi déposer un baiser sur votre chaussure ! » Cette approbation poussée à l'extrême éclaircirait-elle votre humeur ? Vous vous sentiriez plutôt nerveux et mal à l'aise parce que vous ne croiriez pas ce que le patient dit. Vous disqualifieriez son commentaire. Ce n'est que votre conviction qui est capable de modifier ce que vous ressentez. Les autres peuvent dire ce qu'ils veulent de vous, louanges ou reproches, seules vos pensées sont en mesure d'influencer vos sentiments.

Vous payez cet asservissement aux louanges par une extrême vulnérabilité à l'égard de l'opinion d'autrui. Comme tout drogué, vous devez constamment absorber des compliments pour éviter les affres du sevrage. Dès que quelqu'un qui compte pour vous exprime sa désapprobation, vous vous effondrez douloureusement, comme n'importe quel *junkie* en état de manque. Les autres peuvent profiter de cette vulnérabilité pour vous manipuler. Vous cédez plus souvent que vous le désirez car vous craignez d'être rejeté ou méprisé. Vous êtes à la merci du chantage affectif.

Vous vous rendez peut-être compte que votre dépendance à l'égard de l'approbation ne joue pas à votre avantage mais vous croyez encore que les autres ont réellement le droit de juger non seulement le mérite de vos actes et de vos paroles mais également votre valeur en tant qu'être humain. Imaginez que vous rendiez une deuxième visite au pavillon psychiatrique. Cette fois-ci, un autre patient victime d'hallucinations s'approche de vous en disant : « Vous portez une chemise rouge. Elle prouve que vous êtes le Diable ! Vous incarnez le mal ! » Vous sentiriez-vous ennuyé par cette critique et cette désapprobation ? Certainement pas. Pourquoi ?

Simplement parce que vous ne croiriez pas un mot des paroles du patient. Il faut que vous vous laissiez prendre par la critique pour croire que vous avez fait quelque chose de mal et, donc, pour en être blessé.

Ne vous est-il jamais venu à l'idée que lorsqu'une personne vous critique c'est peut-être elle qui a quelque chose qui ne va pas? La désapprobation reflète souvent les convictions irrationnelles des autres. Pour prendre un exemple extrême, la doctrine haïssable de Hitler selon laquelle les juifs étaient des êtres inférieurs ne reflétait en rien la valeur personnelle des gens qu'il s'apprêtait à détruire.

Bien entendu, à de nombreuses reprises, la désapprobation naît d'une erreur authentique de votre part. S'ensuit-il que vous êtes un bon à rien? Évidemment non. La réaction négative de l'autre est seulement dirigée vers quelque chose de précis que vous avez fait et non vers votre valeur personnelle. Un être humain ne peut pas commettre constamment des erreurs!

Regardons un peu l'autre revers de la médaille. De nombreux criminels célèbres ont eu des groupes de fervents admirateurs, aussi répugnants et haïssables que fussent leurs crimes. Charles Manson, par exemple, encourageait le meurtre et le sadisme. Pourtant, il était considéré comme un messie par ses nombreux disciples qui lui obéissaient au doigt et à l'œil. Comprenez bien que je ne prêche surtout pas en faveur d'un comportement aussi atroce, pas plus que je ne suis un admirateur de Charles Manson! Mais posez-vous donc ces questions : Si Charles Manson n'a pas été totalement rejeté en raison de ses paroles et de ses actes, qu'avez-vous donc fait de si ignoble pour penser que vous serez rejeté de tous? Si vous croyez toujours en l'équation «Approbation = valeur personnelle», n'oubliez pas que Charles Manson était adulé par sa «famille» L'approbation qu'il recevait faisait-elle de lui un être de valeur? C'est absurde.

Il est évident qu'il est bien agréable de recevoir l'approbation des autres. C'est normal et très sain. Il est également évident que la désapprobation et le rejet ont en général un goût amer. C'est également humain et compréhensible. Mais vous êtes aux prises avec des sables mouvants si vous continuez de croire que l'approbation et la désapprobation sont les seuls et uniques instruments de mesure de votre valeur personnelle.

Vous est-il déjà arrivé de critiquer quelqu'un? Avez-vous jamais été en désaccord avec un ami? Avez-vous jamais réprimandé un enfant pour son comportement? Avez-vous jamais répliqué sur un ton sec à un être cher, un jour que vous vous sentiez irritable? Avez-vous jamais refusé de fréquenter quelqu'un dont le comportement vous déplaisait? Demandez-vous si, au moment où vous critiquiez l'autre, vous portiez un jugement moral définitif, sans appel. Demandez-vous si vous avez eu l'intention de lui faire comprendre qu'il n'était qu'un bon à rien, un être sans valeur. Avez-vous le pouvoir de porter un jugement d'une telle portée ou étiez-vous en train d'exprimer le fait que votre point de vue était différent et que vous n'étiez pas d'accord avec les actes ou les paroles de l'autre?

Par exemple, dans le feu de là colère, vous avez peut-être répliqué à votre conjoint : «Tu n'es qu'un(e) imbécile!» Mais lorsque la colère s'est apaisée un jour ou deux plus tard, n'avez-vous pas reconnu que vous aviez exagéré? Bien sûr, votre conjoint(e) a sûrement des défauts, mais n'est-il pas absurde qu'un accès de colère ou une critique de votre part en fasse à jamais «un(e) imbécile»? Si vous admettez que votre désapprobation ne contient pas suffisamment de puissance morale pour dévaster la vie de l'autre, pourquoi donner à sa désapprobation la puissance d'effacer de la carte le sentiment de votre propre valeur? Qu'est-ce qui rend les opinions des autres si spéciales? Lorsque vous frémissez de terreur à l'idée que quelqu'un ne vous aime pas, vous amplifiez la sagesse et la connaissance de cette personne, tout en vous considérant comme incapable de porter des jugements sains en ce qui vous concerne. Bien sûr, il est possible que les autres vous fassent remarquer une erreur de comportement ou de pensée et j'espère qu'ils ne manqueront pas de le faire car vous pourrez profiter de l'occasion pour vous améliorer. Après tout, nous sommes tous des êtres imparfaits et les autres ont le droit de nous le rappeler de temps à autre. Mais êtes-vous obligé de vous rendre malheureux, de vous haïr chaque fois que quelqu'un s'irrite contre vous ou vous critique ?

L'origine des problèmes. Où avez-vous été chercher cette dépendance à l'égard de l'approbation ? Nous ne pouvons que conjecturer à ce propos. Il est possible que la réponse réside dans vos relations avec les gens qui comptaient pour vous lorsque vous étiez enfant. Vous avez peut-être eu un père ou une mère qui se montrait indûment critique à votre égard, ou qui était irritable envers vous même lorsque vous ne faisiez rien de répréhensible. Votre mère avait peut-être tendance à s'écrier : «Tu es méchant de faire ça!» ou votre père soupirait peut-être : «Tu fais toujours des bêtises. Tu n'apprendras donc jamais?» En tant qu'enfant, vous considériez vos parents comme des dieux. Ils vous apprenaient à parler, à lacer vos chaussures, et presque tout ce qu'ils vous disaient était valide. Si papa disait : «Si tu sors dans la rue, tu vas te faire écraser», c'était littéralement exact. Comme la plupart des enfants, vous présumiez que presque tout ce que vos parents disaient était parole d'Évangile. Aussi, lorsque vous entendiez «Tu es un bon à rien» ou «Tu n'apprendras jamais», vous encaissiez douloureusement le coup. Vous étiez trop jeune pour raisonner ainsi : «Papa exagère, c'est un cas de généralisation excessive». Vous ne possédiez pas non plus la maturité affective qui vous aurait permis de comprendre que papa était irritable et fatigué, ou qu'il avait un peu trop bu et désirait avoir la paix. Vous n'étiez pas capable de déterminer si son accès de colère était son problème ou le vôtre. D'autre part, si vous étiez assez grand pour suggérer qu'il se montrait peut-être injuste, vos tentatives de redressement de la situation vous auraient sans doute valu une bonne fessée.

Rien d'étonnant que vous eussiez acquis la mauvaise habitude de vous dénigrer chaque fois que quelqu'un désapprouve votre comportement. Ce n'est pas votre faute si vous avez acquis cette tendance lorsque vous étiez enfant et nul ne peut vous blâmer pour avoir grandi sans vous débarrasser de ce point faible. Cependant, il vous incombe aujourd'hui de réfléchir à cette question, de prendre les mesures qui s'imposent pour éliminer votre vulnérabilité à l'égard de l'approbation d'autrui.

Pourquoi cette crainte de la désapprobation vous prédispose-t-elle à l'anxiété et à la dépression ? John est un architecte de 52 ans, célibataire, courtois, qui vit dans la terreur permanente d'encourir la critique. On me l'envoya parce qu'il souffrait d'une profonde dépression, récurrente, irréductible, en dépit de plusieurs années de traitement. Un jour qu'il se sentait particulièrement en forme, il s'approcha de son patron pour lui soumettre avec enthousiasme quelques idées concernant un projet important. Le patron s'exclama avec brusquerie : « Plus tard, John. Tu ne vois donc pas que je suis occupé ? » L'amour-propre de John s'effondra instantanément. Il se traîna jusqu'à son bureau, noyé de désespoir et de haine de lui-même, se répétant qu'il n'était qu'un bon à rien. « Comment ai-je pu être si étourdi ? »

Tandis que John me relatait cette épisode, je lui posai une question simple et évidente : « Qui a agi stupidement dans cette affaire ? Vous ou votre patron ? Vous êtes-vous conduit de manière répréhensible ou est-ce lui qui s'est montré irritable et déplaisant ? » Après un moment de réflexion, il identifia le vrai coupable. La possibilité que son patron eût agi de manière odieuse envers lui ne lui était même pas venue à l'esprit en raison de son habitude automatique de jeter le blâme sur lui-même. Il éprouva du soulagement lorsqu'il comprit qu'il n'avait absolument aucune raison d'avoir honte de sa propre conduite. Son patron s'était montré désagréable probablement parce qu'il était sous tension ou qu'il s'était levé du mauvais pied ce jour-là.

Il posa alors la question suivante : «Pourquoi est-ce que je lutte constamment pour obtenir l'approbation des autres? Pourquoi est-ce que je m'effondre ainsi lorsque je ne l'obtiens pas?» Il se souvint alors de quelque chose qui lui était arrivé à l'âge de 12 ans. Son unique frère, un peu plus jeune que lui, venait de mourir tragiquement, après avoir longtemps lutté contre la leucémie. Après l'enterrement, il avait entendu sa mère et sa grand-mère qui parlaient dans une chambre. Sa mère, en pleurs, avait dit soudain : «Maintenant, je n'ai plus aucune raison de vivre». Sa grand-mère avait répondu : «Chut! Johnny est dans le couloir, il pourrait t'entendre».

Tandis que John me relatait cet événement, il se mit à pleurer. Il avait entendu ce commentaire, qui signifiait pour lui : «Je ne vaux pas grand-chose. Mon frère était l'enfant qui comptait. Ma mère ne m'aime pas vraiment.» Il ne révéla jamais qu'il avait surpris ce dialogue mais, au cours des années, s'efforça de le bannir de sa mémoire en se disant : «Qu'elle m'aime ou non n'a pas d'importance». Il lutta cependant de plus belle pour plaire à sa mère par ses réalisations, la réussite de sa vie professionnelle, en une tentative désespérée pour conquérir son approbation. Au fond de lui-même, il ne croyait pas vraiment en sa valeur et se considérait comme inférieur et indigne d'être aimé. Il essaya de compenser l'absence d'amour-propre par l'admiration et l'approbation d'autrui, exactement comme s'il se fût efforcé en permanence de gonfler un ballon troué.

Après s'être souvenu de cet incident, John fut capable de voir à quel point sa réaction avait été irrationnelle. L'amertume de sa mère, le sentiment de vide, était un élément naturel du chagrin de tout parent venant de perdre un enfant. Ses commentaires n'avaient rien à voir avec John. Ils étaient dictés par sa dépression et son désespoir passagers.

Après avoir replacé ce souvenir dans sa véritable perspective, John comprit à quel point il était illogique et défaitiste de lier sa valeur à l'opinion des autres. Peut-être commencez-vous aussi à comprendre que votre croyance en l'importance de l'approbation extérieure est dépourvue de réalisme. En fin de compte, c'est vous et vous seul qui avez le pouvoir de faire votre bonheur. Maintenant, étudions un peu quelques mesures simples que vous pourriez prendre afin de mettre ce principe en pratique. Vous parviendrez peut-être à transformer votre désir d'amour-propre et de dignité personnelle en réalité affective.

La voie de l'indépendance et du respect de soi

L'analyse coûts-bénéfices. La première étape pour surmonter votre dépendance à l'égard de l'approbation, telle que vous l'avez cernée grâce au DAS, consiste à entreprendre une analyse coûts-bénéfices. Demandez-vous quels sont les avantages et les inconvénients d'être persuadé que la désapprobation vous ôte de la valeur personnelle. Après avoir dressé votre liste, vous serez en mesure de prendre une décision éclairée pour mettre au point un système de valeurs plus sain.

Par exemple, une femme de 33 ans, mariée, prénommée Susan, était beaucoup trop immergée dans les activités communautaires et paroissiales parce que, étant sérieuse, capable, compétente, elle était fréquemment sollicitée pour siéger aux comités. Elle était particulièrement heureuse lorsqu'elle était choisie pour accomplir une nouvelle tâche et craignait de refuser de peur de risquer la désapprobation. Terrifiée à l'idée de délaisser quiconque, elle était prisonnière d'un cercle vicieux qui l'entraînait à renoncer à ses propres intérêts et à ses propres goûts afin de plaire aux autres.

L'épreuve du DAS et la technique de la flèche verticale décrites au chapitre précédent révélèrent l'une de ses suppositions silencieuses : « Je dois toujours faire ce que les gens s'attendent à me voir faire. » Elle semblait répugner à abandonner cette conviction. Aussi, je la persuadai d'entreprendre une analyse coûts-bénéfices (tableau 10-1). Les inconvénients de son asservissement à l'approbation des autres écrasant les avantages, elle accepta plus volontiers de modifier sa philosophie personnelle. Essayez donc d'appliquer cette technique très simple pour vous débarrasser de vos suppositions silencieuses qui ont rapport à l'approbation d'autrui. Vous aurez peut-être accompli un grand pas vers le rehaussement de votre image personnelle.

Récrivez la supposition. Si, à la suite de votre analyse, vous comprenez que votre crainte de la désapprobation vous blesse plus qu'elle ne vous est utile, il convient alors de récrire votre supposition silencieuse dans des termes plus réalistes et plus stimulants pour votre image. (Vous pouvez d'ailleurs en faire autant pour chaque attitude du DAS qui représente une vulnérabilité psychologique.) Dans l'exemple qui nous occupe, Susan décida de récrire sa conviction comme suit : « Il est peut-être agréable que quelqu'un approuve ce que je fais, mais je n'ai pas besoin de l'approbation des autres pour être une personne de valeur ou pour me respecter. La désapprobation est désagréable mais n'enlève rien à ma valeur personnelle. »

La voie du respect de soi. Comme troisième étape, il serait peut-être judicieux que vous rédigiez un bref essai intitulé : « Pourquoi est-il irrationnel de vivre dans la crainte de la désapprobation ou de la critique ? » Il constituera votre voie personnelle vers une plus grande confiance en vous et une plus grande autonomie. Dressez la liste de toutes les raisons pour lesquelles la désapprobation est désagréable mais non fatale. Quelques-unes ont déjà été mentionnées dans ce chapitre et vous pourriez les relire avant de commencer à écrire. Dans votre essai, n'incorporez que les raisons qui vous semblent convaincantes. Assurez-vous que vous croyez en chaque argument avant de l'écrire, afin que votre nouveau sentiment d'indépendance soit réaliste. Ne cherchez pas à vous éloigner des faits. Par exemple, l'affirmation : « Si une personne me désapprouve, je n'ai pas besoin de m'en faire car cela signifie qu'elle n'est pas le genre de personne que j'aimerais avoir comme amie» ne marchera pas car c'est une distorsion. Vous essayez de préserver votre amour-propre en dénigrant l'autre. Tenez-vous-en à la vérité.

TABLEAU 10-1

**La méthode de l'analyse coûts-bénéfices
destinée à évaluer les «suppositions silencieuses».**

SUPPOSITION : «Je dois toujours faire ce que les gens s'attendent à me voir faire.»

Avantages de cette conviction	*Inconvénients de cette conviction*
1. Je suis capable de répondre à l'attente des autres. Je me sens maîtresse de la situation. C'est une sensation bien agréable.	1. Je dois parfois faire des compromis et finir par faire des choses qui ne vont pas dans le sens de mon intérêt, des choses que je n'ai pas vraiment envie de faire.
2. Lorsque je fais plaisir aux autres, j'éprouve un sentiment de sécurité.	2. Cette supposition m'empêche de mettre mes relations à l'épreuve. Je ne sais jamais si je suis acceptée pour moi-même. Par conséquent, je dois gagner constamment l'affection des autres et le droit de demeurer près d'eux en faisant ce qu'ils désirent. Je deviens leur esclave.
3. Je peux ainsi éviter un sentiment de culpabilité et d'embarras puisque je n'ai pas à penser. Je n'ai qu'à exécuter les ordres des autres.	3. Les gens ont trop de pouvoir sur moi. Ils peuvent me contraindre avec la seule menace de la désapprobation.
4. Je n'ai pas à m'inquiéter de blesser les gens ou d'être méprisée par eux.	4. J'ai du mal à savoir exactement ce que je veux. Je n'ai pas l'habitude d'établir des priorités en ce qui me concerne ni de prendre des décisions indépendantes.

TABLEAU 10-1 (suite)

**La méthode de l'analyse coûts-bénéfices
destinée à évaluer les « suppositions silencieuses ».**

SUPPOSITION : « Je dois toujours faire ce que les gens s'attendent à me voir faire. »

Avantage de cette conviction	Inconvénients de cette conviction
5. Je peux éviter les conflits. Je n'ai pas besoin de faire preuve d'assurance ou d'exprimer mes opinions.	5. Lorsqu'il arrive que les autres me désapprouvent, ce qui est inévitable, j'en conclus que j'ai fait quelque chose qui leur a déplu, ce qui provoque en moi un sentiment de culpabilité et déclenche un accès de dépression. Mon humeur est donc régie par les autres et non par moi.
	6. Ce que les autres veulent que je fasse ne sert pas toujours mes intérêts, mais plutôt les leurs. Ils s'attendent parfois à ce que j'agisse d'une manière qui n'est ni réaliste ni valide.
	7. Je finis par considérer les gens comme si faibles et si fragiles qu'ils dépendent entièrement de moi et seraient blessés et malheureux si je les délaissais.
	8. Parce que j'ai peur de prendre le risque de déplaire à quelqu'un, ma vie devient statique. Je ne me sens pas motivée pour changer, pour stimuler mon image, pour agir différemment de manière à accroître mon expérience de la vie.

Au fur et à mesure que de nouvelles idées vous viennent à l'esprit, inscrivez-les. Lisez votre liste tous les matins durant plusieurs semaines. Peut-être accomplirez-vous ainsi le premier pas qui vous permettra d'épurer les opinions et commentaires négatifs des autres à votre égard, car vous les ramènerez ainsi à leurs véritables proportions.

Voici quelques idées qui ont été très utiles à de nombreux patients. Vous pourriez en utiliser quelques-unes dans votre essai.

1. Souvenez-vous que lorsque quelqu'un réagit négativement à votre égard ce sont peut-être ses propres pensées irrationnelles qui sont à l'origine de sa désapprobation.

2. Même si la critique est justifiée, il n'y a aucune raison pour qu'elle vous détruise. Vous pouvez cerner votre erreur et prendre des mesures pour la rectifier. Apprenez à vous servir de vos erreurs. N'en ayez pas honte. Si vous êtes humain, vous devez absolument commettre des erreurs de temps à autre.

3. Si vous avez commis une erreur, rien ne prouve que vous êtes un PERDANT-NÉ. Il est impossible de se tromper constamment ou même souvent. Pensez aux milliers de choses que vous avez correctement accomplies dans votre vie. En outre, il est toujours possible de changer et de s'améliorer.

4. Les autres ne peuvent juger votre valeur personnelle. Ils ne peuvent juger que la validité ou le mérite de vos actes ou de vos paroles.

5. Chacun vous jugera différemment, quel que soit votre comportement. La désapprobation ne s'étend pas comme un feu de savane et un rejet n'entraîne pas une suite infinie de rejets. Même si le pire arrive, si vous êtes rejeté par quelqu'un, vous ne vous retrouverez pas totalement isolé.

6. La désapprobation et la critique sont en général désagréables mais leur effet s'émousse rapidement. Cessez de vous apitoyer sur votre sort. Plongez-vous dans une activité que vous aimez, même si vous avez l'impression que c'est inutile.

7. La critique et la désapprobation ne peuvent vous blesser que si vous croyez aux accusations portées contre vous.

8. La désapprobation est rarement définitive. Il ne s'ensuit pas que votre relation avec la personne qui vous critique sera nécessairement rompue. Les querelles sont un élément de la vie quotidienne et, dans la plupart des cas, vous parviendrez tôt ou tard à une compréhension mutuelle.

9. Si vous critiquez quelqu'un, cela ne signifie pas que cette personne est totalement mauvaise. Pourquoi laisser à un autre individu le pouvoir et le droit de vous juger? Nous sommes simplement des êtres humains, pas des juges de Cour suprême. N'accordez pas aux autres une importance exagérée au point de les transformer en divinités infaillibles.

Avez-vous d'autres idées? Pensez-y pendant les jours qui viennent. Inscrivez vos idées sur une feuille. Mettez au point votre propre philosophie de la désapprobation. Vous serez surpris de constater à quel point cela peut vous aider à changer votre perspective et à stimuler votre sentiment d'indépendance.

Les techniques verbales. Non seulement est-il utile d'apprendre à penser différemment mais encore est-il important de se comporter différemment envers les personnes qui vous expriment leur désapprobation. Comme première étape, revoyez les méthodes verbales, telle la technique du «désarmement», qui sont expliquées au chapitre 6. Ensuite, nous étudierons plusieurs autres démarches qui vous permettront d'acquérir l'habileté nécessaire pour répondre à la désapprobation.

Tout d'abord, si vous craignez la désapprobation de quelqu'un, avez-vous jamais pensé à demander à cette personne si elle vous considérait vraiment comme un être inférieur? Vous pourriez être agréablement surpris d'apprendre que sa désapprobation n'existe que dans votre imagination. Bien que cette démarche exige un certain courage, elle peut être incroyablement payante. Vous souvenez-vous d'Art, le résident en psychiatrie qui faisait un stage de formation à l'Université de Pennsylvanie? Art ne soupçonnait pas que l'un de ses patients eût des tendances suicidaires.

Le patient n'avait aucun antécédent de dépression et n'en présentait aucun symptôme. Pourtant, un beau matin, Art reçut un appel téléphonique qui lui apprit que son patient avait été découvert mort d'une balle dans la tête. Bien qu'on eût soupçonné un homicide, la cause probable de la mort se révéla être le suicide. Art n'avait encore jamais perdu de patient ainsi. Il réagit par la tristesse, parce qu'il aimait beaucoup cette personne, par l'anxiété, de peur que ses supérieurs et ses collègues désapprouvent son comportement et le méprisent pour son manque de jugement. Après avoir discuté du décès avec son supérieur, Art lui demanda franchement : « Avez-vous l'impression que je vous ai déçu ? » Le supérieur répondit avec chaleur, en démontrant de l'empathie, sans la moindre réaction de rejet. Art fut soulagé lorsqu'il lui déclara que lui aussi avait perdu un patient de cette manière, autrefois. Il insista sur le fait que c'était là pour Art une occasion d'apprendre à connaître les dangers que présente la profession de psychiatre. En discutant de l'affaire, en refusant de se laisser aller à la crainte de la désapprobation, Art apprit qu'il avait effectivement commis une erreur, car il avait négligé le fait que le désespoir peut conduire au suicide des patients qui ne sont pas cliniquement dépressifs. Mais il apprit également que les autres n'exigeaient pas qu'il fût parfait et que chacun de ses traitements se révélât fructueux.

Imaginons que les choses ne se soient pas passées ainsi et que le supérieur d'Art l'ait condamné pour son étourderie et son incompétence. L'aboutissement le plus négatif aurait été le rejet. Réfléchissons à quelques stratégies qui vous permettraient de parer à la pire éventualité.

Vous n'êtes pas responsable du rejet ! Outre les blessures corporelles ou la destruction de ses effets personnels, la douleur la plus intense qu'un être humain peut infliger à un autre est le rejet. Cette menace est à la source de vos craintes lorsque vous êtes critiqué. Il existe différent types de rejets. Le plus commun et le plus simple est appelé le « rejet de l'adolescent », bien qu'il ne soit absolument pas limité à cette tranche d'âge. Supposons que vous éprouviez un penchant pour une personne que vous avez rencontrée à une ou plusieurs reprises et que vous vous rendiez compte que vous n'êtes pas son genre. Votre apparence, votre race, votre religion, votre personnalité peuvent être responsables. Ou peut-être êtes-vous trop grand, trop petit, trop mince, trop gros, trop vieux, trop jeune, trop intelligent, trop bête, trop agressif, trop passif, etc. Quoi qu'il en soit, vous ne correspondez pas d'assez près à l'image mentale du compagnon idéal de cette personne. Par conséquent, elle repousse vos avances et vous bat froid.

Êtes-vous fautif ? Certainement pas. Cette personne vous a repoussé simplement en raison de préférences et de goûts subjectifs. Certains préfèrent la tarte aux pommes à la tarte aux cerises. Cela signifie-t-il que la tarte aux cerises est un mets haïssable ? Les penchants sentimentaux sont variables à l'infini. Si vous ressemblez à ces bellâtres télévisés qui vantent les mérites des dentifrices, le sort vous a gâté puisque vous répondez aux canons d'esthétique établis par notre culture. Il ne vous est probablement pas difficile d'attirer d'éventuelles partenaires. Mais vous apprendrez que l'attraction mutuelle n'est pas automatiquement le prélude d'une relation amoureuse durable. Même les beaux et les belles de ce monde connaissent parfois la douleur d'un rejet. Nul ne peut plaire à tous ou à toutes.

Si votre apparence et votre personnalité sont beaucoup moins saisissantes, vous devrez accomplir plus d'efforts pour attirer les gens, au départ, et vous connaîtrez plus souvent le rejet. Vous devrez accroître votre habileté à nouer des relations sociales et apprendre à maîtriser quelques-uns des puissants secrets qui permettent d'attirer les autres. Par exemple, ne trahissez pas vos intérêts en vous dénigrant, ne vous persécutez pas, stimulez votre amour-propre à l'aide des méthodes décrites au chapitre 4… Si vous vous aimez, les autres répondront à ce sentiment d'épanouissement que vous irradierez et tenteront de se rapprocher de vous. Complimentez sincèrement les autres. Au lieu d'attendre nerveusement qu'ils se décident à vous aimer ou non, montrez-leur que vous, vous les aimez. Montrez votre intérêt en apprenant où vont leurs goûts. Faites-les parler de ce qui les intéresse et répondez de manière optimiste à leurs commentaires.

Si vous persévérez dans cette voie, vous découvrirez qu'il existe des personnes qui vous trouvent agréable et que vous possédez une grande faculté d'être heureux. Le «rejet de l'adolescent» est douloureux, c'est vrai, mais il est loin d'être la fin du monde et vous n'en êtes guère responsable.

«Ha, ha! allez-vous rétorquer. Mais que se passe-t-il lors-qu'un tas de gens vous rejettent parce que vous les envoyez paître avec vos manières brusques? Supposons que vous soyez préten-tieux et égocentrique. Cela, c'est votre faute, n'est-ce pas?» En réalité, il s'agit d'une deuxième forme de rejet, que j'appelle le «rejet du colérique». De nouveau, vous comprendrez que ce n'est pas votre faute si vous êtes furieusement rejeté à cause de vos défauts.

Au départ, les autres ne sont pas obligés de vous rejeter sim-plement parce qu'ils ont découvert en vous des défauts qui leur déplaisent. Ils ont d'autres possibilités. Ils peuvent être francs et vous faire remarquer ce qu'ils n'aiment pas en vous, ou ils peuvent apprendre à ne plus y attacher d'importance. Bien entendu, ils peuvent aussi vous éviter et vous rejeter. Ils sont libres de choisir leurs amis. Cependant, cela ne signifie pas que vous êtes un être mauvais et tout le monde ne réagit probablement pas de manière aussi négative à votre contact. Vous ressentez une sympathie immé-diate pour certains et une antipathie tout aussi immédiate envers d'autres. Ce n'est la faute de personne, la vie est ainsi faite.

Si une bizarrerie de votre personnalité éloigne à votre avis trop de gens, par exemple si vous êtes excessivement critique ou soupe au lait, il serait incontestablement avantageux pour vous que vous modifiiez votre attitude, mais il est ridicule de vous blâmer si quelqu'un vous rejette à cause de cette imperfection. Nous sommes tous imparfaits et votre tendance à croire que l'hostilité des autres est justifiée se révélera inutilement destructrice.

Le troisième type de rejet est le «rejet manipulateur». L'autre personne utilise la menace du rejet ou de l'évitement pour vous manipuler. Les épouses malheureuses, parfois même les psycho-thérapeutes, ont très souvent recours à cette méthode pour contraindre quelqu'un à changer. La formule est la suivante : «Tu m'obéis ou je te quitte.» Il s'agit d'une méthode totalement irrationnelle et généralement infructueuse qui vise à influencer le comportement des autres. Ce type de rejet n'est qu'une stratégie, née de notre culture, qui est généralement inefficace. Il conduit rarement à l'amélioration des relations parce qu'il engendre la tension et la rancune. Il indique surtout un très faible seuil de tolérance de la frustration chez l'individu qui profère la menace ainsi que des capacités médiocres en matière de relations humaines. Vous n'en êtes certainement pas responsable et il n'est pas avantageux pour vous de vous laisser manipuler ainsi.

Après avoir étudié les aspects théoriques, voyons ce que vous pouvez faire ou dire lorsque vous êtes vraiment rejeté. Une méthode efficace consiste à reprendre nos dialogues imaginaires. Pour rendre la petite scène plus divertissante et plus utile, je serai celui qui vous rejette, je vous confronterai à toutes les horreurs qui me passeront par la tête à votre sujet. Étant donné que je me montrerai caustique et insultant, commencez par me demander si je vous rejette en raison de l'attitude que j'ai eue envers vous ces derniers temps.

VOUS : Docteur Burns, j'ai remarqué que vous étiez froid et distant. Vous semblez m'éviter. Lorsque je vous adresse la parole, vous m'ignorez ou me répliquez sèchement. Je me demande si vous êtes en colère contre moi ou si vous pensez à me rejeter.

DAVID : Je suis bien content que vous ayez mis la question sur le tapis. J'ai effectivement décidé de vous rejeter.

VOUS : Pourquoi ? Apparemment, je vous déçois.

DAVID : Vous n'êtes qu'un bon à rien et un crétin.

VOUS : Je vois que vous m'en voulez, mais qu'ai-je fait de mal, au juste ?

Commentaire : Vous évitez de vous défendre. Puisque vous savez que vous n'êtes ni un bon à rien ni un crétin, vous ne voyez aucun intérêt à en discuter. Si vous vous obstinez, vous savez que je m'emporterai et que notre dialogue ressemblera à un concours d'insultes. (Cette méthode de l'empathie a été présentée en détail au chapitre 6.)

DAVID : Vous puez !

VOUS : Ne pouvez-vous être plus précis ? Aurais-je oublié mon désodorisant ? Est-ce la manière de m'exprimer, de m'habiller qui vous déplaît ?

Commentaire : De nouveau, vous refusez d'être entraîné dans une querelle. En m'obligeant à identifier avec précision ce que je n'aime pas chez vous, vous m'obligez à abattre mes cartes et à dire quelque chose de sensé, sous peine de passer pour un idiot.

DAVID : Vous m'avez blessé lorsque vous m'avez critiqué l'autre jour. Vous vous fichez pas mal de moi. Je ne suis qu'une chose pour vous, pas un être humain.

Commentaire : Il s'agit d'une critique fréquente. Elle suggère que l'autre vous aime mais se sent privé de votre affection et a peur de vous perdre. Il décide alors de vous blesser pour conserver son amour-propre ébranlé. Il peut également vous dire que vous êtes trop stupide, trop gras, trop égoïste, etc. Quelle que soit la nature de la critique, votre stratégie se divise maintenant en deux parties : a) Découvrez une parcelle de vérité dans la critique et laissez entendre à l'autre que vous êtes partiellement d'accord (technique du désarmement, chapitre 6), puis b) excusez-vous et essayez de rectifier toute erreur que vous auriez pu commettre (voir « rétroaction et négociation », chapitre 6).

VOUS : Je suis navré d'avoir dit quelque chose qui vous a déplu. Qu'était-ce ?

DAVID : Vous m'avez traité d'abruti. Aussi, j'en ai assez de vous. C'est fini entre nous.

VOUS : Je reconnais que mon commentaire était blessant et irréfléchi. Qu'ai-je donc dit d'autre qui vous a blessé ? Ai-je commis cette erreur à plusieurs reprises ? Allez-y, dites tout ce que vous avez sur le cœur.

DAVID : Vous êtes imprévisible. Une minute avant, vous êtes doux comme le miel, tandis que la minute suivante, vous essayez de me tailler en pièces avec votre langue de vipère. Lorsque vous êtes en colère, vous devenez grossier. Je ne peux plus vous supporter et je ne vois pas qui d'autre aurait la force de le faire. Vous êtes arrogant et prétentieux et vous vous fichez de tous sauf de vous-même. Vous êtes égoïste et il est temps que vous vous réveilliez et receviez quelques coups de bâton. Désolé d'être celui qui vous dit tout cela, mais je ne vois pas comment on pourrait vous faire entrer quelque chose dans la tête en utilisant une autre méthode. Vous n'aimez que vous, et moi, je ne veux plus entendre parler de vous.

VOUS : Je vois que de nombreux problèmes empoisonnent nos relations. Je crois que j'ai vraiment raté mon coup. J'ai été irritable et étourdi. Comme vous avez dû trouver cela désagréable ! Mais continuez donc à me dire ce que vous pensez de moi.

Commentaire : Vous continuez d'inciter votre adversaire aux commentaires négatifs. Cependant, évitez de vous placer sur la défensive et recherchez toujours une parcelle de vérité dans ses paroles. Après en avoir extrait toutes les critiques et acquiescé avec ce qu'elles contenaient de véridique, vous êtes prêt à tirer votre flèche la mieux aiguisée dans le ballon de l'autre. Faites remarquer que vous connaissez vos imperfections et êtes prêt à y remédier. Demandez ensuite à l'autre pourquoi il vous rejette. Cette manœuvre vous permettra de comprendre pourquoi le rejet n'est jamais de votre faute. Vous êtes responsable de vos erreurs et de vos tentatives de redressement de la situation, mais si quelqu'un vous rejette à cause de vos défauts, c'est son problème, pas le vôtre !

VOUS : Je vois que j'ai dit et fait beaucoup de choses qui ne vous plaisent pas. Je suis vraiment désireux d'y remédier au maximum. Je ne puis promettre des miracles mais, si nous y travaillons ensemble, je ne vois pas pourquoi la situation ne s'améliorerait pas. Déjà, nous semblons mieux communiquer. Pourquoi donc voulez-vous me rejeter ?

DAVID : Parce que vous me tapez sur les nerfs.

VOUS : Bien sûr, des différends naissent entre les gens mais pourquoi cela détruirait-il nos relations ? Me rejetez-vous simplement parce que je vous tape sur les nerfs ?

DAVID : Vous êtes un crétin et je me refuse à continuer à vous parler.

VOUS : J'en suis navré ! J'aimerais mieux garder votre amitié en dépit de ces quelques obstacles. Est-il nécessaire de rompre définitivement ? Cette discussion était peut-être ce dont nous avions besoin pour éclaircir la situation. Je ne vois pas pourquoi vous me rejetteriez. Pourquoi donc ?

DAVID : Oh ! je vous vois venir ! Vous m'avez abusé assez souvent mais plus maintenant. Pas de seconde chance. Adieu.

Commentaire : Maintenant, qui se conduit comme un imbécile ? Vous ou lui ? À qui la faute si le rejet a lieu ? Après tout, vous avez offert de vous corriger et de communiquer avec lui avec franchise. Vous avez accepté le compromis. Devriez-vous vous blâmer parce que vous êtes rejeté ? Évidemment non.

La démarche ci-dessus n'empêchera pas toujours le rejet d'avoir lieu mais elle vous permettra d'accroître les chances qu'un résultat positif intervienne tôt ou tard.

Après le désapprobation et le rejet : la cicatrisation. Vous avez effectivement été rejeté, en dépit de vos efforts pour améliorer votre relation avec l'autre. Comment surmonter le plus rapidement possible la blessure émotive que vous avez reçue ? Tout d'abord, rendez-vous compte que la vie continue et que cette déception particulière ne doit pas détériorer à jamais la qualité de votre existence. À la suite du rejet ou de la désapprobation, vos pensées seront responsables de la blessure et il suffira de les combattre, de refuser obstinément de vous laisser aller à vous dénigrer pour que la blessure commence à se cicatriser.

Il existe une méthode qui pourrait vous être utile. Elle a déjà aidé des personnes qui avaient connu un chagrin prolongé à la suite de la mort d'un être cher. La personne en deuil consacre chaque jour un moment, bien limité dans le temps, à son chagrin, aux souvenirs douloureux. Ainsi, la guérison intervient plus rapidement. Laissez-vous aller uniquement lorsque vous êtes seul. La compassion de quelqu'un d'autre a souvent un effet peu souhaitable. Des études ont démontré qu'elle prolonge la douloureuse période de deuil.

Vous pouvez utiliser cette méthode pour guérir du rejet et de la désapprobation. Consacrez plusieurs moments chaque jour (5 à 10 minutes suffisent en général) à votre désarroi. Si vous êtes triste, pleurez. Si vous êtes en colère, donnez des coups de poing dans un oreiller. Laissez-vous submerger par les pensées les plus douloureuses, les plus désespérantes ou les plus irritantes pendant l'intégralité du moment. Criez, pleurez, plaignez-vous. Mais, lorsque le moment se termine, REPRENEZ VOS ESPRITS et votre vie normale jusqu'à la séance suivante. Entre les séances, si vous avez des pensées négatives, écrivez-les, recherchez les distorsions et remplacez-les par des réactions rationnelles, comme vous avez appris à le faire. Cette méthode vous aidera à retrouver en partie votre maîtrise de vous-même et accélérera plus que vous le pensez le processus de cicatrisation de votre amour-propre.

La lumière intérieure

La clé de votre humeur est que vous savez que ce sont vos pensées qui la modifient. Si vous êtes esclave de l'approbation, vous avez la détestable habitude de n'appuyer sur votre commutateur intérieur que lorsque quelqu'un d'autre vous illumine d'abord de sa propre lumière. Vous confondez l'approbation des autres avec l'autoapprobation parce que les deux phénomènes se produisent presque simultanément. Vous concluez à tort que c'est l'autre qui vous éclaire. Le fait que vous appréciiez parfois les louanges et les compliments prouve que vous savez comment vous y prendre pour consolider votre autoapprobation, mais si vous êtes esclave de l'approbation vous avez acquis l'habitude néfaste de n'être satisfait de vous qu'après que quelqu'un que vous respectez vous a fait part de son approbation.

Il existe une manière bien simple de perdre cette attitude. Portez le compteur-bracelet (voir les chapitres précédents) pendant au moins deux à trois semaines. Chaque jour, essayez de remarquer les aspects positifs de vous-même, les choses que vous faites bien, que vous obteniez ou non une récompense extérieure. Chaque fois que vous approuvez l'un de vos actes, déclenchez le compteur. Par exemple, si vous souriez aimablement à un collègue un matin, déclenchez le compteur, que le collègue ait répondu à votre sourire par un autre sourire ou par une grimace. Si vous vous persuadez de téléphoner à quelqu'un à qui vous appréhendez de parler, déclenchez le compteur. Comptez aussi certains actes positifs que vous avez accomplis dans le passé, par exemple le jour où vous avez obtenu votre permis ou votre premier emploi. Déclenchez le compteur, que vous ressentiez ou non des sentiments positifs. Tout d'abord, vous devrez vous forcer à remarquer les choses positives qui vous concernent. Ensuite, vous le ferez tout naturellement si vous persistez quelques jours. Alors, vous commencerez à voir votre lumière intérieure briller, discrètement d'abord puis plus fort ensuite. Chaque soir, lisez les chiffres du compteur et inscrivez le total obtenu dans la journée. Au bout de deux ou trois semaines, vous aurez commencé à apprendre l'art du respect de soi et vous commencerez à vous sentir bien dans votre peau. Cette méthode très simple peut constituer le premier pas vers l'indépendance et l'autoapprobation. Elle paraît facile, c'est vrai, mais elle est étonnamment efficace et la récompense vaut bien le peu de temps et d'effort qu'elle exige.

Chapitre 11

La dépendance
à l'égard de l'amour

La supposition silencieuse qui va de pair avec la crainte de la désapprobation est la suivante : « Je ne puis être heureux et épanoui que si je suis aimé d'un membre du sexe opposé. L'amour véritable est un élément indispensable du bonheur suprême. »

Le besoin d'amour qui, s'il n'est pas comblé, empêche d'être heureux s'appelle la « dépendance ». Ce terme signifie que vous êtes incapable d'assumer la responsabilité de votre vie affective.

Les inconvénients d'être un esclave de l'amour. Est-il nécessaire ou simplement souhaitable d'être aimé ?

Roberta est une jeune femme célibataire de 33 ans qui s'apitoyait sur son sort et se répétait, durant ses soirées et ses fins de semaine solitaires : « Le monde est fait pour les couples. Sans homme, je ne suis rien. » Lorsqu'elle se présenta à mon cabinet, elle était parfaitement vêtue et maquillée mais très amère. Elle débordait de ressentiment car elle était certaine que l'amour lui était aussi nécessaire que l'oxygène. Cependant, elle se montrait si exigeante et si gloutonne que les hommes avaient plutôt tendance à la fuir.

Je lui suggérai de commencer par dresser la liste des avantages et des inconvénients de sa conviction « Sans homme, je ne suis rien ».

1. Cette conviction me décourage puisque je n'ai pas d'amant.
2. En outre, elle m'ôte toute envie de sortir de ma coquille, d'agir.
3. Elle me rend paresseuse.
4. Elle me pousse à m'apitoyer sur mon sort.
5. Elle me vole ma fierté et ma confiance en me rendant amère et jalouse des autres.
6. Enfin, elle s'accompagne de sentiments défaitistes et d'une peur affreuse de la solitude.

Ensuite, elle passa à ce qu'elle croyait être les avantages de sa conviction :

1. Cette conviction m'apportera obligatoirement un compagnon, l'amour et la sécurité.
2. Elle donne à ma vie une raison d'être.
3. Elle me procure une joie anticipée.

Les avantages reflétaient la conviction de Roberta selon laquelle elle n'avait qu'à se répéter qu'elle ne pouvait vivre sans homme, le destin finirait par en faire entrer un dans sa vie.

Mais ces avantages étaient-ils réels ou imaginaires ? Bien que Roberta fût persuadée depuis des années qu'elle ne pouvait exister sans homme, cette attitude ne lui avait toujours pas procuré de compagnon. Elle reconnut que faire des hommes un élément si important de sa vie n'était guère susceptible d'en matérialiser un, comme par magie, devant sa porte. Elle reconnut aussi que les personnes possessives et dépendantes exigent souvent tant d'attention des autres et donnent l'impression d'une telle indigence affective qu'elles ont de grandes difficultés non seulement à attirer les personnes du sexe opposé mais aussi à nouer des relations durables. Roberta comprit enfin que ceux qui ont trouvé le bonheur en eux-mêmes sont en général les plus désirables aux yeux du sexe opposé et se transforment en véritables aimants parce qu'ils respirent la paix et la joie de vivre. Ironiquement, c'est en général la femme dépendante, «homnivore», qui finit par se retrouver seule.

Cela n'a rien de surprenant. Si vous jugez qu'il vous faut quelqu'un pour avoir une valeur personnelle, votre attitude transmet aux autres le message suivant : «Prenez-moi, je n'ai aucune valeur inhérente. Je ne suis pas capable de me supporter.» Rien d'étonnant que les acheteurs ne se bousculent guère! Bien entendu, vos exigences obliques ne vous rendent certainement pas plus désirable aux yeux des autres : «Puisque vous êtes obligé de m'aimer, vous êtes une belle crapule si vous ne le faites pas.»

Il est possible que vous vous accrochiez à votre dépendance parce que vous êtes persuadé, à tort, que si vous parvenez à l'indépendance les autres vous considéreront comme une personne qui a peur de toute relation intime et vous vous retrouverez seul. Si telle est votre crainte, elle signifie que vous confondez dépendance et chaleur humaine. Rien n'est plus éloigné de la vérité. Si vous êtes solitaire et dépendant, votre colère et votre rancune sont nées du fait que vous vous sentez privé de l'amour que vous croyez être en droit de recevoir des autres. Cette attitude vous enfonce dans votre isolement. Lorsque vous êtes plus indépendant, vous avez la faculté d'être heureux lorsque vous êtes seul. Plus vous êtes indépendant, plus vous êtes conforté dans vos sentiments. En outre, votre humeur n'est pas à la merci de quelqu'un d'autre. Après tout, le degré d'amour que quelqu'un ressent pour quelqu'un d'autre est souvent imprévisible. Vous risquez de présenter des caractéristiques qui déplaisent à votre compagnon, auquel cas il ne vous montrera pas toujours une affection toujours égale. Si vous voulez apprendre à vous aimer, vous découvrirez une source beaucoup plus fiable et beaucoup plus régulière d'amour-propre.

La première étape consiste à déterminer si vous voulez vraiment votre indépendance. Nous avons tous de plus grandes chances d'atteindre nos objectifs lorsque nous savons exactement ce que nous voulons. Roberta a pu ainsi s'apercevoir que sa dépendance la condamnait à une existence vide. Si vous vous accrochez toujours à l'idée qu'il est souhaitable d'être dépendant, dressez la liste des avantages à l'aide du tableau à deux colonnes. Expliquez pourquoi vous trouvez souhaitable de laisser l'amour déterminer votre valeur personnelle. Puis, afin d'évaluer objectivement la situation, inscrivez les arguments opposés dans la colonne de droite. Vous apprendrez que les avantages de votre asservissement à l'amour sont totalement ou partiellement illusoires. Le tableau 11-1 vous montre comment une femme dont les problèmes étaient semblables à ceux de Roberta a évalué ces avantages. Cet exercice écrit l'a incitée à chercher en elle-même ce qu'elle avait toujours cherché chez les autres et lui a permis de découvrir que sa dépendance était le véritable ennemi parce qu'elle constituait un handicap.

Percevez la différence entre les mots seul *et* solitaire. En lisant le paragraphe précédent, vous avez peut-être conclu qu'il serait avantageux pour vous d'apprendre à régulariser votre humeur et à trouver le bonheur en vous-même. Ainsi, vous vous sentirez aussi vivant lorsque vous êtes seul que lorsque vous êtes avec quelqu'un que vous aimez. Mais vous pensez peut-être : « C'est bien beau tout cela, docteur Burns, mais ce n'est pas réaliste. La vérité est qu'un être seul est un être inférieur. Toute ma vie j'ai su qu'amour et bonheur allaient de pair et tous mes amis sont d'accord. Vous pouvez nous noyer sous vos beaux principes philosophiques, vous n'y changerez rien. Il n'en demeure pas moins que vivre seul est une malédiction et que l'amour est la seule chose qui compte. »

Nombreux sont ceux qui sont effectivement persuadés que l'amour est ce qui fait tourner la Terre. Vous percevez ce message dans les annonces publicitaires, dans les chansons populaires et même dans les poèmes.

Cependant, il est possible de réfuter votre supposition. Considérons sérieusement l'équation : seul = solitaire.

Souvenez-vous que de nombreuses satisfactions fondamentales de la vie nous sont offertes lorsque nous sommes seuls.

TABLEAU 11-1

Une analyse des avantages présumés d'être esclave de l'amour.

Avantages de dépendre de l'amour pour être heureuse	Réactions rationnelles
1. Quelqu'un prendra soin de moi si je suis blessée.	1. C'est également vrai si je suis indépendante. Par exemple, si j'ai un accident, on m'emmènera aux urgences. Les médecins prendront soin de moi, que je sois dépendante ou non. Il est absurde de penser que seuls les gens dépendants trouvent du secours.
2. Si je suis dépendante, je n'aurai pas à prendre de décisions.	2. Mais je contrôlerai beaucoup moins ma vie. Il est peu raisonnable de compter sur les autres pour prendre des décisions qui me concernent. Par exemple, puis-je vraiment laisser les autres me dire quels vêtements je dois porter aujourd'hui, quel plat je dois manger pour dîner ? Les autres ne tiendront pas toujours compte de mon premier choix.
3. Si j'étais indépendante, je prendrais peut-être des décisions déraisonnables. Alors, je devrais en subir les conséquences.	3. Et puis après ? Mes erreurs peuvent être profitables si je suis indépendante. Personne n'est parfait et rien n'est certain dans la vie. L'incertitude est peut-être l'un des piments de l'existence. C'est la manière dont on résout les problèmes — que l'on ait ou non raison — qui forme la base du respect de soi. En outre, je pourrai recevoir tout le crédit qui accompagne une décision fructueuse.

TABLEAU 11-1 (suite)

Une analyse des avantages présumés d'être esclave de l'amour.

Avantages de dépendre de l'amour pour être heureuse	Réactions rationnelles
4. Mais si j'adopte un comportement de personne dépendante, je n'ai nul besoin de réfléchir. Il me suffit de réagir aux choses.	4. Les individus indépendants peuvent aussi choisir de ne pas réfléchir s'ils le désirent. Il n'existe aucun règlement stipulant que seules les personnes dépendantes ont le droit de réagir impulsivement.
5. Bien sûr, mais si je suis dépendante, j'éprouverai une grande satisfaction, comme lorsque je déguste une friandise. C'est délicieux de sentir que quelqu'un prend soin de soi et qu'on peut se reposer entièrement sur lui.	5. Le goût douceâtre des bonbons finit par paraître écœurant. Il est fort possible que la personne dont j'ai choisi de dépendre ne soit pas désireuse de m'aimer, de m'épauler et de prendre soin de moi éternellement. Au bout d'une certaine période, cette personne se lassera peut-être de ma passivité. Et si elle me rejette, dans un mouvement de colère ou d'irritation, je me sentirai malheureuse et sans défense parce que j'aurai alors perdu mon unique soutien. Si je suis dépendante, n'importe qui pourra me manipuler comme une esclave ou un robot.
6. Certes, mais si je suis une personne dépendante, je serai aimée. Sans amour, il me serait impossible de vivre.	6. Si j'adopte un comportement de personne indépendante, je peux apprendre à m'aimer moi-même et cela me fera paraître encore plus désirable aux yeux des autres. Si je parviens à conquérir ma propre estime, je serai toujours aimée. Tout au long de mon passé, ma dépendance a plus souvent fait fuir les autres qu'elle ne les a attirés. Les bébés ne peuvent survivre sans amour et sans soutien mais, en ce qui me concerne, je n'en mourrai pas.

TABLEAU 11-1 (suite)

Une analyse des avantages présumés d'être esclave de l'amour.

Avantages de dépendre de l'amour pour être heureuse	Réactions rationnelles
7. Cependant, certains hommes éprouvent une grande attirance pour les femmes dépendantes.	7. Cela est vrai jusqu'à un certain point, mais les relations fondées sur la dépendance conduisent fréquemment à un échec et se terminent par un divorce parce que l'on demande à son partenaire de donner quelque chose qu'il n'est pas en son pouvoir de donner : en un mot, l'amour-propre. Je suis la seule artisane de mon propre bonheur et si je concentre tous mes espoirs sur une seule personne, il est vraisemblable que j'aille au-devant d'amères désillusions.

Tout d'abord, il faut tenir compte du fait que nous sommes souvent seuls lorsque nous satisfaisons nos besoins fondamentaux. Par exemple, lorsque vous escaladez une montagne, cueillez une fleur, lisez un livre ou dégustez un dessert à la crème glacée et aux fruits copieusement nappé d'une onctueuse sauce au chocolat chaud, vous n'avez nul besoin de la présence d'un partenaire pour jouir pleinement de ces expériences. Un médecin peut éprouver une grande satisfaction en soignant un malade même si sa relation avec son patient est superficielle. Lorsqu'il rédige un livre, l'écrivain est généralement seul à sa table de travail. Comme la plupart des étudiants le savent, c'est en travaillant seul que l'on assimile le plus de connaissances. La liste des plaisirs et des satisfactions dont vous pouvez jouir dans la solitude est interminable.

Cela indique que vous avez bel et bien accès à de nombreuses sources de satisfaction, que vous soyez ou non en compagnie de quelqu'un d'autre. Pouvez-vous trouver d'autres exemples pour allonger cette liste? Quelles sont les activités qui vous rapportent une satisfaction réelle lorsque vous êtes seul (e)? Écoutez-vous parfois de la bonne musique sur votre chaîne stéréo? Aimez-vous faire du jardinage? du jogging? de la menuiserie? de la marche? Janet, une caissière de banque qui vit seule depuis sa récente séparation avec son mari, s'est inscrite à un cours de danse et a découvert (à sa grande surprise) qu'elle éprouvait énormément de plaisir à s'exercer seule chez elle à de nouveaux pas. Lorsqu'elle se laisse emporter par le rythme de ses mouvements, elle se sent en paix avec elle-même en dépit de sa solitude et de l'absence d'une personne aimée.

Peut-être pensez-vous en ce moment même : « Docteur Burns, est-ce bien là votre point de vue? Tout cela vole bien bas! Bien sûr, bien sûr, quelques activités solitaires peuvent m'apporter une médiocre satisfaction et me distraire de ma solitude pendant un laps de temps limité. Cela peut m'aider à chasser le cafard, mais ce ne sont que des miettes qui m'empêchent de mourir totalement d'inanition. Ce que je veux, c'est prendre part au banquet, à la fête! Je veux l'amour! Un bonheur vrai et complet! »

C'est exactement ce que Janet me disait lorsqu'elle s'est inscrite à ce cours de danse. Parce qu'elle proclamait que sa solitude faisait d'elle un être pitoyable, il ne lui était jamais arrivé de prendre part à des activités agréables et de s'occuper d'elle-même immédiatement après sa séparation. Elle avait vécu cette période en fonction du double stéréotype suivant : Si elle était restée avec son mari, elle aurait pu planifier ses loisirs en choisissant parmi une gamme d'activités beaucoup plus variées, mais, puisqu'elle se retrouvait seule, elle était réduite à ressasser des idées noires en mettant à peine le nez dehors. De manière très évidente, ce mode de pensée fonctionne comme une prophétie qui s'accomplit d'elle-même. Elle découvrit donc rapidement que, dans de telles circonstances, la solitude est effectivement une situation fort pénible. Pourquoi? Tout simplement parce qu'elle ne consentait pas à s'accorder à elle-même tous les soins qu'elle méritait. Cela ne lui serait pas arrivé si elle avait sur-le-champ rejeté l'encombrante hypothèse selon laquelle il n'y a d'activité agréable que lorsqu'elle est partagée. Un peu plus tard, lasse de réchauffer d'insipides repas tout préparés après son travail, Janet décida de mijoter pour elle seule un repas fin, comme si elle eût voulu séduire un invité de l'autre sexe. Elle prépara donc son dîner avec amour et dressa le couvert sur une nappe fleurie éclairée de chandelles. Elle commença son repas en dégustant un verre d'excellent vin. Après le dîner, elle s'allongea sur le divan avec un bon livre et écouta sa musique favorite. À son grand étonnement, elle éprouva tout au long de cette soirée un plaisir sans mélange. Le lendemain, qui était un samedi, Janet décida de se rendre seule au Musée des beaux-arts. Elle fut à nouveau surprise de constater que cette sortie lui avait procuré une satisfaction beaucoup plus intense que lorsqu'elle était à la remorque d'un époux réticent et indifférent.

En adoptant envers elle-même une attitude dynamique et pleine de compassion, Janet découvrit, pour la première fois de sa vie, qu'elle pouvait non seulement agir seule, mais y prendre plaisir.

Comme cela est bien souvent le cas, elle commença à irradier une telle joie de vivre que bien des hommes se sentirent attirés par elle et elle commença à accepter des rendez-vous. Sur ces entrefaites, son mari se lassa de sa liaison et demanda à sa femme de revenir. Bien sûr, il avait remarqué qu'en dépit de son départ Janet était gaie comme un pinson. C'est à ce moment-là qu'on assista à un retournement de la situation. Après que Janet lui eut déclaré qu'elle ne désirait pas reprendre la vie commune, il souffrit de dépression profonde. Par la suite, elle noua avec un autre homme une relation pleinement satisfaisante et se remaria. Le secret de sa réussite est très simple : En premier lieu, elle s'est prouvé qu'elle pouvait vivre en bonne intelligence avec elle-même. Cette première étape franchie, le reste allait de soi.

Méthode de prévision de la satisfaction

Je ne m'attends pas à ce que vous me croyiez sur parole ou à ce que vous preniez pour argent comptant le récit de gens qui, comme Janet, ont appris à jouir de leur autonomie. Je vous propose plutôt d'effectuer, comme elle, une série d'expériences qui vous permettra de rejeter à tout jamais l'hypothèse selon laquelle « être seul(e) est une véritable calamité ». Si vous en éprouvez le désir, vous parviendrez à la vérité d'une manière objective et scientifique.

Pour vous y aider, j'ai créé la « Fiche de prévision de la satisfaction » indiquée en 11-2. Cette formule est divisée en plusieurs colonnes dans lesquelles vous inscrirez le degré de satisfaction que vous pensez retirer de divers travaux et activités de loisirs auxquels vous vous adonnez généralement seul(e) ainsi que celui des activités que vous effectuez généralement en compagnie d'autres personnes. Dans la première colonne, inscrivez la date de chaque expérience. Dans la deuxième, inscrivez plusieurs activités que vous choisissez d'effectuer dans le cadre de cette journée expérimentale. Je vous suggère d'effectuer une série de 40 ou 50 expériences pendant une période de 2 à 3 semaines. Choisissez des activités qui vous procurent ordinairement un sentiment de satisfaction ou de plaisir, qui vous permettent de perfectionner vos connaissances ou de rehausser votre image. Dans la troisième colonne, inscrivez le nom de la personne avec qui vous avez effectué chaque activité. Si vous étiez seul(e), inscrivez les mots *moi-même* dans cette colonne. (Ces mots vous aideront à vous souvenir que vous n'êtes jamais réellement seul(e), puisque vous êtes toujours en votre propre compagnie!) Dans la quatrième colonne, inscrivez la satisfaction prévue (que vous pensez retirer de cette activité), en utilisant une échelle de 0 à 100 %. Plus le pourcentage sera élevé, plus grande sera la satisfaction anticipée. Remplissez la quatrième colonne avant chaque activité planifiée et non après !

Après avoir rempli toutes les colonnes, effectuez les activités prévues. Cela fait, enregistrez dans la dernière colonne la satisfaction réelle que vous avez retirée de ces activités, en utilisant le même système d'évaluation de 0 à 100 %.

Après vous être soumis(e) à cette série d'expériences, vous serez en mesure d'interpréter les données que vous aurez recueillies. Les résultats peuvent être très édifiants. Premièrement, en comparant la satisfaction prévue (colonne 4) et la satisfaction réelle (colonne 5), vous pourrez déterminer le degré de précision de vos prévisions. Vous découvrirez peut-être que vous avez systématiquement sous-estimé le degré de satisfaction que vous pensiez retirer d'une expérience, surtout dans le cas d'une activité effectuée en solitaire. Vous pourriez aussi avoir la surprise de constater que les activités effectuées en compagnie d'autres personnes vous ont rapporté un degré de satisfaction moindre que celui que vous aviez anticipé. En fait, vous pourriez même découvrir qu'à plusieurs reprises il vous a été plus agréable d'être seul(e) et que les notes les plus élevées que vous avez accordées à des activités effectuées seul(e) étaient égales ou supérieures aux notes accordées à des activités effectuées en compagnie d'autres personnes. Il vous sera également très utile de comparer le degré de satisfaction que vous avez tiré d'activités dites «utiles» par rapport aux activités de loisirs. Ces renseignements peuvent à l'avenir vous aider à établir le meilleur équilibre possible entre le travail et les loisirs dans de la planification de vos activités.

Je suis persuadé qu'à présent de nombreuses questions vous traversent l'esprit : «Supposons que je choisisse une activité qui ne me donne pas autant de satisfaction que je l'avais prévu. Ou bien, supposons que pour une certaine activité je prévoie un degré de satisfaction très faible et que cette prévision se réalise.».

Dans ce cas, essayez de cerner les réactions spontanées négatives qui ont refroidi votre enthousiasme. Efforcez-vous ensuite d'analyser ces pensées. Par exemple, une femme seule de 65 ans

TABLEAU 11-2
Fiche de prévision de la satisfaction.

Date	Activités susceptibles d'être une source de satisfaction (réussite ou plaisir)	Avec qui avez-vous effectué cette activité? (Si vous étiez seul(e), précisez « moi-même ».)	Satisfaction prévue (0-100 %) (Inscrivez ce chiffre après avoir effectué l'activité.)	Satisfaction réelle (0-100 %) (Inscrivez ce chiffre après avoir effectué l'activité.)
	Visite d'un centre d'artisanat	moi-même	20 %	65 %
	Concert rock	moi-même	15 %	75 %
	Soirée de cinéma	maman	85 %	80 %
	Réception chez des amis	un grand nombre d'invités	60 %	75 %
	Lecture d'un roman	moi-même	75 %	85 %
	Jogging	moi-même	60 %	80 %
	Lèche-vitrines pour l'achat d'un chemisier	moi-même	50 %	85 %
	Marché	maman	40 %	30 % (dispute)
	Promenade dans le parc	moi-même	60 %	70 %
	Rendez-vous avec un ami	Bill	95 %	80 %
	Préparation d'un examen	moi-même	70 %	65 %
	Test de conduite	maman	40 %	95 % (réussite du test !)
	Promenade en bicyclette jusqu'au magasin de crème glacée	moi-même	80 %	95 %

332

dont les enfants étaient tous élevés et mariés décida de s'inscrire à un cours du soir. Les autres étudiants étaient des jeunes gens frais émoulus du collège. Pendant la première semaine de cours, elle se sentit très tendue parce qu'elle se disait : « Ils me prennent probablement pour un vieux tableau qui se promet d'usurper la place des jeunes. » Lorsqu'elle s'avoua à elle-même qu'en fait elle ignorait ce que ses camarades pensaient d'elle, elle éprouva un certain soulagement. Après avoir discuté avec un autre étudiant, elle découvrit qu'en réalité certains d'entre eux admiraient beaucoup son bon sens. Elle se sentit alors tout à fait à l'aise et ses niveaux de satisfaction commencèrent à s'élever.

Voyons à présent comment la Fiche de prévision de la satisfaction peut être utilisée pour éliminer la dépendance. Joan, une étudiante d'école secondaire âgée de 15 ans, avait souffert de dépression chronique pendant plusieurs années après le déménagement de ses parents dans une autre ville. Elle avait de la difficulté à se faire des amis dans sa nouvelle école et croyait, comme beaucoup d'adolescentes, que pour être heureuse elle devait avoir un petit ami et faire partie d'une bande. Elle passait presque tout son temps libre seule chez elle, à étudier et à s'apitoyer sur son sort. Lorsqu'on lui suggérait de sortir et de choisir des activités distrayantes, elle manifestait une violente résistance et proclamait que, puisqu'elle était seule, cela n'en valait pas la peine. Elle semblait déterminée à s'isoler et à bouder jusqu'à ce qu'un cercle d'amis lui fasse signe, comme par miracle.

Je me suis efforcé de convaincre Joan d'utiliser la Fiche de prévision de la satisfaction. Le tableau 11-2 indique que Joan a inscrit à son programme toute une gamme d'activités, tel la visite d'un centre d'artisanat un samedi après-midi, un concert rock, etc. Puisqu'elle devait s'y rendre seule, elle prévoyait que ces activités lui rapporteraient peu de satisfaction, comme l'indiquent ses médiocres prévisions dans la colonne 4. Elle fut surprise de constater qu'en réalité elle y avait pris plaisir. Comme ce modèle avait tendance à se répéter, elle commença à réaliser que ses prévisions négatives ne correspondaient pas à la réalité. Au fur et à mesure qu'elle s'enhardissait et se lançait seule dans toutes sortes d'activités, son humeur commença à s'améliorer. Elle désirait encore se faire des amis, mais ne se sentait plus profondément malheureuse lorsqu'elle était seule. Tout en se prouvant qu'elle pouvait agir en dépit de l'absence de camarades, elle prenait peu à peu confiance en elle-même. Elle se sentit plus à l'aise devant les personnes de son âge et invita plusieurs d'entre elles à une petite réception organisée chez elle. Cela l'aida à créer un réseau d'amis et elle découvrit qu'à l'école secondaire ses camarades, garçons ou filles, s'intéressaient à elle. Joan continua à utiliser la Fiche de prévision de la satisfaction pour évaluer les niveaux de satisfaction que lui rapportaient ses activités avec ses nouveaux amis. Elle eut la surprise de constater que ces niveaux étaient comparables à ceux des activités qu'elle effectuait seule.

Il existe une différence fondamentale entre le désir et le besoin. L'oxygène est un besoin, mais l'amour est un désir. Plus précisément : L'AMOUR N'EST PAS UN BESOIN D'ADULTE! Il est normal de désirer une relation amoureuse avec un autre être humain. Il n'y a rien à redire à cela. C'est un plaisir délicieux que de créer une relation satisfaisante avec une personne qu'on aime. Mais cette approbation extérieure, cet amour, cette attention ne doivent pas être nécessaires pour qu'on survive ou qu'on connaisse le bonheur le plus intense.

Modification des attitudes. L'amitié et le mariage ne sont pas plus que l'amour nécessaires à notre bonheur et à notre amour-propre. Ils ne sont pas non plus suffisants. Les faits nous prouvent que des millions d'hommes et de femmes sont mariés et cependant malheureux. Si l'amour était l'antidote à la dépression, je me verrais sur-le-champ contraint de changer de métier, parce que l'immense majorité des individus suicidaires que je traite sont en fait chéris tendrement par leur conjoint(e), leurs parents et leurs amis. L'amour n'est pas un antidépressif efficace. Comme les tranquillisants, l'alcool et les somnifères, il ne fait que maquiller et aggraver les symptômes.

Vous ne devrez pas vous contenter de restructurer vos activités de manière plus créative. Il vous faudra également combattre les pensées négatives qui envahissent votre esprit et le bouleversent lorsque vous êtes seul(e).

Ce changement d'attitude a beaucoup aidé Maria, charmante jeune célibataire de 30 ans qui trouvait pénible, sans raison apparente, d'effectuer certaines activités seule parce qu'elle se disait : « La solitude est une vraie calamité ». Afin de combattre l'amertume et le dépit que ses pensées lui inspiraient, elle dressa une liste d'arguments contraires (voir tableau 11-3, page suivante). Elle me déclara que cela l'avait grandement aidée à briser le cycle de la solitude et de la dépression.

Un peu plus d'un an après la fin de son traitement, je lui ai fait parvenir le brouillon de ce chapitre et elle me répondit : « Hier soir, j'ai lu très attentivement ce chapitre… Il me semble que la solitude n'est en elle-même ni bonne ni mauvaise ; c'est plutôt la manière dont nous envisageons notre condition présente qui importe. Les pensées sont si puissantes ! Elles peuvent nous construire ou nous détruire, n'est-ce pas ?… Cela va peut-être vous paraître loufoque mais, à présent, je me sens presque effrayée d'avoir un homme. Seule, je me sens bien dans ma peau, mieux que jamais peut-être… Dave, je suis sûre que vous n'auriez jamais pensé qu'un jour je puisse vous déclarer cela ! »

La technique des arguments « pour ou contre » peut vous fournir une aide précieuse pour chasser les modes de pensée négatifs qui vous empêchent de vous tenir solidement sur vos deux jambes. Par exemple, une femme divorcée mère d'un enfant a envisagé le suicide parce que son amant – un homme marié – venait de rompre avec elle. Elle se faisait d'elle-même une image extrêmement négative et se jugeait incapable de nouer à l'avenir

TABLEAU 11-3

« La solitude est une vraie calamité. »
Argument contraire : Les avantages de la solitude.

1. La solitude donne à un individu l'occasion d'étudier en profondeur ce qu'il (ou elle) pense, sent et connaît réellement.

2. La solitude donne à une personne l'occasion de tenter toutes sortes de nouvelles expériences qui seraient difficiles à faire si elle était liée à un(e) partenaire, un(e) conjoint(e), etc.

3. Grâce à la solitude, une personne est contrainte de développer ses points forts.

4. La solitude met une personne face à ses responsabilités vis-à-vis elle-même.

5. Mieux vaut être une femme seule qu'une femme affligée d'un partenaire qui ne lui convient pas. Cette remarque s'applique également aux hommes.

6. Pour une femme, la solitude peut offrir l'occasion de devenir un être humain à part entière au lieu de rester dans l'ombre d'un homme.

7. La solitude peut aider une femme à prendre conscience des problèmes inhérents à la condition féminine. Elle pourra ainsi apprendre à faire preuve d'une plus grande solidarité envers les autres femmes et à créer avec ces dernières des relations plus profondes. La même remarque s'applique aux hommes et à leur compréhension des divers problèmes inhérents à la condition masculine.

8. Grâce à la solitude, une femme peut apprendre que, même si par la suite elle vit avec un homme, elle ne devrait pas être obsédée par la crainte d'une séparation ou d'un décès. Elle saura qu'elle peut vivre seule et qu'elle possède en elle-même des ressources suffisantes pour vivre heureuse en dépit de sa solitude ; ainsi, toute relation qu'elle créera sera fondée sur l'épanouissement mutuel et non sur la dépendance et l'exigence.

---

une relation durable. Elle était persuadée que cela se terminerait invariablement par un rejet et un retour à la solitude. Pour analyser ses pulsions suicidaires, elle inscrivit dans son journal les réflexions suivantes :

> Dans le lit, à côté de moi, cette place vide me nargue en silence. Je suis seule, seule ! C'est là ma pire angoisse, mon destin implacable,

ma réalité. Je suis une femme seule et dans mon esprit cela signifie que je ne suis rien. Ma logique chemine inexorablement à travers le raisonnement suivant :

1. Si j'étais désirable et attirante, il y aurait à présent un homme à mes côtés.
2. Il n'y a pas d'homme auprès de moi.
3. Par conséquent, je ne suis ni désirable ni attirante.
4. Donc, je dois disparaître.

Elle poursuivit la rédaction de son journal en se posant la question suivante : «Pourquoi ai-je besoin d'un homme? Un homme résoudrait tous mes problèmes. Il prendrait soin de moi. Il donnerait un sens à ma vie et, surtout, il me donnerait une raison de sortir de mon lit chaque matin tandis qu'à présent j'ai seulement envie de plonger ma tête sous les couvertures et de sombrer dans l'oubli.»

Elle utilisa alors la technique du «Pour ou contre» afin de faire face aux pensées bouleversantes qui l'assiégeaient. Elle intitula la colonne de gauche : «Arguments de mon être dépendant» et la colonne de droite : «Arguments contraires de mon être indépendant». Puis, elle imagina un dialogue entre ces deux versants antagonistes de sa personnalité afin de déterminer la vérité au cœur de ce problème (voir le tableau 11-4, page 338).

Après s'être livrée à cet exercice écrit, elle décida de lire le texte chaque matin afin de se donner la stimulation et la motivation nécessaires pour sauter en bas du lit. Dans son journal intime, elle tira la conclusion suivante :

J'ai enfin compris qu'il y avait une grande différence entre le désir et le besoin. Je désire la présence d'un homme à mes côtés mais désormais cela ne m'est plus nécessaire pour survivre. En poursuivant un dialogue intérieur plus réaliste avec moi-même, en examinant mes points forts, en énumérant par écrit et en relisant sans relâche les éléments que j'ai obtenus à la force du poignet, je commence lentement à affirmer une confiance nouvelle dans mon aptitude à prendre en main mon propre destin, je découvre que je suis à présent plus en mesure de prendre soin de moi-même. Je me traite avec douceur et compassion; j'ai envers moi-même la même attitude que j'aurais eue dans le passé envers un ami cher. Je considère mes faiblesses avec tolérance et j'apprécie mes atouts à leur juste valeur. À présent, je peux envisager une situation difficile non pas comme un fléau ou un obstacle qu'un destin pervers a volontairement semé sur mon chemin, mais comme une occasion de mettre en pratique les aptitudes que j'ai acquises, de relever le défi de mes pensées négatives, de réaffirmer mes points forts et ma confiance en moi-même et de perfectionner ma faculté d'adaptation à la vie.

TABLEAU 11-4

Arguments de mon être dépendant	*Arguments contraires de mon être indépendant*
1. J'ai besoin d'un homme.	1. Pourquoi as-tu besoin d'un homme?
2. Parce que je ne peux pas m'en sortir toute seule.	2. Est-ce que tu ne t'en es pas bien tirée jusqu'ici?
3. D'accord, mais je suis seule.	3. Oui, mais tu as un enfant et des amis; tu as toujours eu beaucoup de plaisir à te trouver en leur compagnie.
4. Oui, mais ils ne comptent pas.	4. Ils ne comptent pas parce qu'ils sont là et que tu n'as donc pas à souffrir de leur absence.
5. Mais les gens vont penser qu'aucun homme ne veut de moi.	5. Les gens penseront ce qu'ils voudront. Ce qui est important, c'est ce que tu penses. Seules tes pensées et tes convictions peuvent affecter ton humeur.
6. Je pense que je ne suis rien du tout sans un homme.	6. Qu'as-tu accompli avec un homme que tu n'aurais pu accomplir seule?
7. Rien, en vérité. Tout ce que j'ai fait d'important dans ma vie, je l'ai fait seule.	7. Alors, pourquoi as-tu besoin d'un homme?
8. Je pense que je n'ai pas besoin d'un homme. J'en veux un, c'est tout.	8. Il est bon de troquer le besoin contre le désir. Dans ce cas, l'objet ou la personne désiré(e) ne deviendra jamais assez important(e) pour que la vie perde toute signification en son absence.

Chapitre 12

Votre labeur
n'est pas votre valeur

Voici la troisième hypothèse tacite qui conduit tout droit à l'anxiété et à la dépression : « En tant qu'être humain, ma valeur est proportionnelle à ce que j'ai réalisé au cours de ma vie. » Cette attitude forme le noyau de notre culture occidentale et de l'éthique protestante du travail. Elle semble plutôt innocente. En fait, c'est une attitude défaitiste, grossièrement inexacte et malfaisante.

Ned, le médecin dont nous avons parlé dans les précédents chapitres, m'a téléphoné chez moi, tout dernièrement, un samedi soir. Pendant toute la fin de semaine, il s'était senti submergé par la panique. Le motif de son trouble venait de sa décision d'assister à la vingtième réunion de sa promotion scolaire (il est diplômé d'un collège membre des grandes universités du nord-est des États-Unis). Les organisateurs lui avaient demandé de prononcer le discours inaugural adressé aux anciens élèves. Pourquoi Ned ressentait-il une telle appréhension ? Eh bien, son principal sujet de préoccupation était que cette réunion pouvait être l'occasion de rencontrer certains anciens camarades de classe qui avaient mieux réussi que lui. Il m'expliqua pourquoi cela lui paraissait si menaçant : « Cela voudrait dire que ma vie se solde par un échec. »

Cette importance exagérée accordée par Ned à sa réussite sociale est un phénomène assez fréquent chez les hommes. Quoique

les femmes ne soient pas totalement à l'abri de ce genre d'obsession, c'est toutefois après une déception amoureuse ou un échec
sur le plan de l'approbation qu'elles entreront dans un cycle
dépressif. Les hommes, au contraire, sont particulièrement vulné-
rables aux préoccupations qui concernent les échecs professionnels
parce qu'ils ont été programmés depuis l'enfance de manière que
leurs valeurs soient basées sur leurs réalisations.

Lorsqu'il s'agit de modifier l'une de vos valeurs personnelles,
la première étape consiste à vous demander si cette valeur fonctionne à votre détriment ou à votre avantage. Pour changer votre
philosophie, vous devez franchir une première étape essentielle,
qui consiste à décider que le fait de mesurer votre valeur personnelle en fonction de votre production ne pourra pas vraiment
vous aider à vous sentir bien dans votre peau. J'amorcerai ma
démonstration en adoptant une approche pragmatique, sous la
forme d'une analyse coûts-rendements.

En termes clairs, il peut y avoir certains avantages à établir une
équation entre votre amour-propre et vos réalisations. En premier
lieu, vous pourrez vous dire à vous-même : « Je suis quelqu'un de
bien » et vous sentir satisfait de vous-même lorsque vous avez
réalisé quelque chose. Par exemple, si vous gagnez un match de
golf, vous pouvez vous congratuler, faire le fanfaron et vous sentir
supérieur à votre partenaire parce qu'il a raté son coup roulé au
dernier trou. Lorsque vous allez faire du jogging avec un ami et
que ce dernier perd son souffle et demande grâce avant vous, vous
pouvez vous rengorger et vous dire en vous-même : « Bien sûr,
c'est un brave type, mais je suis meilleur que lui, juste un petit
peu ! » Au travail, lorsque vous réalisez une transaction importante, vous pouvez dire : « Aujourd'hui, j'ai été productif. J'ai fait
du bon travail. Mon patron sera content et j'ai droit à mon propre
respect. » Votre éthique professionnelle vous permet essentiellement de sentir que vous avez gagné une certaine valeur personnelle
et le droit de vous sentir heureux.

Ce système de croyances peut surtout vous motiver a améliorer votre production. Vous concentrerez vos efforts dans votre vie professionnelle parce que vous êtes convaincu que cela vous donnera plus de valeur personnelle et que vous pourrez alors vous considérer vous-même comme une personne plus désirable. Vous éviterez ainsi le cauchemar du classement « dans la moyenne ». En bref, vous pouvez travailler plus fort pour gagner et, si vous y parvenez, votre amour-propre montera en flèche.

Examinons à présent le revers de la médaille. Quels sont les désavantages de la philosophie selon laquelle « La valeur est égale aux réalisations » ? Premièrement, si votre travail ou votre carrière se déroule bien, cela peut devenir pour vous un tel sujet de préoccupation que cette polarisation excessive vous coupera, par inadvertance, d'autres sources potentielles de satisfaction et de plaisir et vous transformera en esclave uniquement préoccupé par son travail de l'aube jusqu'au crépuscule. Tout en devenant progressivement un drogué du travail, vous vous sentirez contraint à l'excès de produire parce que, si vous n'arrivez pas à soutenir le rythme de production, vous ressentirez un grave état de manque caractérisé par le vide intérieur et le désespoir. En l'absence de toute réalisation, vous vous sentirez dénué de toute valeur et livré à l'ennui parce que la production est la seule base de votre amour-propre et de votre accomplissement personnel.

Supposons que, à la suite d'une maladie, d'une crise dans votre branche professionnelle, d'une mise à la retraite anticipée ou de tout autre facteur en dehors de votre contrôle vous vous trouviez brusquement incapable de produire à ce même niveau élevé pendant une certaine période. À ce moment-là, vous devrez payer le prix d'une dépression profonde qui sera déclenchée par la conviction que votre baisse de productivité est le signe d'un manque de valeur personnelle. Vous vous sentirez comme une boîte de conserve vide désormais condamnée à être jetée à la poubelle. La perte de votre amour-propre peut même déboucher sur une tentative de suicide, qui, dans les cas extrêmes, sera l'ultime tribut que vous devrez payer pour l'erreur consistant à mesurer exclusivement votre valeur aux normes du marché du travail. Est-ce là votre désir? Est-ce là ce dont vous avez besoin?

Outre la perte de votre amour-propre, le bilan des catastrophes peut aussi s'allonger. Si les membres de votre famille ont souffert d'être négligés, ils pourront en concevoir un certain ressentiment. Ils se retiendront peut-être pendant longtemps d'exprimer leurs frustrations mais, tôt ou tard, ils vous présenteront la facture. Il se peut que votre femme ait une liaison et envisage de divorcer. Il se peut que votre fils de 14 ans soit arrêté pour une tentative de cambriolage. Et lorsque vous essaierez – mais trop tard – de dialoguer avec lui il vous lancera au visage : «Où étais-tu pendant toutes ces années, papa?» Même si, en dépit de votre erreur, vous échappez à cette série de catastrophes, vous ne serez pas épargné par la principale conséquence de ce choix erroné : la perte de votre amour-propre.

J'ai commencé récemment à traiter un important homme d'affaires dont la vie professionnelle a été couronnée de succès. Il se vante d'être l'un des membres de sa profession à gagner le plus d'argent sur le plan mondial. Cependant, il est sporadiquement victime de brusques accès de peur et d'anxiété. Que se passerait-il s'il tombait de son piédestal? s'il devait troquer sa Rolls Royce «Silver Cloud» contre une modeste Chevrolet? Cela serait insupportable! Comment pourrait-il survivre? Comment pourrait-il se regarder dans un miroir? Il ignore s'il pourrait encore trouver le bonheur après la perte de son prestige et de sa gloire. Ses nerfs sont constamment tendus comme des cordes de violon parce qu'il est incapable de répondre à ces questions. Et vous, quelle serait votre réponse? Seriez-vous en mesure de vous respecter et de vous aimer après un grave échec professionnel?

Comme dans les cas d'accoutumance aux stupéfiants, il vous faudra des doses de plus en plus considérables d'excitants pour atteindre un état de bien-être. Ce phénomène d'accoutumance se produit avec l'héroïne, les amphétamines, l'alcool et les somnifères. La richesse, la célébrité et le succès ont les mêmes effets. Pourquoi? Peut-être parce que si l'on a atteint un certain niveau de réalisation on vise automatiquement le niveau supérieur. Mais l'excitation se dissipe rapidement. Pourquoi l'auréole du succès s'estompe-t-elle? Pourquoi a-t-on sans cesse besoin d'élargir son champ de bataille? La réponse est évidente : Le succès n'est pas la garantie du bonheur. Ce sont deux choses de nature essentiellement différente et elles ne sont liées par aucune relation de cause à effet. C'est pourquoi vous vous lassez de poursuivre un mirage. Puisque ce sont vos pensées et non pas votre succès qui gouvernent vos humeurs, le frisson de la victoire se dissipe rapidement. Vos anciennes réalisations deviennent rapidement de l'histoire ancienne et vous commencez alors à vous sentir singulièrement triste, las et vide devant votre collection de trophées.

Si vous ignorez le message qui vous avertit que le succès n'est ni la garantie ni la cause essentielle du bonheur, vous devrez travailler de plus en plus fort pour reconquérir l'amour-propre dont vous jouissiez lorsque vous étiez au faîte de la réussite. Ceci est la triste conséquence de votre accoutumance à cette drogue que le travail peut devenir.

Beaucoup d'individus recherchent les conseils ou les soins d'un thérapeute lorsque, au milieu ou à la fin de leur vie professionnelle, ils sentent monter en eux un immense désarroi. Il se peut qu'un jour vous soyez également confronté aux questions suivantes : Quel est le sens de ma vie? Que signifie tout cela? Si vous vous obstinez à croire que le succès est le fondement de votre valeur, vous n'atteindrez jamais la Terre promise. La récompense sera toujours au-delà de votre portée.

En lisant les paragraphes précédents, vous vous convaincrez peut-être que le fait d'être un drogué du travail comporte plus de désagréments que d'avantages, tout en restant persuadé que les grands réalisateurs sont des êtres d'une essence supérieure. D'une certaine manière, les grosses huiles, aux yeux du commun des mortels, semblent être des dieux tombés de l'Olympe. Peut-être resterez-vous toujours convaincu que le véritable bonheur ainsi que le respect du reste de l'humanité peuvent essentiellement être obtenus grâce à une brillante réussite sociale. Mais est-ce vraiment le cas?

Tout d'abord, il faut prendre conscience du fait que la plupart des êtres humains ne sont pas de grands réalisateurs et que néanmoins la plupart d'entre eux sont heureux et respectés par leurs semblables. En fait, nous pouvons dire que la majorité des Nord-Américains sont heureux et aimés, bien que par définition un grand nombre d'entre eux fassent partie de la moyenne. Ainsi, il ne semble pas que le bonheur et l'amour soient uniquement la récompense de grandes réalisations. La dépression, comme la peste, ne se soucie guère du statut social de ses victimes et elle frappe sans distinction les résidants des quartiers chics comme ceux des banlieues modestes et défavorisées, avec peut-être même une préférence pour la première catégorie. Il est donc clair qu'il n'existe pas forcément une corrélation entre le bonheur et la réussite sociale.

L'équation « Labeur = valeur » est-elle juste?

Supposons que vous ayez décidé une fois pour toutes qu'il n'est pas dans votre intérêt d'établir une corrélation entre travail et valeur personnelle, que vous ayez également admis l'absence de lien de causalité entre réussite sociale et amour, considération ou bonheur. Mais peut-être êtes-vous encore convaincu que dans une certaine mesure les gens qui réussissent brillamment sont en quelque sorte meilleurs que les autres. Examinons cette notion d'un œil critique.

Tout d'abord, peut-on vraiment dire qu'un grand réalisateur tire toute sa valeur humaine de sa réussite? Au faîte de sa gloire,

Adolf Hitler était certes un grand réalisateur. Était-il pour cela un e personne méritante, digne de respect ? Certainement pas. Bien entendu, Hitler aurait prétendu être un individu d'essence supérieure parce qu'il parvenait, grâce à son charisme, à galvaniser les foules et que sa valeur égalait ses réalisations. En fait, il était probablement convaincu que lui-même et les membres du parti nazi appartenaient à une race supérieure parce qu'ils parvenaient à réaliser de grands projets. Auriez-vous adhéré à cette opinion ?

Peut-être pouvez-vous trouver, dans votre voisinage ou dans votre entourage, l'exemple d'une personne qui ne vous inspire pas de sympathie particulière mais accumule les succès professionnels tout en faisant preuve d'une avidité et d'une agressivité démesurées. À votre avis, l'unique fait que cette personne parvienne à réaliser ses ambitions suffit-il à la rendre particulièrement digne d'intérêt ? Au contraire, vous connaissez peut-être une autre personne pour qui vous éprouvez de l'affection ou du respect, bien qu'elle n'ait à son actif aucun exploit particulier. En dépit de cela, soutenez-vous cependant que cette personne est un être humain valable ? Si la réponse est oui, posez-vous alors la question suivante : « Si je pense que cette personne est un être humain valable malgré ses médiocres réalisations, pourquoi ne serais-je pas du même avis en ce qui me concerne ? »

Cela peut être prouvé par une autre méthode. Si vous persistez à penser que votre valeur est fonction de votre réussite, votre amour-propre peut en quelque sorte être mesuré par l'équation suivante : Valeur = réussite. Quelle est l'hypothèse à la base de cette équation ? Quelle preuve objective pouvez-vous fournir pour en justifier l'exactitude ? Pourriez-vous mesurer, de manière expérimentale, la valeur des individus ainsi que leur réussite afin de déterminer la proportionnalité de ces deux notions ? Quelles unités utiliseriez-vous pour effectuer vos mesures? L'idée même d'une telle expérience est dénuée de bon sens.

Cette équation ne peut être vérifiée objectivement parce qu'elle représente une simple convention, un système de valeurs. Vous vous obstinez à définir la valeur humaine par la réussite et la réussite par la valeur humaine. Pourquoi définir ces deux termes en fonction l'un de l'autre? Pourquoi ne pas dire tout simplement que la valeur humaine est la valeur humaine et que la réussite est la réussite? La valeur humaine et la réussite sont des mots différents qui revêtent des significations différentes.

Supposons qu'en dépit des arguments énumérés ci-dessus vous soyez encore convaincu que les individus auréolés de prestige social sont meilleurs que vous, d'une certaine manière. S'il en est ainsi, je vais utiliser, afin de faire voler en éclats cette attitude qui semble enchâssée dans le granite, une méthode aussi puissante que la dynamite.

Tout d'abord, j'aimerais que vous jouiez le rôle de Sonia (ou de Robert), un ou une de mes anciens (anciennes) camarades de l'école secondaire. Vous êtes professeur et vous avez fondé une famille. Quant à moi, j'ai mené tambour battant une carrière beaucoup plus ambitieuse. Au cours de notre dialogue, vous conserverez l'hypothèse selon laquelle la valeur humaine est déterminée par la réussite. Quant à moi, je pousserai jusqu'à leurs extrêmes les conséquences de cette proposition, afin de démontrer que celle-ci mène, de manière logique et évidente, à une conclusion tout à fait odieuse. Êtes-vous prêt(e)? Je l'espère, parce que cette conviction à laquelle vous tenez mordicus, semble-t-il, va être utilisée comme une arme terrifiante.

DAVID : Bonjour, Sonia (ou Robert), comment vas-tu?

VOUS (Vous jouez le rôle de mon ancien(ne) camarade.) : Ça va, David. Et toi?

DAVID : À merveille. Je ne t'ai pas vu(e) depuis l'école secondaire. Que t'est-il arrivé depuis cette époque?

VOUS : Eh bien, je me suis marié(e), j'occupe un poste d'enseignant(e) à l'école de mon quartier et j'ai une belle petite famille. Tout va pour le mieux.

DAVID : Eh bien, euh, je suis un peu gêné d'entendre ça. Je dois dire que les choses ont beaucoup mieux tourné pour moi.

VOUS : Comment cela ? Précise un peu !

DAVID : Je suis allé à l'université et j'ai obtenu mon doctorat. Mes affaires sont tout à fait florissantes. Je gagne beaucoup d'argent. En fait, je suis à présent l'une des personnes les plus riches de la ville. Ma réussite est impressionnante. Je dois dire que je t'ai dépassé(e) de plusieurs longueurs. Je ne voudrais pas t'insulter, mais cela signifie sans doute que ma valeur est supérieure à la tienne, n'est-ce pas ?

VOUS : Eh bien, euh, David, je ne sais pas quoi te répondre. Avant de t'adresser la parole, je pensais être une personne plutôt heureuse.

DAVID : Je crois que je peux comprendre cela. Tu sembles à court de mots, mais tu dois faire face à la réalité. J'avais l'étoffe nécessaire pour réussir et cela n'a pas été ton cas. Cependant, je suis content que tu sois heureux (heureuse). Les gens médiocres, ordinaires ont aussi droit à un peu de bonheur. Après tout, je ne te disputerai certes pas les quelques miettes qui tombent de la table du banquet. Mais je trouve triste que tu n'aies pas mieux utilisé ta vie.

VOUS : La réussite semble t'avoir changé, David. Tu étais si sympathique lorsque nous fréquentions l'école secondaire. J'ai l'impression d'avoir perdu ton amitié.

DAVID : Oh, non ! Nous pourrons rester amis tant que tu admettras ton infériorité, ton rang subalterne. Je voudrais juste te rappeler qu'à partir de maintenant tu devras lever les yeux pour me regarder. Quant à moi, j'ai le droit de te regarder de haut parce que je suis un être supérieur. Cela est la conséquence de l'hypothèse à laquelle nous adhérons tous les deux : La valeur est fonction de la réussite. N'est-ce pas là ton attitude favorite ? J'ai mieux réussi, donc je vaux plus cher que toi.

VOUS : Eh bien, David, au plaisir de ne jamais te rencontrer. Cette discussion ne m'a pas été du tout agréable.

Très rapidement, ce type de dialogue fait grincer les dents de la plupart des gens parce qu'il illustre, quoique de manière caricaturale, comment le fait d'établir une corrélation entre la valeur personnelle et la réussite conduit logiquement à l'affirmation d'un système dominant-dominé. En réalité, bien des personnes restent persuadées de leur infériorité. Le jeu de rôles peut vous aider à réaliser à quel point cette hypothèse est fallacieuse. Des deux protagonistes du dialogue ci-dessus, lequel avait les arguments les plus absurdes ? Le petit professeur (ou la ménagère) heureux (heureuse) de son sort ou l'homme d'affaires arrogant désireux de prouver sa supériorité absolue ? J'espère que cette conversation imaginaire vous aura aidé(e) à concevoir clairement à quel point ce système peut être pernicieux.

Si vous le désirez, nous pouvons à présent inverser les rôles afin de parfaire notre démonstration. Cette fois, vous jouerez le rôle de la personne qui a réussi et vous essaierez de m'écraser de la manière la plus sadique possible. Vous pourriez jouer le rôle de la rédactrice en chef du magazine *Cosmopolitan*, Helen Gurley Brown[1]. Nous avons autrefois été camarades à l'école secondaire ; je suis à présent un modeste professeur du secondaire et votre rôle consiste à fournir des arguments pour me prouver votre supériorité.

VOUS (Vous jouez le rôle d'Helen Gurley Brown.) : David ! Qu'étais-tu devenu ? Notre dernière rencontre remonte à une éternité.

---

1. Il s'agit d'un dialogue purement imaginaire qui n'est nullement inspiré par la personnalité d'Helen Gurley Brown.

DAVID (Je joue le rôle d'un professeur d'école secondaire.) : Eh bien, ça va. J'ai une belle petite famille et je suis professeur d'éducation physique dans cette école secondaire. Je mène une vie très agréable. Quant à toi, je crois que tu as bien réussi.

VOUS : Ouais. Eh bien, je dois avouer que j'ai vraiment eu de la chance. Je suis à présent rédactrice en chef de *Cosmopolitan*. Peut-être cela t'est-il venu aux oreilles ?

DAVID : Bien sûr. J'ai vu des centaines de fois ton *talk-show*[2] à la télévision. J'ai entendu dire que tu gagnais un énorme revenu et que tu as même ton propre agent.

VOUS : Je dois dire que j'ai été gâtée par la vie. Oui. Tous mes désirs ont été comblés.

DAVID : Cependant, on m'a rapporté à ton sujet une chose que j'ai de la peine à comprendre. Tu as rencontré un de nos amis communs et tu lui as déclaré que tu te considérais comme quelqu'un de bien supérieur à moi puisque tu avais réussi alors que ma carrière est tout à fait ordinaire. Que voulais-tu dire par là ?

VOUS : Eh bien, David, pour comprendre la signification de mes paroles, il te suffit de penser à toutes les choses que j'ai accomplies au cours de ma vie. Ici, je brasse des millions. Par contre, qui a entendu parler de David Burns à Philadelphie ? Je fraie avec des *stars* tandis que tu apprends à un groupe de gamins comment lancer un ballon dans un panier. Essaie de me comprendre. Tu es en vérité une personne charmante et sincère, mais néanmoins ordinaire. La grande différence entre nous, c'est que tu n'as pas réussi. Tu dois avoir le courage de regarder la réalité en face !

DAVID : Tu as fait ton chemin et tu es devenue une femme influente et célèbre. Je respecte beaucoup ta réussite et tu sembles

---

2. NDT : *Vocabulaire de la production télévision* de Robert Dubuc ; aussi « interview-variétés », « babillogramme » (néologisme).

mener une vie passionnante mais, au risque de te paraître obtus, je n'arrive pas à comprendre en quoi cela fait de toi une personne supérieure. En quoi suis-je inférieur à toi? En quoi es-tu plus digne d'intérêt? Avec mon petit cerveau étriqué, je suis peut-être incapable de voir quelque chose qui te paraît évident.

VOUS : Mets-toi en face de la réalité; tu restes là à ne rien faire et tu te laisses ballotter par les événements sans te fixer un but particulier, sans maîtriser ton destin. Moi, j'ai du charisme. Je peux remuer les montagnes. Cela me donne bien un certain avantage sur toi, n'est-ce pas?

DAVID : Eh bien, je n'influence peut-être pas le destin du monde et mes buts peuvent sembler modestes en comparaison des tiens. J'enseigne l'éducation physique et j'entraîne les équipes de football régionales, c'est tout. Tu gravites certainement dans une orbite plus large et plus intéressante que la mienne. Mais je ne comprends pas en quoi cela fait de toi une personne plus valable et pourquoi cela me rend inférieur à toi.

VOUS : … Je suis en fait un être plus développée et complexe. Mes préoccupations sont plus importantes. Je fais des tournées de conférences et les spectateurs viennent m'écouter par milliers. Des auteurs célèbres travaillent pour moi. À qui donnes-tu des conférences? À l'Association régionale des professeurs d'éducation physique?

DAVID : Sur le plan des réalisations, de l'argent et de l'influence, tu me surpasses certainement. Tu as très bien réussi. Déjà, à l'école, tu étais une élève très brillante. Ensuite, tu as travaillé très fort. À présent, tu glanes tous tes lauriers. Mais en quoi cela fait-il de toi une personne plus valable que moi? Je te demande pardon, mais je ne comprends toujours pas ton raisonnement.

VOUS : Je suis plus intéressante. Tout cela revient à comparer une amibe à une structure biologique extrêmement développée. La vie des amibes est routinière et sans intérêt. Et je trouve que ta vie ressemble à celle d'une amibe. Tu ne fais que te déplacer à droite ou à gauche, sans but apparent. Je suis une personne plus intéressante, plus dynamique, plus désirable ; tu es un être humain de seconde catégorie. Tu es le pain et je suis le caviar. Ta vie est mortellement ennuyeuse. Je ne vois pas comment je pourrais exprimer plus clairement ma pensée.

DAVID : Ma vie n'est pas aussi ennuyeuse que tu sembles le penser. Il faudrait que tu regardes les choses d'un peu plus près. Ce que tu viens de dire me surprend beaucoup parce que je trouve que ma vie n'a rien d'ennuyeux. Pour moi, ce que je fais est stimulant et vital. Les personnes auxquelles j'enseigne sont pour moi aussi importantes que les fascinantes vedettes de cinéma que tu côtoies. Mais même s'il était vrai que ma vie soit plus ennuyeuse, plus routinière et moins intéressante que la tienne, en quoi cela ferait-il de toi une personne meilleure ou plus digne d'intérêt que moi ?

VOUS : Eh bien, je suppose que ton incompréhension est reliée au fait que tu mènes une existence d'amibe et que tu ne peux donc juger cela qu'avec une mentalité d'amibe. Je peux porter un jugement sur ta situation, mais tu ne peux pas juger de la mienne.

DAVID : Quelle est la base de ton jugement ? Tu peux me traiter d'amibe, mais j'ignore ce que cela signifie. Tu sembles en être réduite à faire des comparaisons verbales. Tout cela signifie qu'apparemment ma vie ne te semble pas particulièrement intéressante : J'ai moins bien réussi que toi et je ne possède pas ton pouvoir de fascination. Mais en quoi cela fait-il de toi une personne meilleure ou plus intéressante que moi ?

VOUS : Je crois que je vais renoncer à te faire comprendre.

DAVID : Pas encore. Précise ta pensée. Peut-être es-tu vraiment une personne meilleure que moi !

VOUS : Eh bien, la société m'accorde certainement une plus grande valeur. C'est là ce qui me rend meilleure.

DAVID : Cela fait de toi une personne à qui la société accorde une plus grande valeur. C'est un fait que je ne peux nier. Je dois avouer qu'aucun animateur d'émission de télévision ne m'a demandé récemment de participer à une interview.

VOUS : C'est bien ce qu'il me semblait.

DAVID : Mais comment le fait d'être plus haut placée dans l'échelle sociale peut justifier le fait que tu sois une personne plus valable que moi ?

VOUS : Je gagne un salaire énorme. Je vaux des millions. Et vous, combien valez-vous, monsieur le professeur ?

DAVID : Sur le plan financier, ta valeur est nettement supérieure à la mienne, mais en quoi cela fait-il de toi un être humain plus digne d'intérêt ? En quoi tes succès commerciaux font-ils de toi une personne meilleure ?

VOUS : David, si tu ne consens pas à m'adorer à genoux, je refuse de continuer à te parler.

DAVID : Eh bien, de toute manière, je ne vois pas en quoi cela me rendrait moins digne d'intérêt. À moins qu'à ton avis seuls les gens qui t'idolâtrent soient dignes d'intérêt.

VOUS : C'est bien mon avis !

DAVID : Est-ce que le fait d'être rédactrice en chef de *Cosmopolitan* te donne ce droit ? S'il en est ainsi, j'aimerais que tu me dises comment tu en es arrivée à cette conviction. Puisque je suis une personne négligeable, j'aimerais bien savoir pourquoi je dois cesser de me sentir bien dans ma peau et me considérer comme un être inférieur.

VOUS : Eh bien, peut-être est-ce parce que tu gravites dans une orbite plutôt restreinte et lugubre. Tandis que je m'envole vers Paris dans mon avion privé, tu voyages dans un autobus scolaire bondé qui t'amène vers une lointaine banlieue.

DAVID : Mon univers est peut-être restreint, mais il m'apporte bien des satisfactions. J'aime enseigner. J'aime les enfants. J'aime les aider à se développer harmonieusement. J'aime les voir apprendre. Parfois, ils font des erreurs et je dois les aider à les rectifier. C'est un travail qui demande beaucoup d'amour et d'humanité. Des petits drames peuvent se produire. Pourquoi cela te semble-t-il si ennuyeux?

VOUS : Eh bien, ce travail ne t'apprend pas grand-chose. Il ne t'offre pas de véritables défis. Il me semble que dans un univers aussi restreint que le tien tu apprends d'un seul coup à peu près tout ce qu'il y a à apprendre. Tout le reste n'est que répétition.

DAVID : Ton travail te permet peut-être de relever de redoutables défis. Quant à moi, comment pourrais-je tout savoir au sujet d'un seul de mes étudiants? Ils me semblent tous avoir des personnalités complexes et stimulantes. Je ne pense pas connaître à fond un seul d'entre eux. Peux-tu en dire autant? Même si je ne dispensais mon enseignement qu'à un seul étudiant, cela représenterait un défi complexe qui m'obligerait à mettre en œuvre toutes mes aptitudes. La formation de tous ces jeunes gens est un défi qui dépasse mes espérances. Je ne comprends pas ce que tu veux dire lorsque tu déclares que mon univers est restreint et ennuyeux et que tout y est réglé d'avance.

VOUS : Eh bien, il me semble qu'il est peu vraisemblable que tu rencontres dans ton univers beaucoup de personnes qui vont atteindre un développement aussi élevé que le mien.

DAVID : Je l'ignore. Certains de mes étudiants ont un quotient intellectuel très élevé et pourront atteindre un développement semblable au tien. Certains d'entre eux sont mentalement supérieurs à la normale et atteindront seulement un niveau de développement modeste. La plupart d'entre eux sont des personnes moyennes et chacun d'eux me paraît fascinant. Que veux-tu dire lorsque tu déclares que ce sont des gens ennuyeux? Pourquoi seuls les grands réalisateurs te paraissent des gens intéressants?

VOUS : J'y renonce! Tu as gagné!

J'espère que vous avez effectivement «renoncé» lorsque vous avez joué le rôle de ce personnage snob si fier de sa réussite. Pour damer votre pion, j'ai utilisé une méthode très simple. Chaque fois que vous proclamiez que vous étiez une personne meilleure ou supérieure parce que vous possédiez une qualité particulière comme l'intelligence, l'influence, le statut social, etc., j'ai immédiatement reconnu que vous possédiez cette qualité particulière (ou cet ensemble de qualités) à un niveau supérieur. Puis je vous ai posé la question : Mais en quoi cela fait-il de toi une personne supérieure ? » On ne peut répondre à cette question. Cette méthode permet de dégonfler tous les systèmes de valeurs qui prétendent établir une hiérarchie entre les personnes.

Sur le plan technique, cette méthode se nomme « l'opérationalisation ». Elle consiste à obliger l'interlocuteur à nommer les qualités qui confèrent à une personne une valeur humaine supérieure à celle des autres. Cela est impossible, car on touche là à un problème philosophique !

Bien sûr, peu de gens oseront vous adresser des déclarations aussi insultantes que dans ce dialogue. C'est dans votre cerveau que se trouve le véritable système de dévalorisation. C'est vous-même, devant votre tribunal intérieur, qui vous accusez de manquer de prestige, d'ambition, de popularité, d'amour, etc., et d'être par conséquent une personne moins intéressante et moins désirable que les autres ; ainsi, vous êtes le seul qui puissiez mettre un terme à cette autopersécution. Dans ce but, vous pouvez utiliser la méthode suivante : Imaginez un dialogue intérieur fondé sur le même principe. Votre adversaire imaginaire, que nous nommerons le grand inquisiteur, essaiera de vous convaincre que vous êtes un être humain d'essence inférieure parce que vous possédez une certaine lacune ou imperfection. Vous vous contenterez alors de reconnaître la parcelle de vérité contenue dans sa critique, mais vous lui demanderez si ce défaut vous empêche vraiment d'être un être humain à part entière. En voici plusieurs exemples :

1. LE GRAND INQUISITEUR : On ne peut pas dire que tu sois un très bon amant. Il t'arrive même de ne pas parvenir à

être complètement en érection. Cela signifie que tu es un sous-homme et une personne inférieure.

VOUS : Cela prouve certainement que la sexualité me rend nerveux et que, sur le plan de l'amour physique, je ne suis ni particulièrement doué ni particulièrement confiant. Mais pourquoi cela devrait-il faire de moi un sous-homme ou une personne inférieure ? Puisque seul un homme peut se sentir nerveux au moment de l'érection, cela semble être une expérience particulièrement « masculine » ; par contre, si cela se passe bien, on devient un surhomme ! En outre, pour être un homme, il ne suffit pas d'être un as dans la chambre à coucher.

2. LE GRAND INQUISITEUR : Tu n'es pas un travailleur aussi acharné que la plupart de tes amis et tu réussis moins bien. Tu es paresseux et médiocre.

VOUS : Cela signifie que je suis moins ambitieux et moins persévérant. Peut-être suis-je moins doué, mais cela signifie-t-il vraiment que je sois « paresseux et médiocre » ?

3. LE GRAND INQUISITEUR : Tu n'as aucune valeur parce que tu ne brilles dans aucun domaine.

VOUS : Je te concède que je n'ai pas remporté un seul Championnat du monde. Dans aucun domaine, je n'arrive même à la seconde place. En fait, je suis moyen en tout. Mais cela veut-il vraiment dire que je n'ai aucune valeur ?

4. LE GRAND INQUISITEUR : Les gens ne recherchent pas ta compagnie. Même tes amis intimes sont rares et personne ne fait très attention à toi. Tu n'as pas fondé de famille. Tu n'as même pas une petite aventure de temps en temps. Donc, tu es un perdant, un inadapté. Il y a en toi quelque chose qui ne tourne pas rond. Tu ne vaux pas cher.

VOUS : C'est vrai, je n'ai pas d'aventure amoureuse en ce moment et j'ai seulement quelques amis proches. Combien d'amis me faudrait-il pour devenir une personne adaptée ?

Quatre? Onze? Si les gens ne me recherchent pas, cela signifie tout simplement que je ne suis pas particulièrement doué pour les relations sociales et que je dois sans doute m'efforcer de faire des efforts sur ce plan. Mais cela signifie-t-il vraiment que je sois un perdant? Pourquoi est-ce que je ne vaux rien?

Je vous suggère d'essayer cette méthode en suivant les exemples ci-dessus. Inscrivez sur une feuille de papier les pires insultes que votre grand inquisiteur personnel pourrait vous adresser et répondez-lui point par point. Cela vous paraîtra sans doute dur au début mais, à la longue, la vérité surgira : Vous pouvez avoir des imperfections, connaître des échecs, ou être mal aimé, mais cela ne vous enlève pas une seule parcelle de votre valeur en tant qu'être humain.

Quatre itinéraires vers l'affirmation de votre dignité

Peut-être vous posez-vous la question suivante : «Comment puis-je affirmer ma dignité si ma valeur personnelle ne dérive pas de mes succès professionnels, de l'amour qu'on me manifeste ou de l'approbation que je reçois? Si on décortique un par un tous ces critères et qu'on déclare qu'ils ne peuvent servir de base à la définition de la valeur personnelle, il ne nous reste aucune notion sur laquelle nous appuyer. Dans ce cas, que dois-je faire?» Voici quatre itinéraires valables vers l'affirmation de votre dignité. Choisissez celui qui, à votre avis, vous convient le mieux.

Le premier itinéraire est à la fois pragmatique et philosophique. En bref, vous devez prendre conscience du fait que la «valeur humaine» n'est qu'une abstraction; elle n'a pas d'existence concrète. Par conséquent, la valeur humaine n'appartient pas au monde de la réalité. Vous ne pouvez donc pas la posséder ou en manquer. De plus, elle ne peut pas être mesurée. La valeur humaine n'est pas une chose, c'est seulement un concept global. Sa portée est si générale qu'il n'a aucune signification concrète sur le plan pratique. Ce n'est pas non plus un concept qui peut vous aider à rehausser votre image. Il ne peut vous conduire qu'à un mode de pensée défaitiste, ce qui ne vous fera aucun bien et sera la cause de bien des souffrances et des misères morales. Débarrassez-vous donc immédiatement de toute prétention à cette prétendue valeur et vous ne serez plus jamais confronté à la crainte d'être une personne sans valeur.

Vous devez prendre conscience que les concepts de « valeur » et d'« absence de valeur » ne sont que des notions vides lorsqu'elles s'appliquent à l'être humain. De même que le concept de « moi véritable », votre « valeur personnelle » ressemble à un ballon gonflé d'air chaud. Jetez votre « valeur personnelle » à la poubelle! (Faites-en autant avec votre « moi véritable », tant que vous y êtes.) Vous découvrirez alors que vous n'avez rien perdu! À partir de ce moment, vous pourrez plutôt vous concentrer sur votre vie présente, sur l'ici et maintenant. Quels sont les problèmes auxquels vous devez faire face dans votre vie? Comment allez-vous les surmonter? C'est là que vos efforts doivent porter en se détournant du vague mirage de la « valeur personnelle ».

Peut-être serez-vous effrayé de devoir abandonner votre « moi » ou votre « valeur ». Pourquoi cette peur? Que peut-il vous arriver de si terrible? Rien! Le dialogue imaginaire suivant pourra peut-être vous éclaircir les idées. Supposons que je sois une personne « sans valeur ». J'aimerais que vous vous efforciez d'insister lourdement sur ce point jusqu'à ce que je me sente complètement désarçonné.

VOUS : Burns, t'es un vaurien!

DAVID : Bien sûr, je ne vaux rien. Je suis entièrement d'accord. Je viens de réaliser que ma « valeur personnelle » ne peut être fondée sur aucun critère. L'amour, l'approbation et la réussite ne peuvent me donner aucune « valeur personnelle », donc j'accepterai le fait que je n'ai aucune valeur! Est-ce que cela va me poser des problèmes? Que va-t-il m'arriver de fâcheux à présent?

VOUS : Eh bien, tu dois te sentir très malheureux. Tu n'es qu'un médiocre.

DAVID : Admettons que je sois un «médiocre». Et alors? Pourquoi devrais-je me lamenter à ce sujet? Est-ce que le fait d'être «sans valeur» me met obligatoirement dans une situation difficile?

VOUS : Voyons, comment peux-tu te respecter toi-même? Comment une personne humaine pourrait-elle se respecter dans une telle situation? Tu n'es qu'un rebut du genre humain!

DAVID : Peut-être penses-tu que je suis un rebut du genre humain, mais je me respecte moi-même et de nombreuses personnes me respectent. Je ne vois aucune raison valable pour ne pas me respecter. Peut-être que tu ne me respectes pas, mais cela ne me pose pas vraiment de problèmes.

VOUS : Mais les gens sans valeur ne peuvent pas être heureux ou jouir de la vie. De telles personnes sont en général déprimées et abjectes. Mon groupe d'experts s'est réuni et a déterminé que tu es une nullité complète.

DAVID : Eh bien, convoque tous les représentants de la presse et annonce-leur la nouvelle. Je peux imaginer les gros titres : «On vient de découvrir qu'un médecin de Philadelphie est un être sans valeur.» Si je suis vraiment d'une telle médiocrité, c'est plutôt rassurant parce que, à présent, je n'ai plus rien à perdre. Je peux continuer à vivre sans crainte. En outre, je suis heureux et je prends plaisir à vivre, donc le fait d'être une «nullité complète» ne peut pas être une mauvaise chose. Donc, j'adopte la devise suivante : «*Soyons médiocres dans la joie!*» En vérité, il faut que je songe à inscrire cela sur un tee-shirt. Cependant, peut-être qu'il me manque quelque chose. Apparemment, tu es une personne digne d'intérêt, ce qui n'est pas mon cas. Qu'est-ce que cela te rapporte de bon? Est-ce que cela te rend meilleur que des gens comme moi?

Il se peut que vous soyez confronté à la question suivante : «Si j'abandonne la conviction selon laquelle ma réussite augmente ma valeur personnelle, pourquoi dans ce cas ne pas devenir complètement oisif?» Si vous restez au lit toute la journée, la probabilité que vous soyez confronté à un événement ou à une personne qui apportera un élément d'excitation dans votre journée est très faible. En outre, la vie quotidienne peut nous apporter des satisfactions considérables qui sont totalement indépendantes de tout concept de valeur personnelle. Par exemple, tout en écrivant ceci, je me sens très euphorique, mais cela ne veut aucunement dire que je sois persuadé d'être une personne particulièrement «digne d'intérêt» parce que j'exerce ce métier d'auteur. Cette exaltation est la conséquence du processus de création, du fait de rassembler des idées, de corriger, de polir mes phrases et de me demander comment vous allez réagir à leur lecture. Ce processus de création est une aventure excitante. Le fait de s'engager, de prendre des risques peut être tout à fait stimulant. Dans mon système de pensée, cela représente une récompense satisfaisante.

Vous pouvez aussi vous poser la question suivante : «Quels sont le but et la signification de la vie en l'absence d'un concept de valeur?» C'est très simple. Au lieu de viser la «valeur personnelle», fixez-vous comme objectifs la satisfaction, le plaisir, l'accumulation de connaissances nouvelles, le perfectionnement de vos aptitudes, le rehaussement de votre image et la communication avec les autres dans votre vie quotidienne. Choisissez des buts réalistes et efforcez-vous de les atteindre. Je suis persuadé que vous en tirerez de tels bénéfices que vous oublierez à tout jamais la notion de «valeur personnelle», qui, en dernière analyse, brille d'un faux éclat.

«Mais je suis une personne douée de qualités morales ou spirituelles élevées, pourriez-vous me répondre. On m'a toujours enseigné que tous les êtres humains possèdent une valeur personnelle et je ne suis pas prêt à abandonner ce concept. » Si vous envisagez ainsi cette notion, je ne vous contredirai pas. Cela nous amène d'ailleurs au second itinéraire qui peut vous mener à l'affirmation de votre dignité. Prenez conscience du fait que tout individu constitue une unité de « valeur personnelle » à partir du moment de sa naissance jusqu'à sa mort. Un bébé est très limité dans ses réalisations, mais il n'en demeure pas moins un être précieux et digne d'intérêt. Et lorsque vous êtes vieux ou malade, au repos ou endormi, ou que, tout simplement, vous vous adonnez au *farniente*, vous conservez votre « valeur personnelle ». Votre « unité de valeur personnelle » est immuable et ne peut être mesurée. Elle est la même que celle de tout être humain. Au cours de votre vie, vous pouvez améliorer votre bonheur et votre satisfaction en étant productif ou agir d'une manière destructrice qui vous rendra malheureux. Mais votre « unité de valeur personnelle » n'en demeurera pas moins inchangée, ainsi que votre potentiel de dignité et de joie. Puisque vous ne pouvez mesurer ou changer cette notion, rien ne sert d'en faire le centre de votre vie ou de vos préoccupations. Laissez cela à Dieu.

Paradoxalement, cette solution aboutit au même bilan que la précédente. C'est faire preuve de stupidité et d'irresponsabilité que de centrer votre vie sur votre « valeur personnelle » ; c'est pourquoi vous devez plutôt vous concentrer sur votre productivité ! À quels problèmes êtes-vous confronté dans l'instant présent ? Qu'allez-vous faire pour les résoudre ? Ce sont là des questions sensées et constructives, alors que les ruminations au sujet de votre « valeur personnelle » ne font que faire tourner votre cerveau à vide.

Voici donc le troisième itinéraire vers l'affirmation de votre dignité : reconnaître que vous ne pouvez perdre le sens de votre valeur personnelle que d'une seule manière : en vous persécutant vous-même avec des pensées irraisonnées, illogiques et négatives.

La dignité peut être définie comme l'état dans lequel vous vous trouvez lorsque vous cessez de vous sermonner et de vous tromper vous-même arbitrairement et que vous choisissez de combattre ces pensées automatiques qui ne peuvent trouver de réponse rationnelle. Si vous y parvenez, vous connaîtrez tout naturellement un sentiment d'allégresse et de paix intérieure. En bref, il n'est pas en votre pouvoir de faire couler la rivière, mais vous pouvez vous abstenir de construire des barrages.

Puisque seul un mode de pensée faussé peut vous ravir votre dignité, cela signifie que rien «en réalité» ne peut vous retirer votre sentiment de valeur personnelle. Cela nous est prouvé par le fait que de nombreux individus vivant dans un extrême dénuement n'en conservent pas moins leur dignité. Par exemple, de nombreuses personnes qui ont été emprisonnées durant la Seconde Guerre mondiale ont refusé obstinément de s'avilir ou de se laisser corrompre en dépit des persécutions dont elles étaient l'objet de la part de leurs geôliers. Elles ont raconté par la suite que leur dignité n'en avait été que rehaussée malgré toutes les vicissitudes qu'elles avaient dû affronter. Certaines d'entre elles ont même décrit cette expérience comme une sorte d'éveil spirituel.

En dernier lieu, Voici le quatrième itinéraire que vous pourriez adopter : Vous pouvez affirmer votre dignité en décidant de vous traiter vous-même comme un ami cher. Imaginez qu'un hôte d'honneur pour qui vous éprouvez un profond respect vous rende visite un beau jour, à l'improviste. Quel traitement réserveriez-vous à cette personne? Vous revêtiriez vos plus beaux vêtements et lui offririez votre vin le plus fin et un repas succulent en vous efforçant de faire tout ce qui est en votre pouvoir pour qu'elle se sente à l'aise et se déclare ravie de sa visite. Vous ne manqueriez pas de lui exprimer votre admiration et de lui dire combien vous vous sentez honoré parce qu'elle a choisi de passer quelques heures en votre compagnie. Donc, pourquoi ne pas vous réserver à vous-même un tel traitement de faveur? Pourquoi ne pas agir ainsi chaque fois que cela vous est possible? Car, en fin de compte, quelle que soit l'admiration que vous éprouvez pour votre hôte d'honneur, sur un plan strictement individuel, vous êtes plus important que lui pour vous-même. Pourquoi donc ne pas vous gratifier d'un traitement au moins équivalent? Insulteriez-vous et sermonneriez-vous un invité de cette envergure en l'accablant de reproches aussi venimeux et faussés? Souligneriez-vous toutes ses lacunes et ses imperfections? Pourquoi donc vous infliger un tel traitement? L'attitude qui consiste à faire de vous votre propre bourreau semble tout à fait stupide lorsqu'on l'envisage de cette manière.

Devez-vous conquérir le droit de vous traiter vous-même avec amour et affection? Non, cette attitude de respect de soi sera une affirmation basée sur la pleine conscience et l'acceptation de vos points forts et de vos lacunes. Vous devrez reconnaître vos atouts sans fausse humilité ou sans sentiment de supériorité et vous admettrez librement vos erreurs et vos imperfections sans aucun sentiment d'infériorité ou d'autodévaluation. Cette attitude véhicule l'essence même de l'amour-propre et du respect de soi. Ce dernier n'a pas à être conquis. Il ne peut d'ailleurs faire l'objet d'une conquête, puisqu'il va de soi.

Comment fuir le piège de la réussite

En ce moment même, peut-être êtes-vous en train de penser : «Toutes ces théories philosophiques au sujet de la réussite et de la valeur personnelle sont belles et bonnes. Après tout, le Dr Burns a une belle carrière derrière lui et un livre sur le marché; il a donc beau jeu de me conseiller de n'attacher aucune importance à la réussite sociale. Cela semble aussi sincère que si un millionnaire essayait de convaincre un mendiant que l'argent n'a aucune importance. Il n'en demeure pas moins vrai que je me sens encore mal dans ma peau parce que mon statut social est médiocre et parce que je suis convaincu que ma vie serait beaucoup plus stimulante et pleine de sens si je réussissais mieux. Les gros bonnets, les directeurs de société sont vraiment d'heureux mortels. Je suis seulement un individu moyen. Je ne suis l'auteur d'aucune réalisation brillante, c'est pourquoi je suis condamné à être moins heureux et moins satisfait. Si cela n'est pas vrai, alors prouvez-le-moi! Indiquez-moi ce que je dois faire pour cesser de me sentir insatisfait et, à ce moment-là seulement, votre méthode me convaincra.»

Passons en revue les différentes étapes que vous devez franchir pour vous libérer vous-même du piège qui consiste à croire que vous devez réaliser des exploits pour conquérir le droit de vous considérer comme un individu heureux et digne d'intérêt.

Dialoguez avec vous-même. La première méthode utile à adopter consiste à conserver l'habitude de soutenir un débat intérieur afin de battre en brèche ces modes de pensée négatifs et faussés qui sont à l'origine de votre sentiment d'inadaptation. Cela pourra vous aider à prendre conscience que le problème ne se situe pas sur le plan de votre rendement réel mais prend plutôt racine dans les critiques dont vous vous accablez. En apprenant à évaluer de manière plus réaliste vos activités professionnelles, vous parviendrez à être plus satisfait et plus indulgent avec vous-même.

Voici comment cette méthode a fonctionné avec Len, jeune homme qui menait une carrière de guitariste dans des orchestres rock. Il a sollicité mes services de thérapeute parce qu'il se considérait lui-même comme un musicien de «second rang». Depuis sa prime jeunesse, il était convaincu qu'il devait être un «génie» afin d'être apprécié. Il se montrait vulnérable à la critique et se sentait souvent très malheureux lorsqu'il se comparait à des musiciens plus renommés. Il se sentait complètement découragé lorsqu'il se disait en lui-même : «Je suis un minable en comparaison de X.» Il était convaincu que ses amis et ses admirateurs le considéraient également comme un médiocre et il en concluait qu'il ne pourrait jamais recevoir la part des bonnes choses de la vie qui lui revenait : la gloire, l'admiration, l'amour, etc.

Len utilisa la technique du «pour et contre» pour mettre à jour l'absurdité et l'illogisme des reproches qu'il s'adressait à lui-même (Tableau 12-1). Cela l'aida à prendre conscience que la source de tous ses problèmes n'était pas un manque de talent musical, mais plutôt des modes de pensée faussés. Au fur et à mesure qu'il corrigeait ces derniers, sa confiance en lui s'améliorait. Il décrivit les effets de cette méthode : «Le fait d'inscrire mes pensées et de chercher des arguments contraires m'a aidé à prendre conscience de la dureté dont je faisais preuve envers moi-même et m'a convaincu que je pouvais faire quelque chose pour changer cela. Au lieu de rester prostré sous une avalanche de bombes, je me suis soudain donné une artillerie de DCA qui m'a permis de répliquer.»

Mettez-vous à l'écoute des choses qui vous enthousiasment. Une hypothèse qui peut vous mettre dans un état de préoccupation constante au sujet de la réussite est l'idée selon laquelle le vrai bonheur est uniquement la récompense du succès de votre carrière. Cela n'est pas réaliste parce que la majorité des satisfactions de la vie ne découlent pas de grandes réalisations. Il n'est pas nécessaire de posséder des talents particuliers pour goûter une simple marche à travers la forêt par un jour d'automne. Il n'est pas nécessaire d'être quelqu'un d'«exceptionnel» pour écouter avec délices le gazouillement affectueux d'un jeune enfant. On peut apprécier énormément une bonne partie de volley-ball même si on est un joueur moyen. Quels sont les plaisirs de la vie qui vous rendent euphorique? La musique? La marche en plein air? La nage? La bonne nourriture? Les voyages? Les conversations? La lecture? L'accumulation de connaissances nouvelles? Les sports? L'amour physique? Nul besoin d'être célèbre ou d'être un champion dans l'un de ces domaines pour en tirer un plaisir sans mélange. Voici comment vous pouvez augmenter le volume du son afin d'entendre cette sorte de musique clairement et fortement.

Josh est un homme de 58 ans dont le dossier médical fait état de changements d'humeur cyclothymiques avec tendance à l'auto-destruction accompagnée de dépression avec prostration. Lorsqu'il était enfant, les parents de Josh lui ressassaient sans cesse qu'il était destiné à une carrière exceptionnelle. Il s'est donc toujours senti contraint d'être le meilleur. Par la suite, sa contribution au domaine professionnel qu'il avait choisi, le génie électrique, fut brillante. Il fut le lauréat de nombreux prix, fut nommé président de nombreuses commissions et devint titulaire de nombreux brevets. Cependant, lorsque la gravité de ses troubles cyclothymiques s'accentua, Josh commença à avoir des épisodes aigus. Durant ces périodes, sa faculté de raisonnement était considérablement affectée et son comportement était si bizarre et incohérent qu'il dut être hospitalisé à plusieurs reprises. À l'issue d'une de ces crises aiguës, il eut la tristesse d'apprendre qu'il venait à la fois de perdre sa famille et sa prestigieuse carrière. Sa femme venait de déposer une demande de divorce et la société pour laquelle il travaillait l'obligea à prendre une retraite anticipée. Un trait venait d'être tiré sur 20 ans de réussite.

Au cours des années qui suivirent, Josh fut traité au lithium et créa un modeste bureau d'expert-conseil. Par la suite, son cas me fut transmis afin que je le soumette à une thérapie destinée à éliminer les pénibles changements d'humeur et les états dépressifs qu'il traversait encore en dépit du lithium.

Le facteur à l'origine de sa dépression était clair et net. Il éprouvait devant sa vie un sentiment de découragement parce que sa carrière ne pouvait plus être mesurée à l'aune de l'argent et du prestige comme cela avait été le cas dans le passé. Alors que dans sa jeunesse il avait été un «meneur» et un «fonceur», il approchait à présent de la soixantaine et se sentait seul et «sur la

TABLEAU 12-1

Fiche d'exercice qui a permis à Len de formuler les pensées qui le boule-versaient (nécessité d'être «le meilleur») et de trouver des arguments ration-nels pour en annuler les effets.

Réactions spontanées	*Réactions rationnelles*
1. Si je ne suis pas «le meilleur», cela signifie que le public ne m'accordera aucune attention.	1. C'est là un mode de pensée du style «tout-ou-rien». Que je sois ou non «le meilleur», le public m'écoutera; les gens me verront sur la scène et un grand nombre d'entre eux réagiront positivement à ma musique.
2. Mais certaines personnes n'aiment pas ma musique.	2. On pourrait dire cela de tous les musiciens, même de Beethoven ou de Bob Dylan. Aucun musicien ne peut plaire à tout le monde. Un bon nombre de personnes réagissent favorablement à ma musique. Et même si j'étais le seul à y prendre plaisir, cela serait déjà suffisant.
3. Mais comment est-ce que je peux prendre plaisir à ma musique si je sais pertinemment que je ne suis pas «le meilleur»?	3. En jouant la musique qui m'exalte, comme je l'ai toujours fait! En outre, «le plus grand musicien du monde» n'est qu'un mythe. Rien ne sert de courir après ce mirage!
4. Mais si j'étais plus célèbre et talentueux, j'aurais plus d'admi-rateurs. Comment puis-je être heureux dans les coulisses tandis que les artistes les plus renommés exercent leur charisme sous les projecteurs?	4. Combien d'admirateurs et combien de filles faut-il pour parvenir à être heureux?
5. Mais je sens bien qu'aucune fille ne m'aimera vraiment tant que je n'aurai pas atteint le sommet de la célébrité.	5. D'autres personnes tout à fait «moyennes» dans leur travail sont cependant tendrement aimées. Dois-je vraiment devenir une célébrité pour que quelqu'un consente à m'aimer? Je connais bien des gars qui ont une foule d'aventures et qui pourtant ne sortent pas de l'ordinaire.

pente descendante ». Parce qu'il était encore convaincu que le seul chemin menant au bonheur véritable et à la valeur personnelle passe par des réalisations grandioses et par une explosion de créativité, il avait la triste certitude que le rétrécissement de sa carrière et son style de vie modeste faisaient de lui un individu de catégorie inférieure.

Puisqu'au fond de lui-même il était encore un bon scientifique, Josh décida de vérifier l'hypothèse selon laquelle il était condamné à une vie médiocre à l'aide de la Fiche de prévision de la satisfaction (décrite dans les précédents chapitres). Il consentit à inscrire chaque jour à son programme diverses activités qui pourraient lui rapporter un certain sentiment de plaisir, de satisfaction ou de rehaussement de son image. Ses activités pouvaient être reliées à son service d'expert-conseil mais aussi à des violons d'Ingres ou à des loisirs. Avant chaque activité, il devait inscrire sur cette fiche ses prévisions concernant la satisfaction que chaque activité lui rapporterait en utilisant une échelle de 0 % (aucune satisfaction) à 100 % (satisfaction maximale qu'un être humain peut connaître).

Après avoir rempli sa fiche pendant plusieurs jours, Josh fut surpris de découvrir que sa vie présente lui offrait autant d'occasions de connaître le plaisir et la satisfaction que son passé (voir Tableau 12-2). Ce fut pour lui une véritable révélation de découvrir que son travail lui rapportait parfois des satisfactions qui étaient loin d'être négligeables et que de nombreuses autres activités pouvaient lui faire passer un moment agréable. Il fut surtout surpris lorsqu'il alla, un samedi soir, faire sans grand enthousiasme du patin à roulettes en compagnie de son amie. Tout en évoluant sur la piste au son de la musique, Josh découvrit qu'il commençait à adapter ses mouvements à la cadence et à la mélodie et, lorsqu'il fut enfin emporté par le rythme, il éprouva un immense sentiment d'euphorie. Les données qu'il a inscrites sur sa Fiche de prévision de la satisfaction indiquent qu'en fait il

TABLEAU 12-2

Fiche de prévision de la satisfaction.

Date	Activités susceptibles d'être une source de plaisir ou de satisfaction	Avec qui avec-vous effectué cette activité? (Si vous étiez seul(e), indiquez « moi-même ».)	Satisfaction prévue (0-100 %) (Inscrivez ce chiffre avant d'effectuer l'activité.)	Satisfaction réelle (0-100 %) (Inscrivez ce chiffre après avoir effectué l'activité.)
	Travail sur un projet de génie-conseil	moi-même	70 %	75 %
	Longue promenade avant le déjeuner	moi-même	40 %	85 %
	Préparation d'un rapport écrit	moi-même	50 %	50 %
	Appel à un client éventuel pour « tâter le terrain »	moi-même	60 %	40 % (pas de nouveau contrat)
	Séance de patin à roulettes	une amie	50 %	99 %

n'a pas besoin de faire un voyage à Stockholm pour recevoir le prix Nobel et connaître ainsi la satisfaction maximale : Il lui suffit de se rendre sur une piste de patin à roulettes ! Cette expérience lui prouva que sa vie serait encore remplie d'abondantes occasions de plaisirs et de satisfactions s'il consentait à élargir ses horizons et à cesser de se fixer exclusivement sur son travail afin de s'ouvrir à la vaste gamme d'expériences agréables que la vie pouvait lui offrir.

Mon objectif n'est pas de prouver que le succès et la réalisation des ambitions ne sont pas souhaitables. Cela serait irréaliste. Le fait d'être productif et dynamique peut rapporter énormément de satisfactions personnelles. Cependant, il n'est ni nécessaire ni suffisant d'être un grand réalisateur pour être parfaitement heureux. Pour conquérir l'amour et le respect de ses semblables, il n'est pas nécessaire de devenir l'esclave de son travail. Il n'est pas nécessaire de devenir le meilleur dans tous les domaines pour s'épanouir harmonieusement et connaître la signification de la paix intérieure et de la dignité. N'est-ce pas là la voie de la sagesse ?

Quatrième partie

Vaincre le désespoir
et le suicide

Chapitre 13

La victoire finale :
choisir de vivre

Dans une étude publiée en 1972, le Dr Aaron T. Beck rapporte qu'il y a des désirs de suicide chez environ un tiers des personnes souffrant de dépression bénigne, et dans près des trois quarts des cas de dépression grave[1]. On estime qu'il y aurait jusqu'à 5 % des malades déprimés qui meurent par suicide. Cela est environ 35 fois plus que le taux de suicide dans la population en général. En fait, quand meurt une personne souffrant de dépression, une fois sur six c'est le suicide qui est la cause de la mortalité.

Il n'y a pas de groupe d'âge, de groupe social, de classe professionnelle qui ne soit touché par le suicide ; pensez à toutes les personnes connues qui se sont donné la mort. Le suicide chez les très jeunes, particulièrement abominable et absurde, n'est pas rare. Une étude faite auprès des élèves de septième et huitième années d'une école paroissiale de la banlieue de Philadelphie révèle que près d'un tiers de ces jeunes étaient déprimés et entretenaient des idées de suicide. Un syndrome dépressif peut se déclarer même chez des nourrissons qui, ne tenant plus à la vie après avoir été séparés de leur mère, se laissent mourir de faim.

---

1. BECK, Aaron T. *Depression: Causes and Treatment.* Philadelphie, University of Pennsylvanie Press, 1972, p. 30-31.

Avant de vous laisser abattre, laissez-moi vous faire voir l'autre côté de la médaille. Premièrement, le suicide n'est pas nécessaire et cette pulsion peut rapidement être dominée et éliminée en partant de quelques connaissances techniques. Selon notre étude, les pulsions de mort ont été réduites considérablement chez les malades traités par la thérapie dite cognitive ou avec des antidépressifs. Leur horizon s'est éclairci en moins d'une ou deux semaines de traitement en thérapie cognitive. Pour les individus sujets à de graves variations d'humeur, on attache présentement une grande importance à la prévention des périodes dépressives, ce qui à long terme pourrait entraîner une réduction des pulsions suicidaires.

Pourquoi les déprimés pensent-ils si fréquemment au suicide et qu'y a-t-il à faire pour prévenir ces pulsions? Vous en comprendrez le cheminement en examinant la façon dont raisonnent les suicidaires. Leurs idées sont constamment dominées par une vision pessimiste. La vie semble n'être qu'un cauchemar infernal. S'ils retournent vers leur passé, tout ce dont ils peuvent se souvenir ce sont des moments de dépression et de souffrance.

Quand vous vous sentez au fond du gouffre, vous vous sentez si déprimé que vous avez l'impression de n'avoir jamais été vraiment heureux et que vous ne le serez jamais. Si un ami ou un parent vous fait remarquer que, sauf pour quelques périodes de dépression, vous avez été relativement heureux, vous concluez qu'il a tort et qu'il ne veut que vous réconforter. Cela s'explique par le fait que lorsque vous êtes déprimé vous déphasez vos souvenirs du passé. Vous êtes tout simplement incapable d'évoquer un seul souvenir d'une période satisfaisante ou heureuse, alors vous concluez à tort que ces périodes n'ont jamais existé. Ainsi vous en arrivez à la conclusion erronée que vous avez toujours été et que vous serez toujours malheureux. Si on vous fait remarquer que vous avez été heureux, vous répondez peut-être comme ce jeune malade dans mon bureau : « Bien, cette période ne compte pas. Le bonheur c'est une sorte d'illusion. Mon moi profond est déprimé et inepte. Je me suis leurré quand j'ai pensé que j'étais heureux.»

Aussi écrasé que vous vous sentiez, cela serait supportable si vous aviez la conviction que les choses vont s'améliorer éventuellement. La décision critique de vous suicider découle du fait que vous êtes illogiquement convaincu que votre état d'âme ne peut s'améliorer. Vous êtes certain que le futur vous réserve uniquement d'autres douleurs et d'autres tourments! Comme d'autres déprimés, vous pouvez même étayer vos prédictions pessimistes sur une foule de données qui vous semblent irrésistiblement convaincantes.

Un courtier de 49 ans qui subissait une dépression m'a dit récemment : «Docteur, j'ai déjà été traité par 6 psychiatres pendant 10 ans. J'ai essayé l'électrothérapie, les antidépressifs, les tranquillisants et d'autres médicaments, mais en dépit de tout cela la dépression ne me quitte pas une minute. J'ai dépensé plus de 80 000 $ pour me guérir. Maintenant je suis émotivement et financièrement ruiné. Tous les médecins m'ont dit : "Vous en viendrez à bout. Gardez la tête haute." Mais maintenant je me rends compte que ce n'était pas vrai. Ils m'ont tous menti. Je suis un batailleur, alors je me suis battu. Il vaut mieux se rendre compte qu'on a perdu. Je dois admettre que je serais mieux mort.»

Les recherches ont prouvé que votre instinct irréaliste de désespoir est l'un des facteurs les plus marquants dans le développement de sérieux désirs suicidaires. À cause de vos distorsions cognitives, vous vous voyez dans un piège sans aucune issue. Vous sautez à la conclusion que votre problème est insoluble. Parce que votre souffrance est insupportable et ne semble pas avoir de fin, c'est bien à tort que vous concluez que le suicide est votre seule porte de sortie.

Si dans le passé vous avez déjà raisonné de cette façon ou si vous entretenez présentement de telles idées, permettez-moi de vous livrer clair et haut le message de ce chapitre : *Vous avez tort si vous croyez que le suicide est la seule ou la meilleure solution à votre problème.*

Laissez-moi vous répéter : *Vous avez tort!* Quand vous pensez que vous êtes pris au piège et sans espoir, votre raisonnement est illogique, distordu et biaisé. Vous avez beau vous être profondément convaincu vous-même, et même si vous avez réussi à en rallier d'autres à votre façon de voir, vous êtes tout simplement dans l'erreur si vous croyez qu'il puisse être recommandable de se suicider à cause d'une maladie dépressive. Là n'est pas la solution la plus rationnelle à votre malheur. Je vous expliquerai cette position et vous indiquerai la route à suivre pour sortir du piège du suicide.

Estimer vos pulsions suicidaires

Bien que des idées suicidaires se rencontrent fréquemment même chez des individus qui ne sont pas déprimés, l'émergence de pulsions de suicide si vous êtes déprimé doit toujours être considérée comme un symptôme dangereux. Il est très important pour vous de savoir comment reconnaître les impulsions suicidaires qui sont les plus menaçantes. Dans l'Inventaire de dépression de Beck au chapitre 2, la question numéro neuf traite des pensées et des pulsions suicidaires. Si vous avez coché une, deux ou trois de ces questions, il existe chez vous des fantasmes suicidaires et il importe d'évaluer leur gravité pour intervenir au besoin.

L'erreur la plus grave que vous puissiez faire au sujet de vos pulsions de suicide, c'est d'être trop discret à ce sujet avec votre conseiller. Plusieurs personnes ont peur de parler de leurs fantasmes et de leurs pulsions suicidaires par crainte d'une désapprobation et parce qu'elles croient que le seul fait d'en parler pourrait entraîner une tentative de suicide. Ce point de vue est injustifié. Il est beaucoup plus probable que vous éprouverez une sensation de soulagement à en discuter avec un thérapeute professionnel et qu'en conséquence vous teniez là de bien meilleures chances de désamorcer la menace.

S'il vous arrive d'avoir des idées suicidaires, demandez-vous si vous prenez ces idées au sérieux. Y a-t-il des moments où vous désirez être mort? Si la réponse est oui, est-ce que vos désirs de mort sont actifs ou passifs? Votre désir de mort est passif quand vous préférez vous voir mort sans avoir la volonté de prendre des mesures pour y arriver. Un jeune homme m'a avoué : «Docteur, tous les soirs au moment de me mettre au lit, je prie Dieu pour me réveiller le matin avec un cancer. Alors je pourrais mourir et ma famille comprendrait.»

Plus dangereux est le désir de mort actif. Si vous êtes sérieusement en train de planifier une tentative de suicide, il est important de savoir ceci : Est-ce que vous pensez à un moyen? Quel est ce moyen? Avez-vous dressé des plans? Quelles préparations précises avez-vous faites? Règle générale, plus vos plans sont concrets et bien établis, plus il y a de risques que vous attentiez vraiment à votre vie. Il est grand-temps de chercher maintenant une aide professionnelle!

Dans le passé, avez-vous déjà fait une tentative de suicide? Si oui, il vous faut envisager une pulsion suicidaire comme un signal pour demander de l'aide immédiate. Pour certaines personnes ces tentatives semblent être comme «des exercices de réchauffement» dans lesquels elles jouent avec le suicide sans avoir encore maîtrisé la méthode choisie. Le fait qu'un individu ait attenté à sa vie sans succès à plusieurs occasions dans le passé indique que le risque de succès ira en augmentant dans le futur. C'est un mythe dangereux de croire que des tentatives non réussies ne sont que de simples gestes pour attirer l'attention et qu'elles ne doivent donc pas être prises au sérieux. Selon la théorie la plus répandue à ce sujet, les idées et les gestes suicidaires doivent être pris au sérieux. C'est faire fausse route que de considérer les idées et les gestes suicidaires comme des «appels à l'aide». Plusieurs malades suicidaires ne veulent surtout pas d'aide, étant persuadés qu'ils sont sans espoir et qu'on ne peut plus rien pour eux. À cause de cette conviction fausse, ce qu'ils désirent véritablement, c'est la mort.

Le degré de votre désespoir a une grande importance pour établir si oui ou non il y a un risque d'une tentative à un moment donné. Dans les cas de vraies tentatives, c'est ce facteur qu'on trouve beaucoup plus que tout autre. Vous devez vous poser la question : «Est-ce que je crois vraiment n'avoir aucune chance d'amélioration? Est-ce que j'ai le sentiment d'avoir épuisé toutes les possibilités de traitement et qu'il ne reste absolument rien qui puisse m'aider? Est-ce que je suis convaincu, sans l'ombre d'un doute, que mes souffrances sont insupportables et ne se termineront jamais?» Si vous répondez oui à ces questions, alors votre degré de désespoir est élevé et un traitement professionnel est indiqué *maintenant*. J'insiste sur le fait que le désespoir est un symptôme de dépression de la même manière qu'une toux est un symptôme de pneumonie. Le sentiment de désespoir ne prouve pas, en fait, que vous êtes sans espoir, pas plus qu'une toux prouve que vous êtes condamné à mourir de pneumonie. Cela ne fait que prouver que vous souffrez d'une maladie, dans le cas présent une dépression. Ce sentiment de désespoir *n'est pas* une raison pour faire une tentative de suicide, mais indique clairement qu'il faut chercher de l'aide compétente. Donc, si vous vous sentez désespéré, appelez à l'aide! Ne vous arrêtez pas à l'idée de suicide une seule minute de plus!

Un autre facteur important concerne les raisons préventives. Demandez-vous : «Y a-t-il quelque chose qui puisse m'empêcher de me suicider. Est-ce que ma famille, mes amis, mes croyances religieuses me retiennent?» Si vous n'avez pas de raisons qui vous empêchent, la possibilité est plus grande que vous considériez réellement une tentative.

RÉSUMÉ : Si vous êtes suicidaire, il est très important pour vous d'évaluer vos pulsions d'une manière très pragmatique en vous servant de votre bon sens. Les facteurs suivants vous placent dans un groupe à haut risque :

1. Si vous êtes gravement déprimé et si vous sentez désespéré ;
2. Si vous avez déjà fait des tentatives de suicide ;
3. Si vous avez fait des projets précis et des préparatifs ; et
4. Si aucune raison ne vous en empêche.

Si l'un ou plusieurs facteur(s) s'appliquent dans votre cas, c'est vital pour vous de trouver immédiatement une aide professionnelle et un traitement. Bien que je sois convaincu qu'il est important que les déprimés veuillent s'aider eux-mêmes, il est évident qu'il vous faut consulter immédiatement un conseiller professionnel.

L'illogisme du suicide

Est-ce que vous croyez que les déprimés ont le droit de se suicider ? Certains « humanistes » mal renseignés et des thérapeutes sans expérience font grand cas de ce problème. Si vous essayez de conseiller ou d'aider un déprimé chronique qui est désespéré et qui menace de se détruire, vous vous demandez peut-être : « Est-ce que je dois intervenir avec force, ou dois-je le laisser faire ? Quels sont ses droits à ce sujet en tant qu'être humain ? Suis-je responsable de la prévention de cette tentative, ou dois-je lui dire d'y aller et de faire usage de sa liberté de choix ? »

J'envisage cela comme un problème absurde et cruel qui passe tout à fait à côté de la question. La vraie question n'est pas de savoir si cet individu déprimé a le droit ou non de commettre un suicide, mais de savoir si ses pensées sont *réalistes* quand il considère le suicide. Quand je parle à un suicidaire, la je tâche de trouver pourquoi il se sent ainsi. Je peux lui demander : « Quelle est la raison de vouloir vous tuer ? Quel est ce problème dans votre vie qui soit si terrible qu'il n'existe pas de solution ? » Ensuite je vais aider cette personne à expliquer le plus rapidement possible les idées illogiques qui se cachent derrière ses pulsions suicidaires. Quand on commence à raisonner d'une façon plus *réaliste*, ce sentiment de désespoir et ce désir de mettre fin à sa vie iront en diminuant pour faire place à une pulsion de vie. Ainsi, j'ai recommandé de la joie plutôt que la mort à des personnes suicidaires et je tâche de leur montrer comment y arriver le plus rapidement possible! Voyons comment cela peut se faire.

Holly, une jeune fille de 19 ans, m'avait été dirigée pour traitement par un pédopsychanalyste de New York. Il l'avait traitée sans succès en psychanalyse pendant plusieurs années depuis le début d'une dépression tenace commencée dans sa prime adolescence. D'autres médecins avaient également essayé sans succès. Sa dépression avait commencé pendant une période familiale troublée qui a conduit à la séparation et au divorce de ses parents.

Les périodes sombres de Holly étaient ponctuées par de fréquents épisodes au cours desquels elle se tranchait les poignets. Elle disait que lorsque ses périodes de frustration et de désespoir devenaient intenables, elle était poussée par le besoin de s'ouvrir les veines et qu'elle ne ressentait de soulagement que quand elle voyait son sang couler sur sa peau. La première fois que j'ai rencontré Holly, j'ai remarqué sur ses poignets des cicatrices qui prouvaient cette conduite. En plus de ces épisodes d'automutilation, qui n'étaient pas des tentatives de suicide, elle avait plusieurs fois attenté à sa vie.

En dépit de tous les traitements, sa dépression ne se résorbait pas. À certains moments, celle-ci devenait si grave qu'on devait l'hospitaliser. Holly était en cure fermée depuis de nombreux mois quand on me la dirigea. Son médecin traitant recommandait un minimum de trois ans d'hospitalisation continue et semblait être du même avis que Holly en prévoyant peu d'amélioration visible dans le futur immédiat.

D'autre part, Holly était bien de sa personne, intelligente et elle s'exprimait bien. Elle avait réussi au secondaire en dépit de ses absences en classe à cause de ses hospitalisations. Elle avait suivi des cours avec des professeurs privés. Comme plusieurs adolescents malades, Holly rêvait de devenir professionnelle de la santé mentale, mais son thérapeute précédent lui avait dit que c'était irréalisable à cause de la nature de ses propres problèmes émotifs insurmontables. Cette opinion ne fut qu'un coup de plus pour Holly.

Après ses études secondaires, elle passa le plus clair de son temps dans un hôpital psychiatrique parce qu'on la considérait trop malade et trop incontrôlable pour être en thérapie externe. Dans une tentative désespérée pour lui trouver de l'aide, son père communiqua avec l'Université de Pennsylvanie après avoir lu nos travaux sur la dépression. Il demanda une consultation pour savoir s'il existait des possibilités de traitement pour sa fille.

À la suite de notre conversation téléphonique, le père de Holly en obtint la garde et la conduisit à Philadelphie pour que je puisse lui parler et évaluer les possibilités de traitement. Quand je les ai vus, leur personnalité ne correspondait pas à ce que je m'attendais. Lui était un homme détendu aux manières correctes ; elle était étonnamment séduisante, agréable et coopérative.

J'ai fait passer de nombreux tests psychologiques à Holly. L'Inventaire de dépression de Beck indiquait que la malade était en dépression grave et les autres tests confirmaient le haut degré de son désespoir et de ses sérieuses intentions suicidaires. Holly me le déclara tout de go : « Je veux me tuer ». L'histoire de la famille révéla que plusieurs parents avaient tenté de se suicider et que deux avaient réussi. Quand j'ai demandé à Holly pourquoi elle voulait se supprimer, elle me dit qu'elle était très paresseuse. Elle m'expliqua que parce qu'elle était paresseuse elle ne valait rien du tout et donc méritait de mourir.

J'ai voulu savoir si elle réagirait favorablement à une thérapie cognitive. Pour cela je me suis servi d'une technique au moyen de laquelle j'espérais capter son attention. Je lui ai proposé d'interpréter des rôles. Elle devait imaginer deux avocats discutant son cas devant la cour. Disons en passant que son père est un avocat qui se spécialise dans les causes de responsabilité professionnelle ! Parce que j'étais alors un jeune thérapeute, cela intensifiait mes sentiments d'insécurité et d'inquiétude à l'idée d'entreprendre un cas aussi difficile. Je dis à Holly de jouer le rôle du procureur et elle devait essayer de convaincre le jury qu'elle méritait la peine de mort. Je lui dis que je jouerais le rôle de l'avocat de la défense et que j'allais mettre au défi la validité de chaque accusation. Je lui expliquai que de cette façon elle pouvait passer en revue ses raisons de vivre et ses raisons de mourir et voir où se trouvait la vérité :

HOLLY : Pour cette personne, le suicide serait une évasion de la vie.

DAVID : Cet argument s'appliquerait à tous et chacun. En lui-même ce n'est pas une raison convaincante de mourir.

HOLLY : Le procureur répond que l'existence de la maladie est si pénible qu'elle ne peut la supporter une seule minute de plus.

DAVID : Elle l'a supportée jusqu'à maintenant alors elle peut la supporter peut-être encore un peu. Elle n'a pas toujours été si malheureuse dans le passé et rien ne prouve qu'elle sera toujours malheureuse dans le futur.

HOLLY : Le procureur fait remarquer que sa vie est un poids pour sa famille.

DAVID : La défense fait valoir que le suicide ne résout pas le problème car sa mort par suicide peut s'avérer être un coup encore plus difficile à accepter pour sa famille.

HOLLY : Mais elle est centrée sur elle-même, elle est paresseuse et vaurienne, elle mérite la mort.

DAVID : Dans la population, quel est le pourcentage de paresseux ?

HOLLY : Probablement 20 %… Non, je dirais seulement 10 %.

DAVID : Cela veut dire que 20 millions d'Américains sont paresseux. La défense fait remarquer qu'ils n'ont pas à mourir pour cela, alors il n'y a pas de raison pour que uniquement cette personne soit vouée à la mort. Pensez-vous que la paresse et l'apathie soient des symptômes de dépression ?

HOLLY : Probablement.

DAVID : La défense fait remarquer que dans notre culture personne n'est condamné à mort pour des symptômes de maladie, que ce soit une pneumonie, une dépression ou n'importe quelle autre maladie. De plus, la paresse peut disparaître quand la dépression aura disparu.

Holly semblait très prise par ces échanges et s'en amuser. Après une série d'accusations et de défenses dans la même veine, elle admit qu'il n'y avait pas de raisons convaincantes pour lesquelles elle devait mourir et que n'importe quel jury raisonnable prendrait une décision favorable à la défense. Ce qui était encore plus important, c'est que Holly apprenait à se mettre au défi et à donner des réponses à ses pensées négatives à son propre sujet. Ce cheminement lui apporta un soulagement partiel mais immédiat, le premier qu'elle ressentait depuis de nombreuses années. À la fin de la consultation, elle me dit : « Depuis aussi loin que je puisse me souvenir je ne me suis pas sentie aussi bien que maintenant, mais une pensée négative me traverse l'esprit : Cette nouvelle thérapie n'est peut-être pas aussi bonne qu'elle me semble l'être. » En réponse à cette pensée, elle sentit la dépression sourdre brusquement en elle. Je lui ai assuré : « Holly, l'avocat de la défense fait remarquer qu'il n'y a pas là un vrai problème. Si la thérapie n'est pas aussi bonne qu'elle semble l'être, vous vous en rendrez compte dans quelques semaines et il vous restera encore la possibilité d'une hospitalisation à long terme. Il n'y a rien de perdu. De plus, la thérapie pourrait bien être aussi bonne qu'elle semble, il serait même pensable qu'elle puisse être meilleure. Peut-être consentirez-vous à l'essayer.» Pour répondre à cette propo-sition, elle décida de venir à Philadelphie pour traitement.

L'impulsion de Holly à se détruire était simplement le résultat de distorsions cognitives, d'idées fausses. Elle confondait les symp-tômes de sa maladie, comme l'apathie et le manque d'intérêt dans la vie, avec sa propre identité et elle s'étiquetait elle-même «une personne paresseuse». Parce que Holly faisait une équation entre sa valeur en tant que personne et ses réalisations, elle concluait qu'elle était inutile et méritait de mourir. Elle sautait à la conclu-sion qu'elle ne pourrait jamais guérir et que sa famille se trouverait mieux sans elle. Elle amplifiait son inconfort en disant : «Je ne peux pas le supporter». Son désespoir venait de ses prédictions du diseur de bonne aventure : D'une façon illogique, elle tirait la conclusion qu'elle ne pouvait s'améliorer. Quand Holly cons-tata qu'elle se piégeait tout simplement avec ses idées irréalistes, elle se sentit soulagée. Pour maintenir cette amélioration, Holly devait apprendre à se corriger de ses pensées négatives les unes après les autres comme on pèle un oignon, et cela n'allait pas être facile! Elle n'allait pas si facilement se laisser faire!

À la suite de notre première conversation, Holly a été trans-férée à l'hôpital de Philadelphie, où je lui rendis visite deux fois la semaine pour commencer la thérapie cognitive. Son séjour à l'hôpital fut assez orageux avec d'énormes variations d'humeur mais on lui accorda son congé après une période de cinq semaines. Je l'ai persuadée de s'inscrire comme étudiante à temps partiel à des cours d'été. Pendant un certain temps, son état présenta des hauts et des bas, un peu comme un yo-yo, mais dans l'ensemble elle s'améliorait. Parfois, Holly nous disait qu'elle se sentait très bien pendant plusieurs jours, ce qui constituait pour elle un rayon de lumière dans la nuit car c'étaient des périodes heureuses comme elle n'en avait pas vécu depuis l'âge de 13 ans. Puis brusquement elle retombait dans un état dépressif grave. À ces moments-là, elle devenait activement suicidaire et elle employait tous ses efforts à tenter de me convaincre que la vie ne valait pas la peine d'être vécue. Comme beaucoup d'adolescents elle semblait avoir de la rancune contre l'humanité tout entière et insistait pour prouver qu'il n'y avait aucune raison de vivre plus longtemps.

En plus d'être négative quant à sa valeur personnelle, Holly avait une vision du monde entier entièrement négative et désabusée. Non seulement se voyait-elle comme enchaînée par une dépression sans fin et incurable, mais aussi, comme plusieurs adolescents de nos jours, elle avait adopté une théorie personnelle de nihilisme. C'est la forme la plus extrême du pessimisme. Selon le nihilisme, il n'y a ni vérité ni sens à quoi que ce soit et tout dans la vie n'est que malheur et souffrance. Pour une nihiliste comme Holly, le monde n'a rien à offrir si ce n'est le malheur. Elle était convaincue que l'essence même des personnes et des choses était le mal et l'horreur. Sa dépression était donc l'enfer sur Terre. Holly entrevoyait la mort comme l'unique issue et elle en avait une furieuse envie. Elle se plaignait constamment et discutait d'une façon cynique des cruautés et des misères de la vie. Elle faisait valoir que les êtres humains étaient complètement dépourvus de toutes qualités capables de compenser le fait que la vie soit totalement insupportable en tout temps.

Amener cette jeune femme intelligente et entêtée à admettre que ses idées étaient fausses constituait un véritable défi pour son thérapeute. Le long dialogue qui suit illustre bien ses attitudes foncièrement négatives et ses efforts pour briser le bouclier de son raisonnement illogique :

HOLLY : La vie ne vaut pas la peine d'être vécue parce qu'il y a plus de mal que de bien dans le monde.

DAVID : Supposons que je sois le malade déprimé et que vous soyez le thérapeute, si je vous disais cela, que me répondriez-vous ?

(J'employai cette manœuvre avec Holly parce que je savais qu'elle désirait devenir thérapeute. Je me disais qu'elle allait répondre par une opinion raisonnable et défendable, mais elle se montra plus habile que moi dans la phrase suivante.)

HOLLY : Je vous dirais que je ne peux pas discuter avec vous !

DAVID : Alors si j'étais votre malade déprimé et que je vous disais que la vie ne vaut pas la peine d'être vécue, vous me conseilleriez de me jeter par la fenêtre ?

HOLLY (en riant) : Oui. Quand j'y pense, c'est ce qu'il y a de mieux à faire. Si on songe à tout ce qui se passe de mauvais dans le monde, la seule bonne chose à faire, c'est d'en être écrasé et d'être déprimé.

DAVID : Et quels sont les avantages de cela ? Est-ce que cela vous aide à corriger les choses mauvaises dans le monde ou quoi ?

HOLLY : Non, mais vous ne pouvez pas les corriger.

DAVID : Vous ne pouvez pas corriger toutes les mauvaises choses dans le monde. Peut-être pouvez-vous en corriger quelques-unes ?

HOLLY : Vous ne pouvez corriger rien qui soit de grande importance. Je crois que vous pouvez corriger de petites choses. Vous ne pouvez pas vraiment faire une brèche dans tout ce qui est mauvais dans l'Univers.

DAVID : Alors, si à la fin de chaque jour je me dis cela à moi-même et je m'en vais chez moi, je pourrais vraiment être écrasé. En d'autres mots, je pourrais penser aux gens que j'ai aidés dans la journée et me sentir satisfait ou bien je pourrais penser à tous les milliers de personnes que je n'aurai jamais la chance de voir et d'aider et me sentir désespéré, réduit à l'impuissance. Cela me frapperait d'incapacité et je ne crois pas que cela serait à mon avantage. Est-ce à votre avantage d'être frappée d'incapacité ?

HOLLY : Pas vraiment. Bien, je ne sais pas.

DAVID : Est-ce que vous aimez être incapable ?

HOLLY : Non. Pas à moins d'être parfaitement incapable.

DAVID : Et à quoi cela ressemblerait-il ?

HOLLY : Je serais morte et je crois que je serais bien mieux ainsi.

DAVID : Pensez-vous que le fait d'être mort soit une chose dont on puisse jouir ?

HOLLY : Bien, je ne sais même pas à quoi cela ressemble. Je suppose que cela pourrait être épouvantable d'être mort et de ne plus faire l'expérience de quoi que ce soit. Qui sait ?

DAVID : Alors cela pourrait être épouvantable, ou cela pourrait n'être rien du tout. L'état le plus près de rien est l'état où on se trouve sous anesthésie. Est-ce qu'on peut jouir de cela ?

HOLLY : On ne peut pas en jouir et on ne peut pas ne pas en jouir non plus.

DAVID : Je suis content que vous admettiez qu'on ne puisse pas en jouir. Et vous avez raison, il n'y a rien dont on puisse jouir quand il s'agit d'un rien. Mais il y a des choses dont on peut jouir dans la vie.

(À ce moment-là je croyais que j'avais vraiment marqué un point. Mais là encore, dans son insistance d'adolescente sur le fait que rien ne serait bon dans la vie, elle continuait à me déjouer et à me contredire sur tout ce que je disais. Mon travail avec elle était un véritable défi et son esprit de contradiction me rendait parfois la tâche très frustrante.)

HOLLY : Mais voyez-vous, s'il y a certaines choses dont on puisse jouir dans la vie, il y en tant et tant d'autres qu'il faut traverser pour parvenir aux choses agréables qu'il me semble que cela ne fait pas le poids.

DAVID : Comment vous sentez-vous quand vous vous sentez bien ? Est-ce que vous sentez que cela ne fait pas le poids alors, ou avez-vous cette impression uniquement quand vous ne vous sentez pas bien ?

HOLLY : Cela dépend de ce à quoi je pense, n'est-ce pas ? La seule façon pour moi de ne pas être déprimée, c'est quand j'arrive à ne pas penser à toutes les choses ignobles de l'Univers qui me dépriment. N'est-ce pas? Alors, quand je me sens bien, cela veut dire que je me concentre sur les bonnes choses. Mais les mauvaises choses sont encore là. Comme il y en a plus de mauvaises que de bonnes, c'est malhonnête et tricheur de ne regarder que les bonnes et de se sentir bien ou se sentir heureux; c'est pourquoi le suicide est ce qu'il y a de mieux à faire.

DAVID : Mais dans l'Univers il y a le mal et le pseudo-mal. Celui-ci est celui que nous créons par la fiction de nos imaginations, par les idées que nous nous faisons des choses.

HOLLY (m'interrompant) : Mais quand je lis le journal, on rapporte des viols et des meurtres. Cela me semble être un mal bien *réel*.

DAVID : C'est vrai. C'est ce que j'appelle le vrai mal. Mais examinons le pseudo-mal d'abord.

HOLLY : Comme quoi? Que voulez-vous dire par pseudo-mal?

DAVID : Bien, regardons votre affirmation que la vie n'est bonne à rien. Cette affirmation est une exagération inexacte. Comme vous l'avez fait remarquer, la vie a de bons éléments, de mauvais éléments et des éléments neutres. Alors, quand vous affirmez que la vie n'est bonne à rien et que tout y est désespérant, vous faites une exagération irréaliste. C'est ce que je veux dire par pseudo-mal. D'un autre côté, il y a les vrais problèmes de la vie. C'est vrai qu'il y a des gens qui se font tuer et des gens qui souffrent de cancer, mais je peux faire face à la connaissance que j'ai de ces faits pénibles. En fait, dans la vie vous prendrez probablement la décision de vous engager vis-à-vis certains aspects des problèmes mondiaux là où vous pensez que vous pourrez apporter votre contribution. Mais même là l'approche significative consiste à agir sur le problème dans un esprit positif plutôt que d'être débordé par le problème, de se croiser les bras et de faire la tête.

HOLLY : Bien, c'est ce que je fais. Je me laisse immédiatement déborder par les choses mauvaises que je rencontre et ensuite j'ai le sentiment que je dois me détruire.

DAVID : C'est vrai. Ce serait bien beau si dans l'Univers il n'y avait ni problèmes ni souffrance, mais alors il n'y aurait pas non plus de chances pour que les gens puissent apprendre, avancer et trouver des solutions aux problèmes. Un de ces jours, il est probable que vous apporterez votre contribution à la solution d'un des problèmes du monde et cela vous sera une grande source de satisfaction.

HOLLY : Mais ce n'est pas juste de se servir des problèmes de cette façon.

DAVID : Pourquoi n'en faites-vous pas l'expérience ? Je ne voudrais pas que vous croyiez ce que je dis sans en faire votre expérience personnelle et sans voir par vous-même si c'est vrai. La façon de le prouver, c'est de s'impliquer, d'aller en classe, d'établir des relations avec les gens.

HOLLY : C'est ce que je commence à faire.

DAVID : Bien. Après un certain temps, vous verrez comment cela fonctionne, et vous trouverez peut-être que le fait de suivre des cours d'été peut apporter une contribution au monde. Rencontrer des amis, s'impliquer dans des activités, faire votre travail, obtenir de bonnes notes vous procureront un sentiment d'accomplissement et de plaisir à faire ce que vous pouvez ; d'autre part, tout cela peut ne pas vous satisfaire et vous pouvez en arriver à conclure : « Eh bien, la dépression était mieux que cela » et : « Je n'aime pas m'impliquer dans la vie. » Si cela s'avérait, vous pourriez toujours retourner à votre dépression et à votre désespoir. Je ne vais pas vous enlever quoi que ce soit, mais ne rejetez pas le bonheur avant de l'avoir essayé. Vérifiez pour voir. Voyez à quoi la vie ressemble quand vous vous impliquez et faites des efforts. Et nous verrons à ce moment-là de quel côté le vent tourne.

Encore une fois, Holly ressentit un soulagement émotif marquant en se rendant compte, du moins en partie, de ses erreurs de raisonnement. Sa profonde conviction que le monde était mauvais et que la vie ne valait pas la peine d'être vécue n'était que le résultat de sa manière illogique de voir les choses. Elle commettait l'erreur de concentrer son attention uniquement sur les choses négatives (filtre mental) et arbitrairement insistait pour dire que les choses positives dans le monde n'existaient pas (négation du positif). En conséquence, elle avait l'impression que tout était négatif et que la vie n'avait aucun sens. À mesure qu'elle apprit à corriger sa façon de raisonner, elle commença à noter une amélioration. Bien qu'elle ait continué à avoir des hauts et des bas, la fréquence et la gravité de ses changements d'humeur ont diminué avec le temps. Elle obtint tant de succès aux classes d'été qu'elle fut acceptée à l'automne comme élève régulière dans un collège des plus réputés. Malgré toutes ses prédictions pessimistes à l'effet qu'elle raterait ses études parce qu'elle n'avait pas l'intelligence nécessaire, elle fut grandement surprise d'obtenir de très bonnes notes en classe. En apprenant à transformer son négativisme profond en activités productives, elle devint une première de classe.

Holly et moi avons suivi des voies éloignées l'une de l'autre après moins d'une année de rencontres hebdomadaires. Au milieu d'une discussion, elle quitta brusquement mon bureau, claquant la porte et jurant de ne plus jamais revenir. Peut-être ne connaissait-elle pas d'autre façon de dire adieu. Je crois qu'elle avait le sentiment d'être prête à essayer de voler de ses propres ailes. Peut-être s'est-elle finalement fatiguée d'essayer d'avoir le dessus sur moi; après tout, j'étais tout aussi entêté qu'elle! Elle m'a téléphoné récemment pour me dire comment les choses ont tourné. Bien qu'elle doive encore combattre parfois ses changements d'humeur, elle est maintenant rendue à la fin de ses études collégiales et parmi les meilleurs de sa classe. Son rêve de poursuivre ses études en vue d'une carrière professionnelle semble devenir une certitude. Dieu vous garde, Holly !

La façon de raisonner qu'avait Holly recèle plusieurs des pièges mentaux qui peuvent conduire à des désirs de suicide. Presque tous mes malades suicidaires ont en commun ce sentiment illogique de désespoir et la conviction qu'ils sont en face d'un dilemme insoluble. Une fois que vous aurez mis à nu les distorsions de votre raisonnement, vous éprouverez un grand soulagement émotif. Cela peut vous procurer des raisons d'espérer et peut vous aider à éloigner une dangereuse tentative de suicide. De plus, le soulagement émotif peut vous donner le temps de reprendre votre souffle afin de continuer à faire des changements plus importants dans votre vie.

Il vous est peut-être difficile de vous identifier à une adolescente turbulente comme Holly, alors jetons un regard rapide sur une autre cause plus commune d'idées et de gestes suicidaires : le sentiment de désillusion et de désespoir qui parfois nous frappe à l'âge mûr ou plus tard. Vous revoyez le passé et vous arrivez peut-être à la conclusion que votre vie se réduit à très peu de choses en comparaison des espérances de votre jeunesse, grandes comme l'infini du ciel. C'est ce qu'on appelle la crise de l'âge mûr : C'est la période où vous passez en revue ce que vous avez fait de votre vie en parallèle avec vos projets et vos aspirations. Si vous ne pouvez traverser cette crise avec succès, il se peut que vous soyez si amèrement déçu que vous attentiez à vos jours. Encore ici, le problème n'a rien à voir ou si peu avec la réalité. Au contraire, votre agitation découle de votre raisonnement biaisé.

Louise est une femme mariée, dans la cinquantaine, émigrée d'Europe aux États-Unis pendant la Seconde Guerre mondiale. Sa famille la conduisit à mon bureau quand elle reçut son congé de l'unité de soins intensifs où elle avait été traitée pour une tentative de suicide presque réussie et tout à fait imprévue par sa famille. On n'était nullement conscient du fait qu'elle traversait une grave dépression et ses proches furent des plus étonnés. Alors que avec Louise, celle-ci me révéla avec amertume que sa vie n'avait pas du tout été selon ses aspirations. Elle n'avait jamais atteint la joie ou la satisfaction à laquelle elle aspirait quand elle était jeune fille. Elle se sentait inepte et était convaincue d'être totalement ratée en tant qu'être humain. Elle me dit qu'elle n'avait accompli absolument rien de valable dans la vie et concluait que la vie même ne valait pas la peine d'être vécue.

Parce que j'ai eu l'impression qu'il fallait rapidement intervenir pour éviter une seconde tentative, j'ai employé la technique cognitive pour lui démontrer le plus vite possible l'illogisme de son raisonnement. Je lui ai d'abord demandé de me dresser la liste des choses qu'elle avait accomplies dans la vie pour savoir si elle croyait vraiment n'avoir absolument rien fait de valable.

LOUISE : Bien, j'ai aidé ma famille à fuir le terrorisme nazi et à s'intégrer ici pendant la Seconde Guerre mondiale. J'ai appris à parler couramment plusieurs langues – cinq langues – pendant ma jeunesse. J'ai gardé un emploi désagréable pour apporter un peu d'argent à ma famille. Mon mari et moi avons élevé cinq garçons qui sont allés au collège et qui sont présentement des hommes d'affaires très prospères. Je suis une bonne cuisinière et, en plus d'être probablement une bonne mère, mes petits-enfants croient que je suis une bonne grand-mère. Voilà les choses que je crois avoir accomplies durant ma vie.

DAVID : Devant toutes ces réalisations, comment pouvez-vous me dire que vous n'avez rien accompli ?

LOUISE : Voyez-vous, tout le monde dans ma famille parle cinq langues. Quitter l'Europe était la seule façon de survivre. Mon emploi était bien ordinaire et ne réclamait pas de talent spécial. C'était mon devoir d'élever ma famille et n'importe quelle maîtresse de maison doit savoir cuisiner. C'étaient là toutes des choses que je devais faire ou que n'importe qui peut faire. Ce ne sont pas vraiment des réalisations. Ce ne sont que des choses ordinaires et c'est pourquoi j'ai décidé de me suicider. Ma vie ne vaut pas la peine.

J'ai compris que Louise se tourmentait inutilement en disant : «Cela ne compte pas» au sujet de tout ce qui pouvait être bon. Cette distorsion cognitive très répandue appelée «négation du positif» était son pire ennemi. Louise ne regardait que ses failles ou ses fautes et insistait pour dire que ses succès étaient sans valeur. Si vous comptez pour rien vos réalisations, vous créerez l'illusion mentale que vous êtes un grand zéro. Pour lui démontrer son erreur psychologique d'une manière saisissante, j'ai proposé à Louise d'interpréter des rôles. Je lui dis que j'interpréterais celui d'un psychiatre déprimé alors qu'elle serait ma thérapeute s'efforçant de trouver pourquoi je me sens si déprimé.

LOUISE (en tant que thérapeute) : Pourquoi vous sentez-vous si déprimé, docteur Burns?

DAVID (en tant que psychiatre déprimé) : Eh bien, je me rends compte que je n'ai rien accompli dans la vie.

LOUISE : Alors vous trouvez que vous n'avez rien accompli? Mais cela n'a aucun sens. Vous avez certainement dû accomplir quelque chose. Par exemple, vous traitez de nombreux malades déprimés et je crois comprendre que vous avez publié des articles sur vos recherches et prononcé des conférences. Il semble que vous ayez accompli beaucoup pour votre jeune âge.

DAVID : Non. Rien de cela ne compte. Vous voyez, c'est le devoir d'un médecin de traiter ses malades. Alors cela ne compte pas. Je n'ai fait que ce que j'étais supposé faire. De plus, c'était mon devoir à l'université de faire des recherches et d'en publier les résultats. Alors il ne s'agit pas ici de *vraies réalisations*. Tous les membres de la Faculté agissent ainsi et mes recherches ne sont pas très importantes de toute façon. Mes idées sont très ordinaires. En fin de compte, ma vie est un échec.

LOUISE (riant d'elle-même et n'agissant plus en tant que thérapeute) : Je constate que je me suis critiquée moi-même de cette façon depuis 10 ans.

DAVID (en tant que thérapeute de nouveau) : Maintenant, dites-moi comment vous sentez-vous quand vous vous entretenez continuellement des choses que vous avez accomplies en disant : « Cela ne compte pas » ?

LOUISE : Je me sens déprimée quand je me dis cela.

DAVID : Et où est le bon sens de penser aux choses que vous n'avez pas faites et que vous aimeriez avoir accomplies tout en passant sous silence les choses que vous avez faites et qui ont bien tourné à la suite d'efforts considérables et d'une grande détermination ?

LOUISE : Cela n'a aucun bon sens.

Le résultat de cette intervention fut que Louise a compris qu'elle se tourmentait en se répétant encore et encore : « Ce que j'ai fait ne vaut pas grand-chose ! » Quand elle eut reconnu comment il était arbitraire de se traiter ainsi, elle constata qu'elle était immédiatement soulagée émotivement et que ses pulsions suicidaires disparaissaient. Louise comprit que même si elle avait de nombreuses réalisations à son crédit elle pourrait toujours regarder en arrière et se dire : « Cela n'est pas suffisant ». Par cette constatation, elle prit conscience du fait que son problème n'était pas réaliste mais tout simplement un piège psychologique dans lequel elle était tombée. Le renversement des rôles créa un sentiment d'amusement et l'amena à rire. Son sens de l'humour étant ainsi stimulé, elle reconnut l'absurdité de son autocritique, ce qui déclencha l'instinct de compassion pour elle-même.

Revoyons pourquoi la conviction que vous êtes « sans espoir » est à la fois irrationnelle, écrasante et destructive pour vous-même. Premièrement, souvenez-vous que, habituellement sinon toujours, la maladie dépressive a ses propres limites et qu'elle disparaît éventuellement, souvent même sans traitement. Le but du traitement est de hâter la guérison. Plusieurs méthodes efficaces de chimio-thérapie et de psychothérapie sont maintenant d'usage courant et d'autres méthodes se développent rapidement. La médecine est constamment en évolution. Nous sommes en pleine phase expéri-mentale d'approches nouvelles concernant la maladie dépressive. Parce que nous ne pouvons pas encore prédire avec une certitude absolue laquelle des interventions – psychothérapie ou chimio-thérapie – est la plus efficace pour un malade donné, plus d'une technique doit parfois être employée jusqu'à ce qu'on trouve la clé ouvrant la porte aux possibilités de bonheur. Bien qu'il faille beaucoup de patience et de travail acharné, il est primordial de se souvenir que si vous ne réagissez pas à l'une ou à plusieurs tech-niques cela n'implique pas que toutes les méthodes sont sans succès. En fait, c'est le contraire qui est vrai. Par exemple, des recherches récentes indiquent que certains malades n'ayant pas réagi aux antidépressifs ont souvent de meilleures chances de réagir à une autre médication. Cela voudrait dire que si vous ne réagis-sez pas à un des agents vos chances d'amélioration par un autre agent se trouvent augmentées. Quand on prend en considération le fait qu'il existe un grand nombre d'agents antidépressifs efficaces, d'interventions psychothérapeutiques et de techniques d'auto-thérapie, les probabilités d'une guérison éventuelle deviennent de plus en plus grandes.

Quand vous êtes déprimé, vous avez probablement tendance à confondre les faits et les sentiments. Vos sentiments d'être sans espoir et totalement désespéré ne sont que les symptômes de la maladie dépressive, et non pas des faits. Vos sentiments ne font que suivre le modèle tracé par votre raisonnement illogique. Seul un expert qui a traité plusieurs centaines de déprimés serait en mesure de vous fournir un pronostic de guérison. Votre pulsion suicidaire n'est que le signe de votre besoin de traitement. Ainsi, votre conviction que votre cas est sans espoir est presque toujours la preuve qu'il y a de l'espoir. C'est une thérapie qui est indiquée, et non pas le suicide. Bien que les généralisations soient trompeuses, je me laisse guider empiriquement par la règle suivante : Les malades qui se sentent sans espoir *ne sont jamais vraiment sans espoir.*

La conviction d'être «sans espoir» est l'un des aspects les plus étonnants de la maladie dépressive. En fait, le degré de désespoir dont sont conscients les malades gravement déprimés et qui ont un bon pronostic est en général plus profond que chez un malade en phase terminale ayant un sombre pronostic. Il est d'une extrême importance de démontrer au plus tôt l'illogisme qui se cache derrière votre désespoir de façon à prévenir une réelle tentative de suicide. Peut-être êtes-vous convaincu que vous êtes en face d'un problème insoluble ; vous pouvez peut-être avoir le sentiment que vous êtes pris dans un piège auquel il n'y a aucune issue, ce qui vous amène à un très haut degré de frustration et vous pousse à vous détruire comme si c'était là la seule solution. Cependant, quand je confronte un malade déprimé précisément avec cette sorte de piège dans lequel il croit être emprisonné et que je scrute ce «problème insoluble», invariablement je trouve que le malade est dans l'erreur. Dans une telle situation, vous êtes comme un sinistre magicien et vous créez des illusions infernales avec de la magie mentale. Vos idées suicidaires sont illogiques, tordues et fausses. Ce sont vos pensées biaisées, vos faux postulats, et non pas la réalité, qui créent votre souffrance. Quand vous apprenez à voir derrière les miroirs, vous vous rendez compte que vous vous trompez vous-même et vos idées suicidaires disparaissent.

Il serait très naïf de dire que les personnes déprimées et suicidaires n'ont jamais de problèmes «réels». Nous avons tous de vrais problèmes, y inclus des problèmes financiers, des problèmes de relations interpersonnelles, des problèmes de santé, etc. Mais on peut toujours faire face à de telles difficultés d'une manière raisonnable et sans le suicide. En fait, relever ces défis peut être une source d'enrichissement et d'épanouissement personnels.

De plus, comme je l'ai indiqué au chapitre 9, les vrais problèmes ne sont pas ceux qui vous dépriment le plus. Ce sont uniquement les distorsions cognitives qui peuvent vous priver de vos espoirs véritables et de votre estime de vous-même. Chez un malade déprimé, je n'ai encore jamais rencontré un problème «réel» si totalement insoluble que le suicide en soit la solution.

Cinquième partie

Stress et tensions
de la vie quotidienne

Chapitre 14

Comment je pratique ce que je prêche
« Médecin, guéris-toi toi-même » – Luc 4 : 23

Une étude récente sur le stress révèle qu'une des tâches les plus exigeantes du monde – du point de vue de la tension émotive et de l'indice de crises cardiaques qu'elle provoque – est celle du contrôleur de la navigation aérienne dans sa tour. Pour cet emploi nécessitant beaucoup de précision, le contrôleur est constamment en état d'alerte : Une bourde de sa part et c'est la tragédie. Je me demande toutefois si cette profession est plus harassante que la mienne. Somme toute, les pilotes sont coopératifs : Ils désirent s'envoler en sécurité. Mais les vaisseaux que je guide cinglent parfois intentionnellement vers le désastre.

Voici par exemple ce qui s'est produit mardi dernier au cours d'une période de 30 minutes. À 10 h 25, juste avant d'amorcer ma séance de 10 h 30, en dépouillant mon courrier je parcours une longue lettre décousue et amère provenant d'un patient prénommé Félix. Félix me révèle son projet de provoquer un « bain de sang » en tuant trois médecins, incluant deux psychiatres qui l'avaient déjà traité. Dans sa lettre, Félix déclare : « Je vais attendre jusqu'à ce que j'aie suffisamment d'énergie pour me rendre au magasin me procurer un revolver et des balles. » N'ayant pas réussi à communiquer par téléphone avec Félix, j'amorce ma séance de 10 h 30. Harry est émacié telle une victime d'un camp de concentration. S'imaginant souffrir d'une occlusion intestinale, il refuse de manger. Il a maigri de 32 kilos. Comme j'envisageais son hospitalisation afin de le nourrir de force par tube de sorte qu'il ne meure pas de faim, l'appel d'urgence de Jérôme, un autre de mes patients, interrompt la séance. Jérôme m'apprend qu'il a noué une corde autour de son cou et qu'il veut se pendre sur-le-champ avant que sa femme revienne de son travail. Il m'annonce sa décision d'interrompre son traitement en consultation externe et me dit qu'une hospitalisation ne rimerait à rien dans son cas.

Après avoir réglé ces trois cas urgents vers la fin de la journée, je me rends à la maison pour me détendre. Juste avant de me mettre au lit, je reçois un appel téléphonique d'une malade dirigée par un de mes clients : une femme bien en vue dans la société. Elle me dit qu'elle est déprimée depuis quelques mois et que, plus tôt dans la soirée, elle s'est tenue devant un miroir, s'exerçant à se trancher la gorge avec une lame de rasoir. Elle m'explique qu'elle m'appelle seulement pour apaiser l'ami qui l'a dirigée à moi, mais qu'elle refuse de prendre rendez-vous parce qu'elle est convaincue que son cas est « sans espoir ».

Chaque journée n'est pas aussi énervante ! Mais parfois il semble vraiment que je vis dans un autoclave. Cela me donne amplement l'occasion d'apprendre à affronter incertitude intense, ennuis, frustrations, irritations, désappointement et sentiment de culpabilité. Cela me fournit l'occasion d'appliquer mes techniques cognitives à moi-même et de voir aux premières loges si elles sont vraiment efficaces. Il y a aussi plusieurs moments sublimes et remplis de joie.

Si vous avez déjà consulté un psychothérapeute ou un conseiller, le praticien n'a probablement fait que vous écouter, vous laissant parler tout votre soûl. En effet, plusieurs thérapeutes sont formés à être relativement passifs et à ne pas intervenir, c'est-à-dire à n'être qu'une espèce de « miroir humain » réfléchissant simplement ce que vous dites[1]. Ce style de communication à sens unique peut sembler un exercice futile et frustrant. Peut-être vous êtes-vous demandé : «Qui est vraiment mon psychiatre? Quels sentiments éprouve-t-il? Comment réagit-il devant ces sentiments? Que ressent-il dans ses rapports avec moi ou avec d'autres patients?»

Plusieurs patients m'ont demandé à brûle-pourpoint : «Docteur Burns, pratiquez-vous réellement ce que vous prêchez?» À bord du train qui me ramène à la maison le soir, souvent je détache une feuille de papier et trace une ligne au centre, de haut en bas, en vue d'appliquer la méthode «à double colonne» pour m'aider à juguler les reliquats émotifs agaçants de la journée. Si vous aimez contempler l'envers du décor, il me fera plaisir de partager avec vous quelques-unes de mes notes aide-mémoire. Vous aurez ainsi l'occasion de vous asseoir et d'écouter parler votre psychiatre. Vous aurez également une idée de la façon dont les techniques cognitives que vous avez maîtrisées pour surmonter une dépression cliniquement identifiée peuvent s'appliquer à toutes sortes de frustrations et tensions quotidiennement inévitables pour nous tous.

Face à l'hostilité : l'homme qui changea 20 fois de médecin

L'une des situations chargées de tension auxquelles je dois faire face survient en traitant des individus en colère, exigeants et déraisonnables. Je crois avoir traité quelques-uns des champions coléreux de la côte est. Ces gens projettent souvent leur rancune sur ceux qui s'occupent le plus d'eux, parfois y compris moi-même.

---

1. Dans quelques nouvelles méthodes de traitement psychiatrique – telle la thérapie cognitive –, on prévoit un dialogue normal 50-50 entre le client et le thérapeute, qui travaillent ensemble comme partenaires égaux d'une équipe.

Hank était un jeune homme en colère. Il avait changé 20 fois de médecin avant de m'avoir été dirigé. Hank se plaignait d'un mal de dos sporadique; il était persuadé qu'il souffrait d'une maladie grave. Comme on n'avait détecté chez lui aucune anomalie physique, en dépit de tests médicaux prolongés et élaborés, plusieurs médecins l'informèrent que ses douleurs et malaises étaient de toute évidence causés par une tension émotive, comme un mal de tête. Hank acceptait cela difficilement et avait le sentiment que ses médecins voulaient se débarrasser de lui et se fichaient tout simplement de son cas. Furieux, il changeait de médecin l'un après l'autre. Il consentit finalement à consulter un psychiatre. Il en était très contrarié et, n'ayant fait aucun progrès après un an, il congédia son psychiatre pour suivre des traitements à notre clinique des humeurs.

Hank était très déprimé lorsque je commençai à lui enseigner les techniques cognitives. La nuit, lorsque ses douleurs au dos se ranimaient, Hank explosait de rage et de frustration et se mit à m'appeler intempestivement à la maison (il m'avait persuadé de lui donner mon numéro de téléphone personnel pour lui éviter le répondeur automatique). Il commençait par m'injurier, m'accusant d'avoir mal diagnostiqué sa maladie. Il déclarait que ses malaises étaient dus à des causes physiques et non psychiatriques. Puis il me faisait part d'une exigence déraisonnable sous forme d'ultimatum. «Docteur Burns, ou vous prenez les dispositions dès demain pour que j'obtienne un traitement par électrochocs, ou je me suicide cette nuit.» Il m'était difficile, sinon impossible, d'acquiescer à la plupart de ses exigences. Par exemple, je ne donne pas d'électrochocs et, qui plus est, je ne pense pas que ce type de traitement était indiqué pour Hank. Quand j'essayai de lui expliquer cela avec ménagement, il fulmina et menaça d'appliquer des mesures autodestructrices.

Pendant nos séances de psychothérapie, Hank avait l'habitude de signaler mes défauts (qui sont réels, merci!). Il tempêtait souvent dans mon bureau, frappant le mobilier et m'accablant d'injures. Ce qui me blessait le plus était l'accusation de Hank à l'effet que je ne me préoccupais pas de lui. Il disait que tout ce qui m'intéressait était l'argent et un haut indice de succès thérapeutique.

Cela me plaçait dans un dilemme, d'autant plus qu'il y avait un grain de vérité dans ses critiques : Ses paiements de mes soins thérapeutiques étaient souvent en souffrance de quelques mois et je me préoccupais à l'idée qu'il pouvait interrompre le traitement prématurément et finir par être encore plus désillusionné. De plus, j'étais désireux d'ajouter son nom à ma liste de patients traités avec succès. Comme il y avait quelque vérité dans les harangues de Hank, je me sentais coupable et sur la défensive à l'idée qu'il pourrait tout annuler. Lui, évidemment, sentait cela et augmentait ses critiques de plus belle.

Je recherchai les avis de mes associés à la clinique des humeurs pour savoir comment je pourrais m'y prendre face aux accès de colère de Hank et à mes propres sentiments de frustration. L'avis que me donna le Dr Beck me fut particulièrement utile. Tout d'abord, il me fit remarquer que j'étais « bougrement chanceux » de pouvoir apprendre, grâce à Hank, à affronter efficacement la critique et la colère. Cela me prit tout à fait par surprise : Je ne me rendais pas compte de la chance que j'avais. En plus de m'exhorter à recourir aux techniques cognitives pour réduire et éliminer ma propension à la colère, le Dr Beck me proposa d'essayer une stratégie inhabituelle de réaction réciproque avec Hank lorsqu'il manifesterait des sentiments de colère. L'essentiel de sa méthode est comme suit : 1° Ne pas rebuffer Hank en me défendant moi-même ; à la place, faire le contraire : l'inciter à dire les pires choses possibles contre moi ; 2° Essayer de trouver un grain de vérité dans toutes ces critiques et d'abonder dans son sens ; 3° Après cela, signaler tous points de désagrément d'une façon directe, mais avec tact et sans arguments ; 4° Signaler l'importance de s'endurer en dépit de ces désaccords occasionnels. Je pouvais rappeler à Hank que la frustration et les querelles pouvaient ralentir notre thérapie à certaines occasions mais que cela ne devait pas nécessairement détruire nos relations ni empêcher notre collaboration de finir par porter ses fruits.

J'appliquai cette stratégie la prochaine fois que Hank se mit à tempêter dans mon bureau tout en m'injuriant. Comme je l'avais prévu, j'exhortai Hank à continuer de me dire les pires choses qu'il pouvait penser à mon sujet. Le résultat fut immédiat et impressionnant. En quelques instants, le vent cessa de gonfler ses voiles, tout son ressentiment s'évanouit. Il se mit à communiquer raisonnablement et calmement et il s'assit. En fait, lorsque j'acquiesçai à certaines de ses critiques, il se mit soudainement à me défendre et à me faire des compliments! Je fus si impressionné du résultat que je me mis à appliquer la même méthode avec d'autres individus coléreux et impétueux et je me mis réellement à apprécier ces poussées d'hostilité car j'avais découvert une façon efficace de les affronter.

Je recourus également à la technique de la double colonne pour inscrire et passer en revue mes réactions spontanées après l'un des appels de minuit de Hank (voir le Tableau 14-1, page 408). À la suggestion de mes associés, j'essayai de voir le monde à travers les yeux de Hank afin d'acquérir un certain degré d'empathie. Cela fut pour moi un antidote spécifique qui dissipa en partie ma frustration et mon anxiété, de sorte que je me sentis beaucoup moins sur la défensive et beaucoup moins bouleversé. Cela m'aida à voir dans ses explosions de colère davantage une défense de son amour-propre qu'une attaque contre moi, et c'est ainsi que je pus comprendre ses sentiments de futilité et de désespoir. Je me rappelai que la plupart du temps il répondait fichument bien et combien j'étais stupide d'exiger qu'il fût totalement coopératif à tous les instants. À mesure que je commençai à me sentir plus calme et confiant dans mon travail avec Hank, nos relations s'améliorèrent.

La dépression et les douleurs de Hank finirent par s'estomper et il put terminer sa thérapie avec moi. Je ne l'avais pas vu depuis plusieurs mois lorsque je reçus un message de mon service d'appels téléphoniques m'informant que Hank désirait que je l'appelle. Je devins soudainement appréhensif; les souvenirs de ses tirades furieuses refirent surface dans mon esprit et les muscles de mon estomac se nouèrent. C'est avec quelque hésitation et des sentiments confus que je composai son numéro. C'était par un dimanche après-midi ensoleillé et j'aurais préféré prendre un repos bien mérité après une semaine harassante.

Hank répondit au téléphone : «Docteur Burns, ici Hank. Vous souvenez-vous de moi? Je veux vous dire ceci depuis quelque temps…» Il fit une pause et je m'armai de tout mon courage pour affronter l'explosion de colère imminente. «La douleur et la dépression m'ont virtuellement quitté depuis un an que nous avons terminé la thérapie. Mon incapacité s'est estompée et j'ai obtenu un emploi. Et je dirige un groupe d'autothérapie dans ma ville.»

Ce n'était pas le Hank dont je me souvenais! Je sentis une vague de soulagement et de ravissement m'envahir lorsqu'il poursuivit ses explications : «Mais là n'est pas la raison de mon appel. Je veux vous dire ceci…» Il y eut une autre pause. «Je vous suis reconnaissant de vos efforts et je sais maintenant que vous aviez raison sur toute la ligne. Il n'y a rien d'irrémédiablement mauvais en moi. Mes idées déraisonnables me rendaient malade. Je ne pouvais l'admettre jusqu'à ce que j'en fusse convaincu. Maintenant, je me sens un homme complet et il fallait que je vous appelle pour vous le dire… Ça a été difficile pour moi de le faire, et je regrette qu'il m'ait fallu si longtemps pour me décider.»

Merci, Hank! Je veux que vous sachiez les larmes de joie et de fierté que vous m'avez inspirées au moment où j'écris cela. Cela valait les moments d'angoisse que nous avons surmontés des centaines de fois!

TABLEAU 14-1

Réactions face à la colère.

Réactions spontanées	*Réactions rationnelles*
1. C'est avec Hank que j'ai consacré le plus d'énergie et voilà ce que j'obtiens en retour : des insultes !	1. Cesse de te plaindre. Tu ressembles à Hank ! Il est frustré et envahi par l'insécurité. Il est piégé dans sa rancune. Ce n'est pas parce que tu travailles fort pour quelqu'un qu'il s'ensuit nécessairement qu'on te paie de gratitude en retour. Peut-être Hank le fera-t-il un jour.
2. Pourquoi n'a-t-il pas confiance en moi quant au diagnostic et au traitement ?	2. Il est dans un état de panique, dans un état extrême d'insécurité et de douleur et il n'a pas encore obtenu de résultat substantiel. Il aura confiance en toi quand son état aura commencé à s'améliorer.
3. Mais en attendant, il doit au moins me traiter avec respect.	3. T'attends-tu à ce qu'il te manifeste du respect tout le temps ou la plupart du temps ? En général, il déploie un effort considérable pour appliquer son programme d'autothérapie et il te manifeste du respect. Il est déterminé à réussir : Si tu ne t'attends pas à la perfection, tu n'as pas à te sentir frustré.
4. Mais est-il juste qu'il m'appelle si souvent la nuit à mon foyer ? Et doit-il être si insultant ?	4. Parle-lui-en quand vous vous sentirez détendus tous les deux. Suggère-lui de compléter sa thérapie individuelle en se joignant à un groupe d'autothérapie dans lequel les patients s'appellent l'un l'autre pour se donner un appui moral. Cela lui sera plus facile de réduire ses appels chez toi. Mais pour l'instant, rappelle-toi qu'il ne planifie pas ses crises et qu'elles sont terrifiantes et réelles pour lui.

Face à l'ingratitude :
la femme qui ne pouvait dire merci

Avez-vous déjà fait des pieds et des mains pour faire plaisir à quelqu'un pour, en retour, n'être payé que d'ingratitude et de bassesse? Les gens ne doivent pas être si dégueulasses, n'est-ce pas? Si vous vous dites cela, vous mijoterez pendant des jours à ruminer cette idée. Plus vos pensées et vos fantasmes seront enflammés, plus vous en serez bouleversé et enragé.

Laissez-moi vous parler de Susan. Elle venait de terminer son secondaire lorsqu'elle demanda à être traitée pour une dépression récurrente. Elle doutait que je puisse l'aider et me rappelait constamment qu'elle était désespérée. Elle était dans un état hystérique depuis quelques semaines, ne pouvant pas décider lequel de deux collègues elle fréquenterait. Elle se comportait comme si ce serait la fin du monde si elle ne prenait pas la «bonne» décision et son choix n'était pas encore clairement établi dans son esprit. Sa persistance à vouloir éliminer tout élément d'incertitude ne pouvait que causer une frustration sans fin puisque cela était tout simplement impossible.

Elle pleurait et sanglotait sans bon sens. Elle invectivait son ami et sa famille. Un jour, elle me donna un coup de fil pour me demander de l'aide. Elle devait tout simplement se décider. Elle rejeta toutes les suggestions que je lui faisais et exigea avec colère que je lui propose quelque meilleure solution. Elle insistait : «Le fait que je sois incapable de prendre une décision prouve que votre thérapie cognitive ne fonctionne pas pour moi. Vos méthodes ne valent rien. Je ne serai jamais capable de me décider et mon état ne pourra s'améliorer.» Comme elle était si bouleversée, j'organisai l'horaire de mon après-midi pour avoir une expertise d'urgence avec un collègue. Il me fit quelques suggestions extraordinaires. Je rappelai Susan au téléphone sur-le-champ pour lui donner quelques tuyaux pour résoudre son indécision. Elle fut alors capable d'en arriver à une décision satisfaisante en 15 minutes et en éprouva instantanément du soulagement.

TABLEAU 14-2

Réactions face à l'ingratitude.

Réactions spontanées	*Réactions rationnelles*
1. Comment une femme aussi brillante peut-elle être si illogique ?	1. C'est facile ! Sa pensée illogique est la source de sa dépression. Si elle ne privilégiait pas constamment ses pensées négatives au détriment des positives, elle ne serait pas si souvent déprimée. C'est à toi de l'entraîner à s'en sortir.
2. Mais je ne puis. Elle a décidé de m'écraser. Elle ne me donnera pas une once de satisfaction.	2. Elle n'a pas à te donner de satisfaction. Seul toi peux le faire. Ne te rappelles-tu pas que seulement tes pensées influent sur tes humeurs ? Pourquoi ne pas te donner le crédit de ce que tu fais ? N'attends pas qu'elle le fasse. Tu n'as fait qu'apprendre quelques idées brillantes sur la façon de guider les gens dans leur prise de décisions. Est-ce que cela ne compte pas ?
3. Mais elle doit admettre que je l'ai aidée ! Elle doit en être reconnaissante !	3. Pourquoi « doit »-elle l'être ? La vie n'est pas un conte de fées. Si elle le doit, elle le fera probablement, mais elle ne le peut maintenant. Elle y arrivera, mais elle devra renverser un modèle incrusté de pensée illogique qui a dominé son esprit depuis plus de 10 ans. L'idée qu'elle obtient de l'aide l'effraie sans doute et elle craint d'être de nouveau désillusionnée. Ou peut-être craint-elle de se faire dire : « Je vous l'avais dit. » Sois comme Sherlock Holmes et essaie de résoudre ce casse-tête. Il est inutile d'exiger qu'elle soit différente de ce qu'elle est.

Quand elle vint à la prochaine séance qui avait été prévue, elle déclara qu'elle se sentait détendue depuis notre conversation et qu'elle avait pris les dispositions nécessaires pour fréquenter le collège de son choix. Je m'attendais à une expression de gratitude de sa part pour les efforts ardus que j'avais déployés pour elle et lui demandai si elle était toujours convaincue de l'inefficacité pour elle des techniques cognitives. Elle répliqua : « Bien sûr que oui ! Cela prouve la justesse de mon opinion. J'étais poussée au pied du mur et je devais prendre une décision. Le fait que je me sente bien n'a rien à voir parce que ça ne durera pas. Cette stupide thérapie ne peut m'aider. Je serai déprimée pour le reste de ma vie ! » Je pensai : « Mon Dieu ! Comme vous pouvez être illogique ! Je pourrais changer la boue en or que vous ne le remarqueriez même pas ! » Mon sang bouillonnait. Aussi décidai-je de recourir à la technique de la double colonne plus tard dans la journée pour essayer de calmer mes esprits (voir tableau 14-2, page 410).

En mettant sur le papier mes réactions spontanées, j'ai eu conscience de la présomption irrationnelle qui m'avait conduit à être bouleversé par son ingratitude. C'était comme suit : « Si je fais quelque chose pour aider quelqu'un, on doit être reconnaissant et me récompenser pour cela. » Ce serait simple si les choses fonctionnaient ainsi, mais ce n'est malheureusement pas le cas. Personne n'a l'obligation morale ou légale de m'être reconnaissant pour mon habileté, ni de me louanger pour les efforts que je déploie pour eux. Donc, pourquoi m'attendre ou exiger qu'il en soit ainsi ? Je décidai de m'ajuster à la réalité et d'adopter une attitude plus réaliste : « Si je fais quelque chose pour aider quelqu'un, il y a des chances que la personne en question l'apprécie et ne s'en sente que mieux, mais de temps à autre il n'en sera pas ainsi. Si la réaction est déraisonnable, cela se reflétera sur cette personne, pas sur moi, donc pourquoi en être bouleversé ? Cette attitude m'a rendu la vie plus agréable et, de surcroît, j'ai reçu tous les témoignages de gratitude que je pouvais désirer de mes patients. Incidemment, Susan m'a téléphoné l'autre jour. Elle réussit bien au collège, où elle est sur le point d'obtenir son diplôme.

Son père est déprimé et elle me demande de le diriger vers un bon praticien des techniques cognitives. Peut-être est-ce sa façon de dire merci!

Face au doute et au sentiment d'impuissance : la femme qui décida de se suicider

En route vers mon bureau le lundi, je me demande toujours ce que la semaine me réserve. Ce lundi matin-là, un coup dur m'attendait. En pénétrant dans mon bureau, j'aperçus quelques feuilles de papier qui avaient été glissées sous la porte pendant le week-end. C'était une lettre de 24 pages d'une de mes patientes prénommée Annie. Celle-ci m'avait été dirigée plusieurs mois auparavant, le jour de son vingtième anniversaire, après que plusieurs thérapeutes l'eurent traitée pendant huit ans pour un terrible et grotesque trouble du comportement. Depuis l'âge de ses 12 ans, la vie d'Annie s'était transformée en un tissu de cauchemars fait de dépression et d'automutilation. Elle aimait se lacérer les bras avec des objets contondants, coupures qui une fois nécessitèrent 200 points de suture. Elle faillit se suicider plusieurs fois.

Fébrilement, je pris connaissance de sa communication. Annie avait exprimé récemment un désespoir profond. En plus de sa dépression, elle souffrait de boulimie et, la semaine précédente, elle s'était payé une «grande bouffe» de trois jours. Allant d'un restaurant à l'autre, elle s'était empiffrée sans arrêt pendant des heures. Puis elle se faisait vomir et mangeait de nouveau. Dans sa missive, elle se qualifiait elle-même de «poubelle humaine» et estimait qu'elle était un cas désespéré. Elle indiquait qu'elle avait décidé de tout lâcher parce qu'elle se rendait compte qu'elle était «moins que rien».

Sans en lire davantage, je me rendis à son appartement. Ses compagnes de chambre m'informèrent qu'elle avait fait ses bagages et avait «quitté la ville» pour trois jours sans expliquer où elle allait ni dans quel but. Une grande inquiétude m'envahit. C'est exactement ce qu'elle avait fait à l'occasion de ses dernières tentatives de suicide avant mon traitement : Elle s'était rendue dans un motel s'enregistrer sous un faux nom puis avait absorbé une dose excessive de médicaments. Je poursuivis la lecture de sa lettre. Elle déclarait : «Je suis vidée, je suis comme une ampoule brûlée. Vous pouvez la brancher sur de l'électricité, elle ne s'allumera pas. Je suis désolée, mais je pense qu'il est trop tard. Je ne suis pas pour entretenir de faux espoirs plus longtemps… Pendant les tout derniers instants, je ne me sens pas particulièrement triste. Si souvent, cette fois-là encore, j'ai essayé de m'agripper à la vie en espérant refermer mes mains sur quelque chose – n'importe quoi – mais je n'ai pu saisir que du vide.»

Cela semblait une sérieuse note de suicide, même si aucune menace à cet effet n'était exprimée. Un sentiment d'impuissance et d'inquiétude m'envahit. Elle était disparue sans laisser de trace. J'étais furieux et anxieux. Comme je ne pouvais rien pour elle, je décidai d'inscrire les pensées spontanées surgissant dans mon esprit. J'espérai que quelques éléments rationnels viendraient m'aider à affronter l'inquiétude intense que j'éprouvais (voir Tableau 14-3, page 414).

Après avoir mis de l'ordre dans mes pensées, je décidai de consulter mon associé, le Dr Beck. Il admit que je pouvais présumer qu'elle était en vie jusqu'à preuve du contraire. Il me prévint que, si on devait la trouver morte, je pourrais alors apprendre à affronter l'un des risques professionnels inhérents au traitement de la dépression. Si elle était en vie, comme on le présumait, il signala l'importance de continuer le traitement jusqu'à ce que sa dépression finisse par se résorber.

L'effet de cette conversation et de l'exercice écrit fut magnifique. Je me rendis compte que je n'étais pas justifié d'appréhender «le pire» et que j'avais le droit de décider de ne pas me rendre

TABLEAU 14-3

Réactions face à l'incertitude.

Réactions spontanées	Réactions rationnelles
1. Elle a probablement tenté de se suicider – et a réussi.	1. Rien ne prouve qu'elle soit morte. Pourquoi ne pas présumer qu'elle est vivante jusqu'à preuve du contraire ? Dans l'intervalle, tu n'as pas à te faire de mouron.
2. Si elle est morte, cela signifie que je l'ai tuée.	2, Non, tu n'es pas un tueur. Tu essaies d'aider.
3. Si j'avais fait quelque chose de différent pour elle la semaine dernière, j'aurais pu prévenir cela. C'est de ma faute.	3. Tu ne dis pas la bonne aventure ; tu ne peux prédire l'avenir. Tu fais pour le mieux suivant ce que tu sais. Tire la ligne et respecte-toi.
4. Cela n'aurait pas dû arriver ; j'ai essayé si fort de l'aider !	4. Ce qui est arrivé est arrivé. L'effort maximum que tu as déployé n'apporte aucune garantie quant aux résultats. Tu ne peux la diriger, mais tu peux diriger tes efforts.
5. Cela signifie que ma méthode est de seconde classe.	5. Ta méthode est l'une des meilleures et tu y consacres beaucoup d'efforts et de dévouement, obtenant des résultats marquants. Tu n'es pas de seconde classe.
6. Ses parents seront furieux contre moi.	6. Peut-être que oui, peut-être que non. Ils savent que tu as fait l'impossible pour elle.
7. Le Dr Beck et mes associes seront furieux contre moi. Ils constateront mon incompétence et me regarderont de haut.	7. Très peu probable. Nous serons tous désappointés de perdre un patient à la guérison duquel on a consacré tant de temps, mais tes pairs ne penseront pas que tu les as laissés tomber. Si cela te préoccupe, appelle-les ! Pratique ce que tu prêches, Burns.

TABLEAU 14-3 (suite)

Réactions face à l'incertitude.

Réaction spontanée	Réaction rationnelle
8. Je me sentirai misérable et coupable jusqu'à ce que je découvre ce qui est arrivé. On s'attend à ce que je me sente ainsi.	8. Tu te sentiras misérable si tu conjectures une issue négative. Les chances sont : a) à l'effet qu'elle est vivante ; et b) qu'elle ira mieux. Choisis cette option et tu te sentiras mieux ! Rien ne t'oblige à te sentir mal. Tu as le droit de refuser d'être bouleversé.

misérable devant sa tentative possible de suicide. Je décidai que je ne pouvais être tenu responsable des actes de ma patiente – seulement des miens –, que j'avais bien agi avec elle et que je continuerais indéfectiblement à le faire jusqu'à ce qu'elle et moi finissions par juguler sa dépression et savourer la victoire.

Anxiété et colère s'estompèrent et je me sentis détendu et en paix jusqu'à ce que je reçoive des nouvelles d'elle par téléphone un mercredi matin. On l'avait trouvée sans connaissance dans une chambre de motel à 80 kilomètres de Philadelphie. C'était sa huitième tentative de suicide, mais elle était vivante et se plaignait, comme d'habitude, à l'unité des soins intensifs d'un hôpital isolé.

Elle devait survivre, mais on lui fit une chirurgie plastique pour remplacer l'épiderme au-dessus de ses coudes et de ses chevilles à cause du dommage causé par sa longue période d'inconscience. J'organisai son transfert à l'Université de Pennsylvanie, où elle reprendrait mes implacables béquilles cognitives !

Quand je lui parlai, elle était terriblement amère et désespérée. Les deux mois suivants de thérapie furent particulièrement turbulents. Mais la dépression commença finalement à s'estomper dans le onzième mois et, exactement un an après le jour où elle me fut envoyée – le jour de son vingt et unième anniversaire –, les symptômes de dépression disparurent.

Bilan : J'exultai de joie. Les femmes doivent éprouver ce sentiment quand elles voient leur nourrisson pour la première fois après la délivrance. Tous les inconvénients de la gestation et de la douleur sont alors oubliés. C'est la célébration de la vie, une expérience profonde. Plus la dépression est chronique et grave, plus intense est le combat thérapeutique, mais le patient et moi-même découvrons enfin la combinaison qui ouvre la porte de la paix intérieure, les richesses qui s'y trouvent compensant largement l'effort ou la frustration rencontrés sur la voie.

Sixième partie

La chimie des humeurs

Chapitre 15

Le guide du consommateur concernant la thérapie par antidépressifs

À la recherche de la « bile noire »

À travers les âges, l'homme a recherché les causes de la dépression. Même dans l'Antiquité, on se demandait si la mélancolie n'était pas due, du moins en partie, à un déséquilibre de la chimie du corps humain. Hippocrate (460-335 av. J.-C.) attribuait la tristesse à la bile noire. Récemment, des scientifiques ont entrepris une recherche intensive sur la bile noire. On essaie de déceler des anomalies dans la chimie du cerveau qui causeraient la dépression. Nous avons des indices de solution mais, en dépit de moyens de recherche de plus en plus raffinés, la solution définitive est encore hors de notre portée. Tôt ou tard, les neurochimistes pourront nous fournir une technologie terrifiante nous permettant de régler nos humeurs à volonté. Ce sera l'une des découvertes les plus extraordinaires – et les plus aberrantes sur le plan philosophique – de l'histoire de l'humanité. Pour ce qui est de l'avenir immédiat, les buts sont beaucoup plus modestes. Nous tentons d'accroître la précision en matière du diagnostic des maladies dépressives et d'élaborer des méthodes de traitement plus humaines et plus efficaces.

Sur quelle base fondons-nous la croyance qu'il peut y avoir un facteur chimique dans la dépression ? Tout d'abord, les symptômes physiques (somatiques) de la dépression étayent la notion qu'il y a changement organique au moins dans quelques dépressions. Ces changements dans les fonctions du corps incluent, entre autres, l'agitation (activité nerveuse accrue se traduisant par le mouvement et la trituration des mains), ou le retard (immobilité apathique : Vous vous sentez comme une tonne de briques et ne faites rien). Vous pouvez subir également une variation «diurne» de l'humeur (cela se traduit par une aggravation matinale des symptômes dans certaines dépressions), des changements schématiques du sommeil (l'insomnie en est la forme la plus commune), la constipation, des anomalies dans l'appétit), un pouvoir de concentration réduit et une baisse d'intérêt pour la sexualité.

Un second argument renforce l'opinion de ceux qui croient que la dépression est due à une cause physiologique : Le fait que quelques formes de déséquilibre des humeurs ont cours dans des familles entières indiquerait un rôle joué par des facteurs génétiques. Si une anomalie transmise génétiquement prédispose à la dépression certains individus, ce serait vraisemblablement sous la forme d'un déséquilibre dans la chimie du corps, comme c'est le cas dans plusieurs maladies génétiques.

La recherche contemporaine sur la chimie des désordres humoraux a commencé il y a quelques décennies lorsqu'on examina l'hypothèse selon laquelle la dépression résulterait d'une décroissance de certaines substances du cerveau techniquement connues sous le nom d'«amines[1]». Que sont les amines ? Ce sont des transmetteurs chimiques que les nerfs utilisent pour s'envoyer des messages. Les amines sont les «postiers» biochimiques du cerveau ; elles sont particulièrement concentrées dans le système lobulaire, région primitive du cerveau qui semble jouer un rôle régulateur des humeurs.

---

1. Les amines en cause dans les troubles de l'humeur comprennent la norépinéphrine, la dopamine et la sérotonine.

Des découvertes faites à la suite de plusieurs types de recherches corroborent cette théorie sur les amines. Ces découvertes peuvent se résumer comme suit :

1. Quelques médicaments (pas tous) prescrits pour le traitement de l'hypertension semblent produire des crises dépressives chez les individus prédisposés à des désordres humoraux. Ces médicaments ont tendance à épuiser le cerveau de ses acides aminés. Une baisse de niveau en amines peut déclencher la dépression.

2. Des médicaments qui augmentent le niveau d'amines du cerveau provoquent un accroissement d'activité et de vivacité chez les animaux en laboratoire. Réciproquement, des médicaments qui bloquent ou réduisent l'activité des amines dans le cerveau ont un effet sédatif et léthargique chez ces animaux. Bien qu'une telle activité accrue ou réduite chez les animaux ne constitue pas de toute évidence un modèle identique pour expliquer une cause physiologique potentielle de dépression ou d'exaltation chez l'humain, il n'en demeure pas moins qu'on peut observer un changement d'activité et de vivacité dans les désordres humoraux chez l'humain. Donc, ces expériences en laboratoire corroborent la théorie des amines.

3. La plupart des médicaments employés dans le traitement de la dépression favorisent effectivement l'activité et augmentent les niveaux d'amines messagers du cerveau. Par exemple, dans une remarquable série d'expériences effectuées à New York, un groupe de patients souffrant de dépression ont pris un médicament ayant pour effet d'intensifier les concentrations d'amines dans le cerveau. Après quelques semaines de traitement, la méthode clinique permit de noter une amélioration de l'état des patients. On leur administra alors un second médicament qui réduit les amines du cerveau. Tous les patients ont eu une rechute

dépressive dans les deux jours subséquents. Quand on cessa d'administrer le second médicament, de sorte que les amines du cerveau purent augmenter, les patients se rétablirent. Ces constatations laissent croire que les amines du cerveau peuvent vraiment être l'agent chimique causant pour le moins quelques types de dépression, étant donné que les humeurs des patients semblent cycliquement s'élever ou s'abaisser en fonction des changements de niveau d'amines du cerveau.

4. Les recherches sur ces niveaux d'amines et leurs substances dépressives dans le sang, l'urine et la moelle épinière de sujets déprimés ont permis d'amasser des documents permettant de prédire des déficiences chez certains (pas tous) d'entre eux.

Comme vous pouvez le constater, certaines données semblent prometteuses. Cela signifie-t-il que nous avons identifié la cause précise de la dépression? Loin de là! Notre compréhension du fonctionnement du cerveau est très rudimentaire. Nous sommes encore à l'ère du Modèle T à cet égard et l'avènement de l'avion à réaction est encore loin! Mais un effort de recherche important a été déclenché et se déploie rapidement. Il pourra en fin de compte nous amener à lever le voile sur la mystérieuse «bile noire».

Comment les antidépressifs affectent le cerveau

Dans les prochains paragraphes, j'ai réduit à leur plus simple expression les données étayant notre compréhension courante de la façon dont les médicaments agissent sur les nerfs de notre cerveau. Toutefois, si le mot même de «chimie» vous noue l'esprit, sautez par-dessus et passez tout de suite à la section suivante traitant des détails pratiques sur l'administration des médicaments.

Le cerveau est essentiellement un circuit électrique. Les nerfs ou «fils» se transmettent des signaux l'un l'autre au moyen de messagers chimiques (voir Tableau 15-1, page 424). Si les nerfs manquent de ces messagers chimiques, de mauvaises connexions s'établissent entre les «fils» du cerveau. Il en résulte une sorte d'électricité statique émotive et mentale, un peu comme dans une radio dont un fil du syntonisateur serait lâche. L'«électricité statique» émotive pourrait se comparer à la dépression. Réciproquement, on croit que certains états qui tiennent de la folie – dans lesquels le patient est envahi d'un incontrôlable paroxysme d'émotions – causés par un niveau d'activité excessif de ces messagers chimiques provoquent une fonction nerveuse hyperactive.

Comment les antidépressifs corrigent-ils cela? Il y a en usage quatre catégories d'agents antidépressifs. Très fréquemment prescrits, les antidépressifs «tricycliques» (Tableau 15-1, page 424) semblent rehausser l'efficacité des messagers de l'humeur du cerveau dans les synapses, bien qu'ils ne causent pas d'accroissement réel des niveaux de ces substances.

Une seconde catégorie de médicaments antidépressifs comprend les inhibiteurs MAO. tels que Parnate (tranylcypromine), Marplan (isocarboxazide) et Nardil (phénelzine). Ils provoquent un accroissement réel des niveaux de messagers amines dans les régions dites «émotives» du cerveau. On corrige la présumée déficience en acides aminés en chargeant le cerveau d'un apport supplémentaire d'agents transmetteurs chimiques. Le carbonate de lithium constitue la troisième catégorie d'antidépressifs. Les effets du lithium sont plus complexes et moins connus. Le lithium, semblable au sel de table, est reconnu comme «électrolyte».

Il élimine les cycles destructeurs de l'humeur chez les patients dont les sentiments oscillent à l'improviste d'une incontrôlable et extrême exaltation au plus profond désespoir.

On n'a pas encore expliqué avec certitude comment un médicament peut avoir deux effets opposés et ce paradoxe constitue l'une des nombreuses énigmes que les chercheurs en psychiatrie essaient de résoudre. Selon une hypothèse courante, le lithium stabilise les niveaux de messagers chimiques de telle sorte que les oscillations cycliques dans les concentrations en amines ont moins tendance à survenir.

Le Levo-tryptophane constitue le quatrième et le plus récent type d'antidépressif. Cet acide aminé se produit naturellement, est présent dans une alimentation normale et est utilisé par le cerveau dans la synthèse d'un des messagers chimiques. Considéré comme vital pour l'équilibre de l'humeur, ce produit a fait l'objet de recherches intensives au cours des 10 dernières années. Le Levo-tryptophane est particulièrement fascinant parce qu'il passe rapidement de l'estomac aux centres de l'humeur dans le cerveau. Aussi l'a-t-on présenté comme agent antidépressif naturel. Les recherches au cours des prochaines 10 années feront indubitablement avancer notre compréhension de la façon dont le cerveau régit nos états émotifs et on espère que notre panoplie

TABLEAU 15-1

Comment les nerfs s'échangent les messagers.

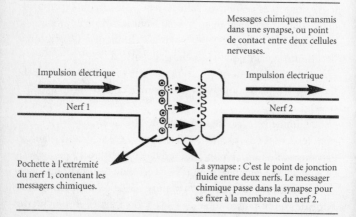

Messages chimiques transmis dans une synapse, ou point de contact entre deux cellules nerveuses.

Impulsion électrique

Impulsion électrique

Nerf 1

Nerf 2

Pochette à l'extrémité du nerf 1, contenant les messagers chimiques.

La synapse : C'est le point de jonction fluide entre deux nerfs. Le messager chimique passe dans la synapse pour se fixer à la membrane du nerf 2.

d'agents antidépressifs sera substantiellement augmentée et renforcée. Voici tout ce que nous pouvons en dire à présent :

1. Au moins une douzaine de médicaments antidépressifs différents sont efficaces.

2. Pour certains patients, ces médicaments sont très efficaces, tandis que chez d'autres les effets sont décevants.

3. Nous ne pouvons qu'élaborer des hypothèses savantes pour établir quel agent agira le mieux sur tel ou tel patient. Certains patients devront essayer plusieurs antidépressifs avant de découvrir celui qui agit le mieux parce que nous n'avons pas encore trouvé de méthode entièrement efficace de le faire, basée sur des caractéristiques cliniques ou des tests de laboratoire.

4. Des tests sanguins pour mesurer les niveaux d'antidépressifs tricycliques ont été récemment mis au point dans des centres de recherche et deviennent rapidement offerts en clinique. Ces tests guideront les thérapeutes pour administrer la bonne dose d'antidépressifs et peuvent grandement améliorer l'efficacité thérapeutique et la sécurité des médicaments.

Ce que vous et votre médecin devez savoir sur les antidépressifs communément prescrits

Médicaments tricycliques. Les antidépressifs tricycliques sont présentement les médicaments les plus répandus (le mot *tricyclique* a simplement trait à leur structure chimique, qui groupe trois anneaux reliés). Une liste des médicaments tricycliques le plus souvent prescrits, de même qu'une information utile concernant leur posologie et leurs effets secondaires, sont reproduites au tableau 15-2, page 426.

L'erreur la plus répandue et que votre médecin est susceptible de commettre consiste à vous prescrire une dose trop faible. Cette

TABLEAU 15-2

Antidépressifs tricycliques.

AGENT[1]	Effets sédatifs[2]	Autres effets secondaires (assèchement de la bouche, constipation, aberrations visuelles)[3]	Dose totale quotidienne normalement efficace[4]	Période de la journée où prendre le médicament[5]
Imipramine (Tofranil, Imanate, Présamine, Pramine-Sk, Janimine)	modérés	modérés	150-300 mg	modèle 1
Désipramine (Pertofrane, Norpramine)	modérés	modérés	150-250 mg	modèle 1
Amitriptyline (Elavil, Endep)	substantiels	modérés	75-300 mg	modèle 1
Nortriptyline (Aventyle)	substantiels	modérés	50-150 mg	modèle 1
Protriptyline (Vivactil)	faibles	modérés	10-60 mg	modèle 2
Doxépine (Sinéquane, Adapine)	substantiels	faibles	150-300 mg	modèle 1

1. Le nom chimique est donné en premier et les noms des marques apparaissent entre parenthèses. Si votre médecin indique le nom chimique dans son ordonnance, le pharmacien peut, à votre demande, substituer une marque meilleur marché s'il en a.

2. Des études récentes ont permis de démontrer que ces médicaments très sédatifs peuvent avoir le plus grand effet pour combattre l'anxiété et la nervosité. Lorsqu'ils sont pris la nuit, les agents sédatifs aident à réduire l'insomnie.

3. Les effets secondaires, s'ils sont incommodants, peuvent être réduits en diminuant la dose. Plus importants les premiers jours, ils tendent à disparaître par la suite.

4. Ces doses sont prescrites pour le traitement d'une dépression épisodique. Certains patients peuvent requérir et bénéficier de doses excédant l'échelle normale. Si une thérapie de rappel suivant le rétablissement peut sembler souhaitable, deux tiers de la dose prise en phase aiguë du traitement est recommandée.

5. Modèle 1 : Jusqu'à la moitié de la dose maximum prescrite peut être prise une fois par jour avant le coucher. Cette dose favorise le sommeil et la plupart des effets secondaires se manifestent pendant votre sommeil. Si des doses plus fortes sont requises, les médicaments additionnels devraient être pris en doses séparées aux repas.
Modèle 2 : Ce médicament est stimulant et doit se prendre à doses séparées le matin et le midi. Ingéré plus tard dans la journée, il peut perturber le sommeil.

affirmation peut contredire votre intuition selon laquelle vous devez absorber la plus faible dose possible. Pour ce qui est des tricycliques, si la dose prescrite est trop faible, ils ne seront pas efficaces. Si vous persistez à prendre une dose quotidienne trop faible, vous perdrez votre temps. Cela ne vous sera d'aucune utilité. Par contre, les doses excédant celles qui sont recommandées en 15-2 peuvent être dangereuses et, dans certains cas, aggraver votre dépression. Mon avis en deux mots : Consultez un médecin spécialisé dans les traitements par antidépressifs ; suivez ses avis raisonnablement ; et révisez avec lui le tableau 15-2 si vous pensez prendre une dose trop forte ou trop faible.

L'autre erreur susceptible d'être commise par votre médecin consiste à vous prescrire un antidépressif particulier pendant plusieurs mois alors qu'aucune preuve précise n'indique que votre état s'est amélioré. Cela n'a vraiment pas de sens à mes yeux. Pourtant, j'ai vu plusieurs individus souffrant de dépression grave déclarer avoir été traités continuellement avec le même antidépressif pendant des mois, voire des années, sans noter le moindre effet bénéfique. Dans de tels cas, il est très clair que le médicament n'agit pas. Alors pourquoi continuer de le prendre ? Si un médicament ne commence pas à avoir d'effet suffisamment notoire, comme l'indiquerait une chute continuelle du total d'un test IDB (voir chapitre 2) après trois ou quatre semaines d'essai à dose convenable, il serait indiqué d'essayer un autre agent tricyclique.

La meilleure façon d'amorcer un traitement par médicament tricyclique est de le faire à petite dose augmentant chaque jour jusqu'à ce que la limite de la gamme thérapeutique normale soit atteinte. Cet objectif peut être atteint habituellement en une semaine. Par exemple, la dose quotidienne typique pour l'imipramine, médicament en tête de liste du tableau 15-2, pourrait être comme suit :

Premier jour : 50 mg au coucher

Deuxième jour : 75 mg

Troisième jour : 100 mg
Quatrième jour : 125 mg
Cinquième jour : 150 mg

Si la posologie doit excéder 150 milligrammes par jour, le médicament doit être prescrit en doses séparées durant la journée. Les doses quotidiennes allant jusqu'à 150 milligrammes peuvent être prises une fois par jour au coucher, les facteurs antidépressifs agissant toute la journée tandis que les effets secondaires les plus ennuyeux surviendront la nuit, où ils seront moins remarqués.

Somnolence, assèchement de la bouche, léger tremblement des mains, étourdissement transitoire et constipation comptent parmi les effets secondaires les plus communs. Ces symptômes apparaissent généralement les premiers jours et, exception faite de l'assèchement de la bouche, ils ont tendance à s'estomper avec l'accoutumance. Si vous vous en accommodez, ils disparaissent souvent spontanément après quelques jours. Si les effets sont assez importants pour vous incommoder, il est préférable de réduire la dose graduellement, mais ne le faites pas brusquement. L'abandon brusque du médicament peut provoquer un dérangement de l'estomac ou de l'insomnie.

Les effets secondaires indiquant que vous prenez une dose excessive incluent la difficulté d'uriner, l'embrouillement de la vision, la confusion mentale, le tremblement prononcé, le vertige ou la transpiration accrue. Une réduction de dose devant de tels symptômes est certainement indiquée.

Un laxatif bénin ou un purgatif peut aider si la constipation survient. Un étourdissement surviendra probablement si vous vous levez brusquement. Cela est dû au sang accumulé dans les jambes et persistera pendant quelques secondes. Si vous vous levez lentement et précautionneusement, ou si vous agitez vos jambes avant de vous lever (en tendant et relâchant les muscles des jambes comme lorsque vous courez sur place), ce problème ne se présentera pas.

Certains patients rapportent s'être sentis «étranges», «déphasés» ou «irréels» pendant les tout premiers jours qu'ils prenaient des médicaments. Une enquête permit de faire état de réactions semblables chez des patients ayant ingéré des placebos (pilules de sucre) en guise d'antidépressifs. Il en découle que plusieurs pseudo-effets secondaires peuvent être imaginaires, jusqu'à un certain point, et peuvent résulter de craintes à l'égard même des médicaments plutôt que d'un effet réel du médicament. Quand des patients déclarent se sentir étranges au cours du premier ou deuxième jour sous médication antidépressive, je leur conseille habituellement de poursuivre la dose, et dans la plupart des cas cette sensation d'inconfort se résorbe complètement en quelques jours.

Les médicaments tricycliques peuvent stimuler votre appétit. Si la dépression vous a fait maigrir, ce regain d'appétit peut vous être bénéfique. Toutefois, si vous souffrez d'embonpoint, vous devrez peut-être songer à un régime alimentaire pour ne pas engraisser, car cela pourrait vous démoraliser.

Combien de temps devrez-vous attendre avant de pouvoir vous sentir mieux? Cela prend habituellement au moins deux ou trois semaines avant que la médication commence à améliorer votre humeur. On ne sait pas pourquoi les antidépressifs agissent après un tel délai (celui qui le découvrira sera sans doute un bon candidat au prix Nobel). Plusieurs patients ont envie de cesser de prendre des antidépressifs avant l'échéance de ces trois semaines, croyant qu'ils n'ont pas d'effet. Cela est illogique et sent le défaitisme puisqu'il est rare que ces agents soient efficaces sur-le-champ.

Quel degré d'amélioration de l'humeur devez-vous espérer? Je conseille le test IDB comme moyen de référence (chapitre 2). Faites le test une ou deux fois la semaine au cours de votre traitement. Fixez-vous comme objectif d'abaisser le total jusqu'à l'échelle considérée comme normale (sous 10). On ne peut considérer que le traitement est complètement réussi si votre total reste au-dessus de 10. Si après trois ou quatre semaines de traitement le total 1DB ne s'était pas abaissé substantiellement, je recommanderais d'interrompre l'usage du médicament en question. Dans un tel cas, votre médecin vous recommanderait sans doute d'adopter un autre médicament tricyclique. Ce serait une bonne décision car plusieurs patients qui ne réagissent pas bien au premier agent pourront le faire avec le second ou le troisième. Si votre état ne s'est pas amélioré après avoir essayé plusieurs médicaments tricycliques différents, peut-être vaudrait-il mieux adopter un type tout à fait différent d'antidépresseurs, tels les inhibiteurs MAO[2].

Quelles chances avez-vous de bien réagir à un agent tricyclique particulier? La plupart des enquêtes ont permis de constater qu'environ 65 % de patients en état de dépression réagiront bien au premier antidépressif tricyclique qu'on leur présente. Comme il y a environ 30 % de patients traités avec succès au placebo, un antidépressif doublera vos chances de guérison au cours du premier ou du deuxième mois de traitement. Si vous essayez successivement plusieurs agents, vos chances de récupérer sont beaucoup plus grandes. Mais ne prenez pas plusieurs médicaments différents simultanément.

Après que vous avez réagi favorablement, combien de temps devez-vous continuer à prendre le médicament? Vous et votre médecin devrez prendre cette décision ensemble. S'il s'agit d'une première dépression, vous pouvez probablement cesser de prendre le médicament et continuer de vous sentir normal. Si vous avez subi plusieurs années de dépression ininterrompue, ou si vous avez été sujet à des crises récurrentes, vous pourrez envisager une

---

2. Si vous passez d'un médicament tricyclique à un inhibiteur MAO, il est impératif que vous cessiez de prendre tout médicament pendant au moins 10 jours. Également, si vous passez d'un inhibiteur MAO à un médicament tricyclique, une période de 10 jours sans médicament est aussi prescrite.

thérapie de rappel pendant une année ou plus aux deux tiers de la dose que vous preniez lorsque votre état s'est amélioré. Une recherche récente a permis d'indiquer qu'une thérapie de rappel peut réduire la résurgence de rechutes dépressives. Comme les médecins sont de plus en plus au courant de la tendance aux rechutes que présentent les troubles de l'humeur, le recours aux antidépressifs sur une base prophylactique se répand de plus en plus.

Que devez-vous faire si la dépression revient éventuellement? Devrez-vous essayer un nouveau médicament? Non! Vous avez de bonnes chances de bien réagir de nouveau à l'agent original. Il peut être la bonne «clé» biologique pour vous. Donc, faites de nouveau usage de ce médicament : Restez avec un gagnant! Si des membres de votre parenté souffrent d'une dépression, ce même médicament pourra être un bon choix pour eux puisque la réaction d'une personne aux antidépressifs, comme la dépression elle-même, semble dépendre de facteurs génétiques.

Inhibiteurs MAO. Ces agents furent les premiers antidépressifs à avoir été largement répandus il y a plusieurs années, avant de tomber relativement en désuétude quand les nouveaux composés tricycliques, un peu plus sécuritaires, furent mis au point. Au cours des dernières années, les inhibiteurs MAO ont connu un retour de popularité, étant souvent d'une efficacité remarquable pour les patients qui ne réagissent pas bien aux tricycliques, surtout ceux qui ont subi tant d'années de dépression que cette triste maladie est devenue un mode de vie malencontreux. Les inhibiteurs MAO sont particulièrement efficaces pour une dépression atypique caractérisée par des phobies et une grande anxiété, des accès de colère chroniques, des lamentations hypocondriaques ou un comportement d'automutilation. Les patients souffrant de pensées obsessives et compulsives récurrentes, de manies rituelles insensées (lavage de mains fréquent, vérification répétitive de l'état des serrures de porte) éprouvent du soulagement lorsqu'ils sont traités avec les inhibiteurs MAO. Ces médicaments requièrent un contrôle médical attentif et une collaboration étroite avec votre médecin. Ils valent l'effort exigé car ils peuvent sauver des vies lorsque d'autres médicaments se montrent inefficaces et ils peuvent produire de profondes et bénéfiques transformations de l'humeur.

Comme les composés tricycliques, les inhibiteurs MAO deviennent efficaces après au moins deux ou trois semaines d'utilisation. Votre médecin voudra obtenir une expertise médicale avant de commencer à vous administrer ce type de médicament. Cette expertise doit comprendre un examen physique, un examen de la poitrine aux rayons X, un électrocardiogramme, un dénombrement des hématies, des tests cliniques du sang et une analyse de l'urine. On compte parmi les médicaments les plus fréquemment prescrits Parnate, Nardil et Marplan. Voir les posologies au tableau 15-3. Une erreur d'ordonnance fréquente consiste à donner trop tôt une forte dose. Comme ces médicaments ont parfois tendance à stimuler, ils peuvent provoquer l'insomnie. Afin de réduire cette possibilité, la dose entière peut se prendre une fois par jour le matin. Les effets stimulants des inhibiteurs MAO peuvent se révéler particulièrement salutaires pour les individus déprimés qui se sentent souvent fatigués, léthargiques et apathiques. Ils peuvent leur fournir l'énergie désirée !

TABLEAU 15-3

Échelles posologiques des inhibiteurs MAO

Marque de commerce	Nom chimique	Échelle posologique
Marplan	Isocarboxazide	10-30 mg par jour
Nardil	Phénélyzine	10-75 mg par jour
Parnate	Tranylcypromine	10-50 mg par jour

Les effets secondaires, généralement peu prononcés, sont semblables à ceux des médicaments tricycliques : assèchement de la bouche, vertige lorsque le patient se lève brusquement, retard à uriner, ou irruption cutanée. Un relâchement des selles ou une constipation peut aussi se produire. Ces effets secondaires ne sont pas dangereux.

Les inhibiteurs MAO sont susceptibles, dans de rares cas, de produire de sérieux effets toxiques si on ne les prend pas correctement. Le plus dangereux est une hypertension artérielle pouvant survenir si vous mangez certains aliments ou prenez des médicaments contre-indiqués (voir Tableau 15-4, page 434). C'est pourquoi votre thérapeute doit prendre votre pression artérielle à chaque visite, à moins que vous ne préfériez vous procurer votre propre appareil de lecture pour la contrôler chaque jour afin d'être sûr et certain. Les aliments à éviter sont ceux qui contiennent une substance appelée «tyramine», qui peut perturber l'aptitude du cerveau à régler correctement votre pression artérielle si vous prenez un inhibiteur MAO. Si vous surveillez attentivement votre régime, vous ne devriez pas connaître d'hypertension indue.

Lithium. En 1949, un psychiatre australien, John Cade, constata que le lithium, un sel ordinaire, produisait un effet sédatif chez les cobayes. Il administra alors cet agent à un patient présentant des symptômes tenant de la folie et observa un effet calmant prononcé. Il étoffa cette expérience sur d'autres patients. Dès lors, le lithium a progressivement gagné en popularité, quoiqu'il soit encore plus largement accepté et utilisé en Europe qu'aux États-Unis. On l'utilise pour deux raisons principales :

1. le renversement des états qui tiennent de la folie;
2. la prévention des changements d'humeur maniaco-dépressifs chez les individus ayant une forme bipolaire de maladie maniaco-dépressive.

«Bipolaire» signifie simplement «deux pôles» : Le patient éprouve des élans incontrôlables d'euphorie suivis de dépressions profondes. La phase maniaque se caractérise par un état d'âme extrêmement exalté et extatique, des niveaux exagérés de confiance en soi et de magnificence, des flots de paroles, une hyperactivité

TABLEAU 15-4

**Aliments et médicaments contre-indiqués
si vous prenez des inhibiteurs MAO**

ALIMENTS : chocolat ; fromage, surtout les fromages forts et avancés ; harengs marinés ; sauce soja ; gousses de fèves ; figues en conserve ; bananes ou avocats ; raisins ; tous types de foie ; levure ou extraits de levure ; viandes contenant des émollients ; crème sure.

BOISSONS : vin (surtout le chianti ou les vins rouges) ; bière ; alcool. La caféine doit être prise modérément.

MÉDICAMENTS[3] : 1) antidépressifs tricycliques ; 2) pastilles contre le rhume, décongestifs, produits contre la fièvre des foins ; inhalants contre l'asthme ; 3) stimulants tels que Ritalin ou amphétamines, ordinairement prescrits pour maigrir ; 4) anticonvulsifs. Si vous prenez des médicaments contre l'hypertension, une consultation entre votre psychiatre et votre spécialiste en médecine interne est à conseiller.

EFFETS SECONDAIRES DANGEREUX : Si vous avez soudainement un fort mal de tête, des nausées, des raideurs dans le cou, des étourdissements, de la confusion mentale, une peur de la lumière ou d'autres symptômes inhabituels, demandez d'urgence une évaluation médicale et vérifiez si vous ne faites pas de l'hypertension. L'insomnie et une euphorie soudaine et extraordinaire, moins dangereuses, requièrent néanmoins une intervention immédiate du thérapeute et peuvent nécessiter de cesser de prendre le médicament.

incessante (des mouvements rapides du corps), une activité sexuelle accrue, un besoin moindre de sommeil, une instabilité et une agressivité très élevées et un comportement impulsif suicidaire à riboter. Cette maladie extraordinaire se présente habituellement en un modèle chronique d'exaltation et de dépression incontrôlables, de sorte que le médecin vous recommandera fréquemment de prendre du lithium pour le reste de votre vie.

---

3. Si vous êtes frappé d'apoplexie, consultez votre neurologue avant de prendre tout antidépressif.

Si vous éprouvez des élans anormaux d'exaltation et de dépression, le lithium est le médicament de premier choix. Le recours au lithium dans le traitement de dépressions récurrentes présentant une absence de phase maniaque est encore au stade de la recherche. On a constaté récemment que, s'il y a un cas de folie dans votre famille, le lithium pourra vous être bénéfique même si vous n'avez jamais été maniaco-dépressif vous-même.

Comme les autres médicaments en usage dans le traitement des troubles de l'humeur, le lithium met habituellement entre deux et trois semaines avant d'être efficace. Lorsqu'on le prend pendant une période prolongée, son efficacité clinique semble augmenter. Donc, si vous en prenez pendant des années, il vous aidera de plus en plus. On obtient le lithium en doses de 300 milligrammes, et normalement de trois à six comprimés par jour en doses séparées sont requises. Votre médecin vous guidera. La posologie doit être soigneusement contrôlée au moyen de tests sanguins, surtout au stade initial du traitement, afin de garder un niveau de tension sanguine approprié. Si vous avez trop de lithium dans votre sang, de dangereux effets secondaires peuvent se présenter. Par contre, si votre tension sanguine est trop basse, le médicament ne vous aidera pas. Taille, fonction rénale, conditions climatiques et d'autres facteurs peuvent régir la dose dont vous avez besoin ; c'est pourquoi les tests sanguins doivent se faire régulièrement lorsque vous êtes sous traitement au lithium. Votre prise de sang doit se faire 8 ou 12 heures après que vous ayez pris votre dernier comprimé. Le meilleur temps pour un test sanguin est tôt le matin. Si vous oubliez ce précepte et prenez votre comprimé de lithium le matin prévu pour un test, *ne faites pas le test !* Essayez un autre jour. Sinon, les résultats obtenus induiront votre médecin en erreur.

Avant le traitement, le médecin évaluera votre condition médicale et commandera une série de tests sanguins et une analyse d'urine. Le fonctionnement de votre glande thyroïde doit faire l'objet de tests à intervalles annuels pendant que vous êtes sous traitement au lithium et le fonctionnement de vos reins doit être évalué en même temps que vos tests sanguins tous les quatre mois car on a fait état d'anomalies rénales chez certains patients qui prenaient cet agent.

Les effets secondaires du lithium sont légèrement inconfortables mais ne sont habituellement pas graves. Lassitude et fatigue peuvent apparaître initialement mais disparaîtront généralement. Un dérangement d'estomac ou une diarrhée peut se produire dans les premiers jours du traitement, mais eux aussi disparaîtront. Une soif croissante, un besoin fréquent d'uriner et un tremblement des mains peuvent souvent se produire. On peut prescrire un médicament appelé propranolol si le tremblement est particulièrement grave et gênant, mais j'ai pour politique d'éviter de prescrire un médicament additionnel autant que possible.

Certains patients prenant du lithium se plaignent de faiblesse et de fatigue notoires. Cela indique probablement un niveau excessif de lithium et une réduction de la dose peut être indiquée. Somnolence extrême et confusion mentale, perte de coordination ou difficulté d'élocution indiquent un niveau dangereusement élevé de lithium. Cessez de prendre le médicament et consultez le médecin si de tels symptômes surviennent.

Levo-tryptophane. Nous sommes à l'ère de l'écologie. Les scientifiques, aussi bien que le public, se demandent si les substances naturelles (comme les vitamines, etc.) peuvent jouer un rôle dans la manifestation des troubles de l'humeur ou dans leur traitement. En dépit de tout le bla-bla-bla concernant les « mégavitamines » et autres marottes diététiques, des recherches systématiques effectuées par des scientifiques de renom du monde entier ont permis de démontrer qu'une seule substance diététique a pu être reliée à la dépression. Cette substance est le Levo-tryptophane.

Il s'agit d'un des matériaux que les tissus de votre corps utilisent pour fabriquer les protéines. Comme votre corps ne peut fabriquer ses propres Levo-tryptophanes, ceux-ci doivent être ingérés dans la nourriture que vous mangez. C'est pourquoi on l'appelle un acide aminé «essentiel».

Le Levo-tryptophane soulève un grand intérêt chez les chercheurs en psychiatrie car le cerveau s'en sert pour produire la sérotonine. La sérotonine est l'un des transmetteurs d'amines que les nerfs des régions «émotives» de votre cerveau utilisent pour s'envoyer mutuellement des messagers. Si votre régime ne contient pas suffisamment de Levo-tryptophane, les niveaux de sérotonine du cerveau baissent, pouvant ainsi contribuer à votre dépression.

D'un intérêt particulier sont les récentes découvertes des Drs Ronald Fernstorm, Richard Wurtman et d'autres chercheurs du Massachusetts Institute of Technology (MIT). Ces recherches ont permis de démontrer que le degré de Levo-tryptophane de votre régime a une incidence directe sur le niveau de sérotonine dans le cerveau. C'est ainsi que ces scientifiques ont enfin confirmé en partie ce que les hygiénistes de l'alimentation proclament depuis des années : Vos intestins maîtrisent partiellement votre cerveau!

Tout cela est très intéressant et on est tenté de proposer une solution simple à la dépression clinique : Il suffit d'ajouter de fortes doses de poudre de Levo-tryptophane pur et votre cerveau fabriquera plus de messagers chimiques. Tout déséquilibre chimique présumé doit alors se corriger, réglant ainsi vos troubles de l'humeur. Le tour est joué! En est-il ainsi?

C'est précisément ce que les psychiatres du monde entier, incluant notre équipe à l'Université de Pennsylvanie, essaient de déterminer depuis les dernières années. Les résultats sont encourageants mais contradictoires. Tandis que les psychiatres de certains centres ont tendance à signaler les effets antidépressifs marqués du Levo-tryptophane, d'autres études ont permis de constater peu d'effets bénéfiques, voire aucun. Le bilan de ces recherches à ce jour semble être comme suit :

1. Le Levo-tryptophane a effectivement quelques propriétés antidépressives, mais de toute évidence seuls quelques patients y réagissent.

2. Le cas échéant, les effets bénéfiques peuvent n'être que partiels. Un autre médicament ou un autre traitement thérapeutique peut être nécessaire pour éliminer complètement la dépression.

3. Le Levo-tryptophane est un sédatif, probablement sûr, à effet modéré qui favorise un sommeil paisible.

Où obtient-on le Levo-tryptophane ? Comme la Food and Drug Administration le classe comme additif alimentaire et non comme médicament, les médecins, aux États-Unis, ne sont pas autorisés à le prescrire, quoique leurs confrères le puissent en Angleterre. Si vous voulez en consommer, vous devez donc prendre cette décision de votre propre chef. On l'obtient légalement dans les magasins d'aliments de santé (très coûteux) ou des entreprises fournissant des produits chimiques (moins coûteux). Si vous décidez d'en consommer, assurez-vous d'obtenir du pur Levo-tryptophane, ET NON DU D-LEVO-TRYPTOPHANE. Ce dernier est moins efficace parce qu'il ne circule pas aussi facilement dans le cerveau.

Combien devez-vous en prendre ? La posologie « exacte » n'a pas encore été établie, mais les chercheurs ont donné aux patients atteints de dépression des doses de 3 à 15 grammes par jour. C'est beaucoup de Levo-tryptophane ! Un régime normal est d'environ un gramme. Il serait sage de consulter votre médecin au sujet de la dose appropriée si vous décidez de prendre du Levo-tryptophane. Ne prenez *aucune* dose conjointement avec d'autres médicaments, y compris des antidépressifs, à moins que votre médecin n'en soit prévenu.

Le Levo-tryptophane est-il dangereux? Jusqu'ici, on n'a constaté aucun effet dommageable chez les humains. Au cours des premières recherches où on administrait des doses massives à des vaches ou des lapins, quelques effets toxiques furent constatés, mais on ne pense pas présentement que les mêmes constatations soient applicables à l'homme. En général, il y a *toujours* quelque risque potentiel à prendre tout médicament ou agent en grande quantité : Même l'aspirine et les vitamines peuvent tuer si on en abuse. À moins que les avantages du Levo-tryptophane ou de tout autre antidépressif soient évidents et bien définis, il ne serait pas sage de continuer à en prendre.

Autres médicaments susceptibles d'être prescrits par votre médecin. Les quatre catégories d'antidépressifs que j'ai décrites sont les seules qui, à mon avis, sont indiquées sans ambiguïté pour le traitement de la dépression. D'autres types de médicaments sont à éviter. Certains médecins prescrivent des tranquillisants ou sédatifs bénins pour traiter la nervosité et l'anxiété. J'évite habituellement de le faire parce qu'ils peuvent créer l'accoutumance et l'effet sédatif qu'ils procurent peut empirer votre dépression.

Les pilules pour dormir peuvent être dangereuses et on en abuse volontiers. Elles commencent à perdre de leur efficacité après seulement quelques jours d'usage régulier et des doses de plus en plus fortes peuvent être requises pour vous endormir. Cela peut vous conduire vers un cheminement dangereux de dépendance et asuétude. Ces pilules dérangent votre modèle normal de sommeil, et comme l'insomnie grave est un symptôme de réaction à la privation, chaque fois que vous essayez d'interrompre leur absorption, vous êtes conduit à en déduire à tort que vous en avez besoin encore plus. C'est ainsi qu'elles peuvent grandement empirer vos problèmes d'insomnie. Par contre, quelques-uns des plus efficaces antidépressifs (voir tableau 15-2, page 426) accentuent le sommeil sans nécessiter d'accroissement de doses et constituent selon moi une meilleure façon de traiter l'insomnie chez les sujets déprimés. Si vous pensez avoir besoin de pilules, l'absorption du Levo-tryptophane au coucher peut également constituer une bonne décision, puisqu'il produit un sommeil réparateur et ne favorise pas l'accoutumance.

Que dire des excitants comme le Ritalin et les amphétamines, communément prescrits pour maigrir? Il est vrai que chez certaines personnes ces médicaments ont un effet stimulant ou exaltant passager (comme la cocaïne), mais ils présentent un danger d'accoutumance. Quand vous revenez sur Terre après un état d'exaltation, un traumatisme peut s'ensuivre, vous faisant éprouver un état encore plus profond de désespoir. Pris chroniquement, ces médicaments peuvent produire une réaction d'agressivité, de violence et de paranoïa ressemblant à la schizophrénie. Si un médecin ou un ami vous recommande de prendre de telles pilules, je vous suggère de solliciter rapidement un deuxième avis : d'un médecin recommandable cette fois !

Que dire également des prétendus «tranquillisants majeurs», comme Thorazine, Mellaril, Stelazine, Haldol, Prolixine, ou Navane? On destine habituellement ces agents au soin des authentiques réactions schizophréniques ou des troubles «maniaques». Ils ne jouent pas un rôle majeur dans le traitement de la plupart des patients souffrant de dépression ou d'anxiété. Seule une minorité d'individus souffrant de dépression pourrait bénéficier de ces agents. Il s'agit de personnes extrêmement agitées ne pouvant cesser de marcher, aussi bien que de patients âgés, paranoïaques et désabusés souffrant de dépression. Dans la plupart des cas de dépression, les grands tranquillisants peuvent aggraver la condition des patients par leur tendance à la somno-lence et à la fatigue. Ce compte rendu des pratiques relatives à la prescription des médicaments traduit ma propre approche. Les opinions de votre médecin pourront différer quelque peu. La psychiatrie est toujours un mélange d'art et de science. Peut-être qu'un jour l'«art» cessera d'être un élément proéminent. Si vous éprouvez de l'incertitude à propos de votre traitement, interrogez votre médecin et exhortez-le à vous expliquer son traitement en termes simples que vous comprendrez. Après tout, vous êtes le patron et il est votre employé! Ce sont votre esprit et votre corps qui sont en jeu, et non les siens. Tant qu'une stratégie rationnelle, compréhensible et mutuellement acceptable est élaborée pour votre thérapie, vous avez une excellente chance de bénéficier des efforts de votre médecin.

N'importe qui peut-il prendre un antidépressif? La plupart des gens le peuvent, mais un contrôle médical convenable s'impose. C'est ainsi que des précautions particulières doivent être prises si vous avez une histoire de cas d'épilepsie; des maladies du cœur, du foie ou du rein; de l'hypertension ou certains autres troubles. Chez l'enfant ou le vieillard, certaines médications sont à éviter et différentes doses peuvent être indiquées. Si, en plus d'antidépressifs, vous prenez d'autres médicaments, des précautions particulières s'imposent parfois. Administré convenablement, un antidépressif est sûr et peut sauver la vie. Mais n'essayez pas de l'administrer ou d'en régler la dose vous-même; un contrôle médical est *essentiel*. Une concertation doit s'établir entre l'obstétricien et le psychiatre quand il s'agit de savoir si une femme enceinte doit prendre un antidépressif. Comme des anomalies fœtales sont à envisager, l'avantage potentiel, la gravité de la dépression et l'état plus ou moins avancé de la grossesse doivent entrer en ligne de compte. D'autres moyens de traitement doivent d'abord être envisagés et un programme intense d'efforts personnels du type énoncé dans ce livre pourrait entièrement éliminer la nécessité de médication, procurant ainsi une protection optimale à l'enfant en gestation.

Polypharmacie. La question parfois surgit : Pourquoi ne pas avoir recours à plus d'une médication psychiatrique et ainsi en obtenir les avantages simultanés? Bien qu'il y ait quelques cas où certaines combinaisons de médicaments puissent être indiquées, on ne conseille généralement pas de prendre plus d'une médication antidépressive en même temps. On a mis sur le marché – et on en fait la promotion – des pilules combinant antidépressif et tranquillisant, mais les études cliniques n'ont pas permis de prouver l'efficacité de telles préparations. Dans la grande majorité des cas, un seul médicament suffira à accélérer votre retour à un équilibre de l'humeur. Si un médicament n'aide pas, cessez d'en prendre après trois ou quatre semaines et essayez-en un autre, mais ne compliquez pas les choses en prenant simultanément quelques médications. Un traitement à plusieurs médicaments embrouille les choses et n'est habituellement pas nécessaire, sans compter qu'il peut être dangereux. La seule exception pourrait être fournie par un patient ayant longuement essayé successivement plusieurs antidépressifs de types différents. En l'absence d'une réaction thérapeutique convenable, votre médecin pourra essayer une combinaison d'antidépressifs. Un inhibiteur MAO pourrait être combiné à un agent tricyclique ou à du lithium, ou un tricyclique avec du lithium. Pour le spécialiste qui l'administre, il s'agit d'une forme avancée de traitement et qui requiert une collaboration prudente entre vous et votre médecin.

L'intégration des théories cognitive et biochimique

À ce stade, vous vous demanderez sans doute pourquoi j'aborde le traitement par médicaments dans un livre qui prône l'effort et l'épanouissement personnels par la modification de la pensée et du comportement. Il est vrai que nous avons traité avec succès des centaines de patients souffrant de dépression profonde dans notre clinique de l'humeur, sans faire appel à aucune médication. Mais beaucoup d'autres ont désiré et reçu un traitement au moyen de médicaments et de la thérapie cognitive. Également avec succès. Peut-être que pour certains types de dépression l'adjonction d'un bon antidépressif étayant votre programme peut vous rendre davantage susceptible de profiter d'un programme rationnel d'effort personnel et accélérer votre thérapie. Je peux évoquer plusieurs individus atteints de dépression qui ont semblé « voir la lumière », à travers leurs pensées illogiques, tortueuses et négatives, plus rapidement après avoir commencé à prendre un antidépressif. J'ai adopté la politique suivante : Je favorise tout moyen raisonnable susceptible de vous aider !

Nos sujets de recherche ont pour but de fournir plus d'information au sujet de la combinaison de traitement par médication et par thérapie cognitive faisant appel à l'effort personnel. Les données préliminaires indiquent que les patients traités simultanément par thérapie cognitive et par antidépressifs réagissent plus favorablement que ceux sous traitement par antidépressifs uniquement. Cela confirme que les « traitements par tube à éprouvette » avec médicaments seuls ne fournissent pas une réponse entière pour plusieurs patients. Il y a donc place pour une psychothérapie efficace même chez les individus réagissant bien aux médicaments.

Quels types de dépression sont le plus susceptibles d'être soignés avec profit par antidépressifs ? Vos chances de bien réagir au médicament approprié augmentent dans les cas suivants :

1. Si vous êtes fonctionnellement ébranlé et incapable de poursuivre vos activités journalières à cause de votre dépression.

2. Si votre dépression se caractérise davantage par des symptômes organiques tels qu'insomnie, agitation ou ralentissement des réflexes ; une aggravation des symptômes le matin ; une incapacité à vous enthousiasmer devant les événements positifs.

3. Si votre dépression est profonde.

4. Si votre dépression est d'emblée raisonnablement bien définie et si vous présentez des symptômes indiquant un changement substantiel de la façon dont vous vous sentez habituellement.

5. Si vous n'avez pas une longue histoire de cas d'un autre trouble psychiatrique ni d'hallucinations ayant précédé votre dépression.

6. Si vous avez une histoire de cas de dépression dans la famille.

7. Si vous avez bien réagi à une chimiothérapie antérieurement.

8. Si vous n'avez pas tendance à vous plaindre et à blâmer les autres.

9. Si vous ne présentez pas d'histoire de cas d'une tendance exagérée à des effets secondaires ni de plaintes multiples de nature hypocondriaque.

Les lignes directrices ci-dessus sont d'ordre général et ne sont nullement exhaustives. Plusieurs exceptions surviennent et votre aptitude à prédire comment vous allez réagir à un médicament est passablement limitée. Nous espérons que l'usage d'antidépressifs deviendra beaucoup plus précis et moins empirique à l'avenir tout comme ce fut le cas des antibiotiques.

Une approche cognitive de la chimiothérapie. Certaines attitudes négatives et idées irrationnelles peuvent nuire à un traitement approprié. J'expose ici quelques mythes nuisibles à cet égard. Je pense qu'une précaution éclairée avant de prendre quelque médication est à conseiller, mais une attitude trop immobiliste basée sur des demi-vérités peut être nuisible.

Les mythes face à la prise de médicaments

MYTHE NUMÉRO 1

« Si je prends ce médicament, je ne serai plus moi-même. Je vais me comporter d'une façon étrange et me sentir dans un état inhabituel. »

Rien ne pourrait être plus éloigné de la vérité. Bien que ces médicaments éliminent la dépression, ils ne créent pas normalement d'exaltation anormale de l'état d'âme et, sauf dans de très rares cas, vous ne vous sentirez pas dans un état anormal, étrange ou excessif. En fait, la plupart des patients déclarent se sentir *davantage* eux-mêmes après avoir commencé à réagir à une médication antidépressive.

MYTHE NUMÉRO 2

«*Ces médicaments sont extrêmement dangereux.*»

Faux. Si vous êtes sous contrôle médical et collaborez avec votre médecin, vous n'aurez aucun motif de craindre les médicaments. Les effets négatifs sont rares et on peut habituellement les contrôler avec sûreté et efficacité lorsque vous et votre médecin travaillez en équipe. Les antidépressifs sont beaucoup plus sûrs que la dépression elle-même. Après tout, la maladie, non soignée, peut vous tuer si vous vous suicidez!

MYTHE NUMÉRO 3

«*Mais les effets secondaires seront intolérables.*»

Non, les effets secondaires sont bénins et on peut les rendre à peine perceptibles en équilibrant la dose comme il faut. Si en dépit de cela vous trouvez la médication inconfortable, vous pouvez probablement en adopter une autre aussi efficace présentant moins d'effets secondaires.

MYTHE NUMÉRO 4

«*Mais je suis destiné à perdre la maîtrise de moi et à prendre ces médicaments pour me suicider.*»

Ces médicaments *peuvent* en effet être absorbés à doses mortelles, mais cela ne constituera pas nécessairement un problème si vous en parlez ouvertement avec votre médecin. Si vous vous sentez potentiellement suicidaire, n'obtenez que des quantités suffisantes pour quelques jours ou une semaine à la fois. Vous réduirez ainsi les risques de disposer de doses pouvant être mortelles. Souvenez-vous que lorsque le médicament commencera à agir, vous vous sentirez moins suicidaire. Vous devez voir votre thérapeute fréquemment et recevoir une thérapie intensive jusqu'à rémission de vos impulsions suicidaires.

MYTHE NUMÉRO 5

«*Je serai pris au piège de l'accoutumance comme les types qui se droguent dans la rue. Si jamais j'essayais de me débarrasser du médicament, je m'écroulerais de nouveau. Je serai pris avec cette béquille pour toujours. »*

Encore faux. Contrairement aux pilules pour le sommeil, les opiacés, les barbituriques et les tranquillisants bénins, les antidépressifs ont un potentiel d'accoutumance peu élevé. Une fois que le médicament s'est mis à agir, vous n'aurez *pas* à augmenter la dose pour maintenir ses effets antidépressifs et dans la plupart des cas la dépression ne reviendra pas lorsque vous abandonnerez le traitement. Lorsque ce sera le temps de cesser de prendre le médicament, il serait sage de le faire graduellement, réduisant la dose pendant une semaine ou deux. Cela diminuera tout inconfort qui pourrait résulter en cessant abruptement de prendre le médicament et vous aidera à tuer dans l'œuf toute possibilité de rechute.

Des médecins prônent maintenant le maintien à long terme de la thérapie pour certains patients. Un effet prophylactique peut être envisagé si vous prenez une faible dose d'antidépressifs sur une période d'un an ou plus après votre rétablissement. Cela réduira la possibilité d'une rechute. Si vous avez eu un problème important de dépression récurrente au cours des années, cela pourra être une sage décision. À doses réduites pour fins prophylactiques, les effets secondaires sont habituellement négligeables.

MYTHE NUMÉRO 6

« Je ne prendrai aucun médicament psychiatrique parce que cela signifiera que je suis fou. »

Cette idée est aberrante. On prescrit les antidépressifs dans des cas de dépression, pas de folie. Les antidépressifs n'ont en fait aucune place dans le traitement de la folie comme telle. Donc, si votre médecin vous recommande un antidépressif, cela indique qu'il est convaincu que vous avez un problème de l'humeur et non que vous êtes fou. Toutefois, vous seriez fou de refuser un traitement aux antidépressifs sur cette base car il pourrait en résulter pour vous plus de souffrances et de misère. Paradoxalement, vous pouvez vous sentir normal plus rapidement à l'aide du médicament.

MYTHE NUMÉRO 7
« Mais les gens vont me regarder de haut si je prends un antidépressif. Ils vont penser que je suis inférieur. »

Cette crainte n'est pas réaliste. Les gens ne sauront pas que vous prenez un antidépressif à moins que vous le leur disiez. Autrement, ils ne le sauraient pas. Si effectivement vous en informez les gens, ils en seront probablement soulagés. S'ils se soucient de vous, vous allez sans doute monter dans leur estime parce que vous faites quelque chose pour éliminer vos douloureux troubles de l'humeur. Bien sûr, il est possible qu'on exprime des doutes quant à la sagesse de prendre des antidépressifs et même qu'on critique votre décision. Cela vous donnera une magnifique occasion d'apprendre à affronter les reproches et la critique conformément aux principes énoncés au chapitré 6. Tôt ou tard, vous devrez décider d'avoir confiance en vous et de ne plus baisser pavillon devant une terreur débilitante à l'idée que quelqu'un pourrait ou ne pourrait pas approuver ce que vous faites.

MYTHE NUMÉRO 8
« Il est honteux d'avoir à prendre une pilule. Je dois être en mesure d'éliminer ma dépression par moi-même. »

Notre recherche sur les troubles de l'humeur nous a révélé que la plupart des individus *peuvent* se rétablir sans pilules s'ils adoptent un programme d'efforts personnels articulé et dynamique du genre qui est énoncé dans ce livre. Toutefois, nous avons aussi découvert que dans certains cas un antidépressif semble fournir la force dont vous avez besoin pour faciliter vos efforts pour en sortir. En fait, certains éléments indiquent que les antidépressifs peuvent réellement aider à réduire les idées sombres. Ainsi, ces médicaments peuvent stimuler vos efforts personnels pour modifier vos attitudes et vous aider à changer vos modes de comportement. Est-il raisonnable de broyer du noir et de souffrir continuellement, répétant obstinément que vous devez «y parvenir par vous-même»? Évidemment, vous devez le faire vous-même, avec ou sans apport pharmacologique. Un antidépressif peut vous apporter le coup de pouce nécessaire pour affronter les difficultés d'une façon plus productive, accélérant ainsi le processus naturel de guérison.

Pour en savoir davantage

BECK, A.T., RUSH, A.J., SHAW, B.F. et EMERY, G. *Thérapie cognitive de la dépression*. New York, Guilford Press, 1979. Ce livre s'adressant au conseiller professionnel ou au thérapeute expose graduellement le déroulement véritable du traitement.

ELLIS, A. et HARPER, R.A. *A New Guide to Rational Living*. Hollywood, Wilshire Book Co., 1975. Publié en vertu d'une entente avec Prentice-Hall, Inc., Englewood Cliffs, N.J. Dans cet ouvrage classique sur l'autothérapie, on décrit un système de psychothérapie rationnelle des émotions qui vous montrera comment résoudre les troubles émotifs en modifiant les opérations de l'esprit qui les crée.

EMERY, G. *A New Beginning*. New York, Simon and Shuster, 1981. Ce livre décrit les principes de la thérapie cognitive et indique comment on peut les appliquer au traitement de la dépression.

Index

F

G

H

I

J

L

M

V

W